La Guerre des Clans

La promesse de l'Élu

Justine B.

De Papi + Mami

Pour ton anniversaire 2017

xxx

L'auteur

Pour écrire *La Guerre des Clans*, **Erin Hunter** puise son inspiration dans son amour des chats et du monde sauvage. Erin est une fidèle protectrice de la nature. Elle aime par-dessus tout expliquer le comportement animal grâce aux mythologies, à l'astrologie et aux pierres levées.

Du même auteur :

LA GUERRE DES CLANS

CYCLE I (6 TITRES)
CYCLE II : LA DERNIÈRE PROPHÉTIE (6 TITRES)
CYCLE III : LE POUVOIR DES ÉTOILES
1. *Vision*
2. *Rivière noire*
3. *Exil*
4. *Éclipse*
5. *Pénombre*
6. *Soleil levant*

HORS-SÉRIES : *La quête d'Étoile de Feu*
La prophétie d'Étoile Bleue
La promesse de l'Élu

ILLUSTRÉS : 1. *Le guerrier perdu*
2. *Le refuge du guerrier*
3. *Le retour du guerrier*

LA QUÊTE DES OURS

Livre 1 : *L'aventure commence*
Livre 2 : *Le mystère du lac sacré*
Livre 3 : *Le Géant de feu*

Erin Hunter

La guerre des Clans

La promesse de l'Élu

Traduit de l'anglais par Aude Carlier

POCKET JEUNESSE
PKJ·

Titre original :
Crookedstar's Promise

Remerciements tout particuliers à Kate Cary.

Loi n° 49 956 du 16 juillet 1949 sur les publications
destinées à la jeunesse : février 2014.

ISBN : 978-2-266-23941-7

CLANS

CLAN DE LA RIVIÈRE

CHEF	**ÉTOILE DE GRÊLE** – mâle gris à la robe épaisse.
LIEUTENANT	**CŒUR DE NACRE** – chat gris moucheté.
GUÉRISSEUSE	**BAIE DE RONCE** – jolie chatte blanche tachetée de noir, aux yeux bleus.
GUERRIERS	**REFLET D'ARGENT** – matou tigré, noir et argenté.
	PELAGE D'ÉCORCE – matou brun.
	ŒIL DE CHOUETTE – matou brun et blanc.
	POIL DE LOUTRE – femelle au pelage blanc et roux pâle.
	PATTE DE PIERRE – chat brun clair à poil long.
	PELAGE DE CÈDRE – matou trapu, au poil brun et rayé, et à queue courte.
	FLEUR DE LIS – femelle gris perle.
	CIEL CLAIR – chatte au pelage roux et blanc.
	CROC DE BROCHET – chat brun et maigre dont les canines dépassent de son museau étroit.
	CRISTAL D'EAU – jolie chatte au long poil gris et blanc.
	LARME DE NUIT – chatte noire au pelage brillant.
APPRENTIS	**(ÂGÉS D'AU MOINS SIX LUNES, INITIÉS POUR DEVENIR DES GUERRIERS)**
	NUAGE DOUX – petite chatte mince au pelage blanc tacheté.
	NUAGE BLANC – mâle blanc à la queue rayée et aux pattes brunes.
REINES	**ÉCHO DE BRUME** – femelle à poil gris. L'extrémité blanche de ses poils donne un air duveteux à son pelage. Mère de Petit Ragondin, Petit Scarabée et Petit Bourgeon.

FLEUR DE PLUIE – chatte gris perle. Mère de Petite Tempête et Petit Chêne.

PLUME FAUVE – chatte à la robe brun clair. Mère de Petit Lac et Petit Nénuphar.

ANCIENS

CŒUR DE TRUITE – mâle gris tigré.

MOUSTACHE EMMÊLÉE – mâle tigré à la fourrure épaisse et négligée.

TRILLE D'OISEAU – femelle au pelage blanc et tigré et au museau couvert de taches rousses tirant sur le gris.

CLAN DU TONNERRE

CHEF

ÉTOILE DE SAPIN – mâle brun-roux aux yeux verts.

LIEUTENANT

PELAGE DE SOLEIL – matou roux clair aux yeux jaunes.

GUÉRISSEUR

PLUME D'OIE – mâle gris au pelage tacheté et aux yeux bleu clair.
APPRENTI : LONGUES MOUSTACHES

GUERRIERS

(MÂLES ET FEMELLES SANS PETITS)

PELAGE DE PIERRE – matou gris.

PLUME DE TEMPÊTE – mâle gris-bleu aux yeux bleus.

CROC DE VIPÈRE – matou brun sombre pommelé aux yeux jaunes.

TACHES FAUVES – chat tigré gris perle aux yeux ambrés.

QUEUE DE MOINEAU – grand chat brun tacheté aux yeux jaunes.

PETITE OREILLE – chat gris aux oreilles minuscules et aux yeux ambrés.
APPRENTIE: NUAGE BLANC

PLUME DE GRIVE – mâle brun-gris avec une tache blanche sur la poitrine et les yeux verts.

PLUME DE ROUGE-GORGE – petite chatte

énergique au poil bistre avec une tache rousse sur la poitrine et les yeux ambrés.

PELAGE CRÉPU – mâle noir aux poils ébouriffés et aux yeux jaunes.

VOL AU VENT – matou gris tigré aux yeux vert clair.

APPRENTIE : NUAGE CENDRÉ.

PERCE-NEIGE – chatte crème mouchetée aux yeux ambrés.

REINES

(FEMELLES PLEINES OU EN TRAIN D'ALLAITER)

DOUCE BRISE – chatte au pelage blanc tigré. Mère de Petit Léopard, femelle noire aux yeux verts, et de Petite Pomme de Pin, mâle noir et blanc aux yeux ambrés.

FLEUR DE LUNE – chatte argentée aux yeux jaune pâle. Mère de Petit Bleuet, femelle grise aux yeux bleus, et de Petite Neige, chatte blanche aux yeux bleus.

POIL DE COQUELICOT – femelle au long pelage roux sombre, à la queue touffue et aux yeux ambrés.

ANCIENS

(GUERRIERS ET REINES ÂGÉS)

HERBE FOLLE – matou roux clair aux yeux jaunes.

PATTE TREMBLANTE – chat brun un peu maladroit aux yeux ambrés.

PLUME D'ALOUETTE – femelle écaille aux yeux vert clair.

CLAN DE L'OMBRE

CHEF

ÉTOILE DE CÈDRE – mâle au pelage gris-noir et au ventre blanc.

LIEUTENANT

CROC DE PIERRE – matou gris tigré aux longs crocs.

GUÉRISSEUSE — **MOUSTACHE DE SAUGE** – femelle blanche aux longues moustaches.

GUERRIERS — **PATTE GRISE** – grand matou au pelage brun foncé tigré et aux yeux gris.

CŒUR DE RENARD – mâle au pelage roux vif.

PLUME DE CORBEAU – femelle au pelage noir tigré.
APPRENTI : NUAGE DE POLLEN.

PATTE DE FOUGÈRE – matou roux pâle aux pattes plus foncées.

CROISSANT DE LUNE – mâle au pelage gris tigré de noir, avec une zébrure noire en forme de croissant au-dessus d'un œil.

FLEUR DE HOUX – femelle au pelage gris sombre et blanc.

REINES — **PLUME D'ORAGE** – femelle au pelage brun tigré.

FLAQUE GRISE – chatte gris et blanc.

ANCIENS — **PLUME DE BÉCASSE** – petite chatte au pelage roux tigré.

CROC DE LÉZARD – matou au poil brun clair et tigré, avec une dent courbe.

CLAN DU VENT

CHEF — **ÉTOILE DE BRUYÈRE** – chatte au pelage gris rosé et aux yeux bleus.

LIEUTENANT — **PLUME DE ROSEAU** – mâle au pelage brun clair tigré.

GUÉRISSEUR — **CŒUR DE FAUCON** – mâle au pelage brun sombre tacheté de gris et aux yeux jaunes.

GUERRIERS — **RAYON DE L'AUBE** – mâle au poil doré avec des zébrures plus claires.
APPRENTI : NUAGE FILANT.

GRIFFE ROUGE – mâle roux sombre.
APPRENTI : NUAGE DE TAUPE.

ANCIEN — **BAIE BLANCHE** – petit chat tout blanc.

Hautes Pierres
Ferme de Gerboise
Camp du Vent
Quatre Chênes
Chutes
Arbre aux Chouettes
Rivière
Rochers du Soleil
Camp de la Rivière

Charnier
Camp
de l'Ombre
Chemin du Tonnerre
Camp
du Tonnerre
Grand Sycomore
Rochers
aux Serpents
Combe
sablonneuse
Grands
Pins
Cabane à
couper le bois
Ville des Bipèdes
Clan
du Tonnerre
Clan
de la Rivière
Clan
de l'Ombre
Clan
du Vent
Clan
des Étoiles

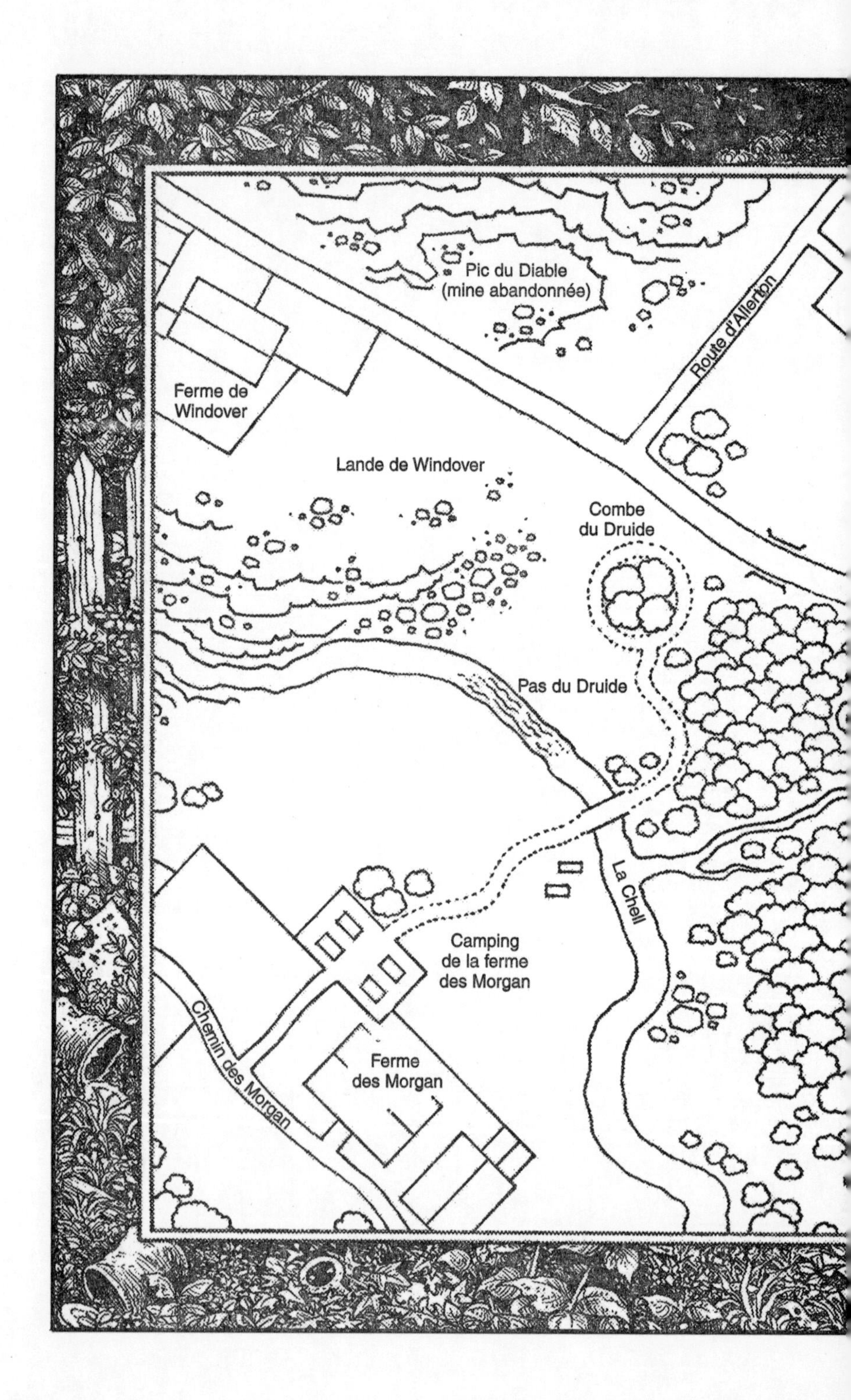
Pic du Diable
(mine abandonnée)
Route d'Allerton
Ferme de
Windover
Lande de Windover
Combe
du Druide
Pas du Druide
La Chell
Camping
de la ferme
des Morgan
Chemin des Morgan
Ferme
des Morgan

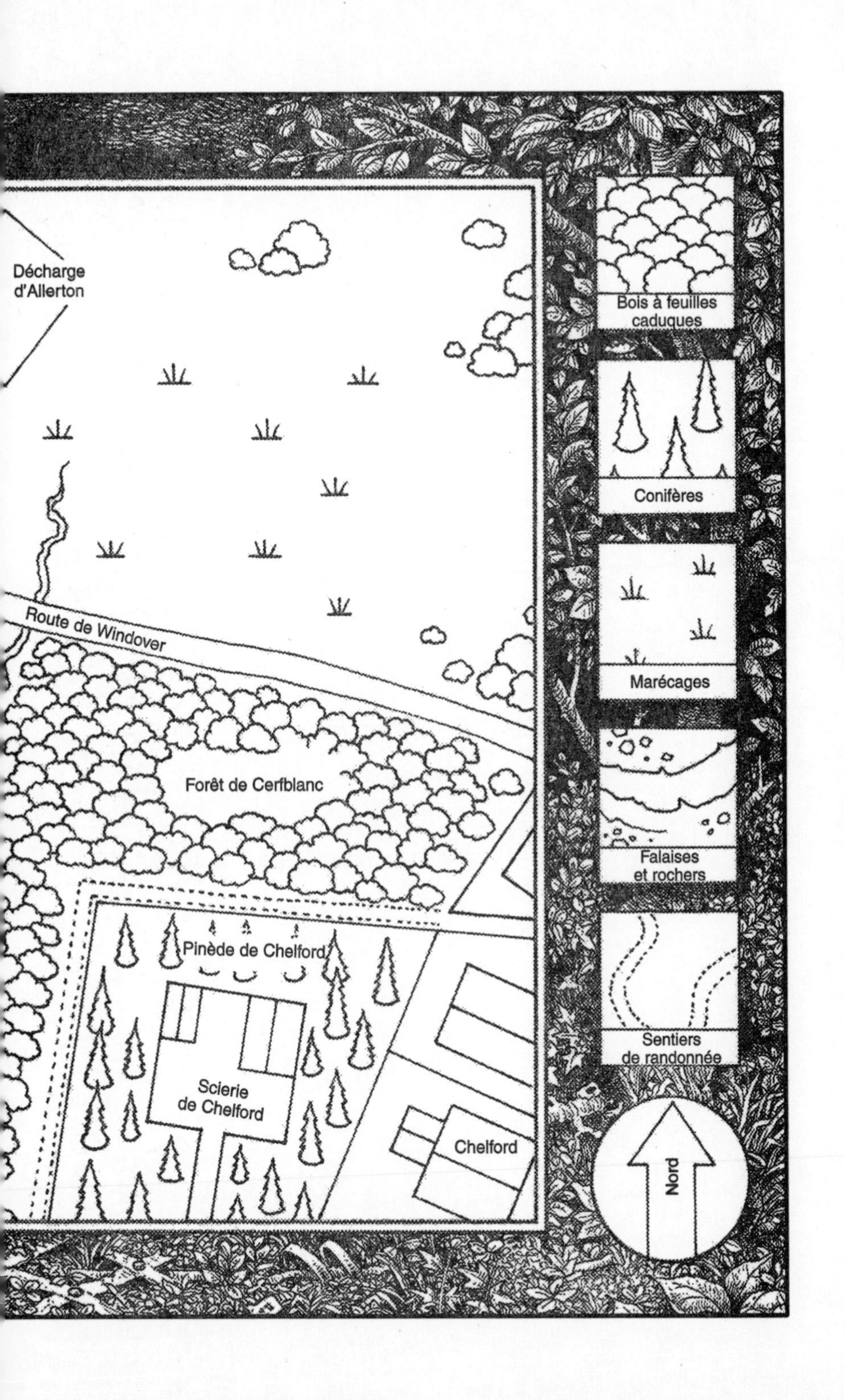

Décharge
d'Allerton
Route de Windover
Forêt de Cerfblanc
Pinède de Chelford
Scierie
de Chelford
Chelford
Bois à feuilles
caduques
Conifères
Marécages
Falaises
et rochers
Sentiers
de randonnée
Nord

PROLOGUE

LE VENT SECOUAIT LES BRANCHES des saules et arrachait les roseaux.

« Étoile de Grêle ! »

D'énormes nuages d'orage tourbillonnaient dans le ciel. La pluie martelait les tanières de joncs où dormaient les guerriers du Clan de la Rivière.

« Étoile de Grêle ! »

Le chef du Clan rabattit les oreilles en entendant le cri terrifié de sa compagne. Il planta ses griffes dans la vase afin de lutter contre le courant. La rivière était sortie de son lit et inondait le camp. Il tourna la tête pour scruter la pénombre.

« Étoile de Grêle ! » hurla de nouveau Écho de Brume.

Son cri était étouffé par le chaton qu'elle tenait dans la gueule. Un autre petit était accroché à son dos. Elle fixait un nid de brindilles qui s'éloignait d'elle, emporté par la crue. Une petite boule de poils s'efforçait de s'y cramponner alors que la tanière se disloquait.

Étoile de Grêle plongea vers le nid et saisit le chaton

juste avant qu'il ne disparaisse sous la surface. Il jeta son fils vers Pelage d'Écorce.

« Emmène Petit Ragondin jusqu'au repaire des anciens ! »

Le matou brun obéit aussitôt et gagna le fond du camp, que l'eau n'avait pas encore atteint.

« Suis-le ! » ordonna Étoile de Grêle.

Écho de Brume acquiesça, les yeux écarquillés, les poils plaqués par la pluie.

Le chef examina le camp. Des pelages luisants fusaient dans toutes les directions, tels des poissons pris de panique. Arc-boutée aux restes du gîte des guerriers, une chatte au pelage roux et blanc tentait de l'empêcher de s'effondrer. Un matou tigré trapu essayait de bloquer le canal écumant pour éviter que les nids n'aillent rejoindre la rivière.

Un éclair illumina le ciel noir. Le tonnerre gronda et le vent forcit. Une nouvelle vague submergea le camp.

« Cœur de Nacre ! lança le chef à son lieutenant. À ton avis, que devons-nous faire ? »

Perché sur une souche de hêtre pour surveiller la rivière en amont, un matou gris moucheté lui répondit :

« Le niveau monte vite ! La tanière des anciens sera bientôt inondée.

— Nous allons devoir abandonner le camp !

— Non ! s'écria la chatte au poil blanc et roux en lâchant sa tanière.

— Nous n'avons pas le choix, Ciel Clair !

— Nous ne pouvons pas abandonner ce que nos ancêtres ont bâti pour nous !

— Nous le reconstruirons !

— Ce ne sera plus pareil ! »

La guerrière s'élança pour bloquer entre ses pattes un nid qui flottait.

Cœur de Nacre descendit de son perchoir et pataugea vers sa camarade.

« Ensemble, nous sommes capables de tout, insista-t-il. Sauf de ressusciter les chats qui auront péri en voulant sauver des tas de brindilles. »

La femelle relâcha le nid à contrecœur et le regarda tournoyer dans le courant.

Une langue d'eau noire écumante fondit aux abords de la tanière des anciens, faisant tanguer la construction.

« Sortez de là ! » hurla Étoile de Grêle.

Écho de Brume se faufila au-dehors, suivie par trois chatons qui évoquaient des souris à moitié noyées. La reine fixa son compagnon.

« Et où irons-nous ?

— Sur un terrain plus élevé. »

Le matou avait tendu la queue vers la berge couronnée d'arbres et de buissons.

Un vieux chat à la fourrure emmêlée émergea de la tanière.

« Je n'ai jamais vu pareille tempête, miaula-t-il.

— Où allons-nous ? s'enquit la chatte au poil blanc et tigré qui l'avait suivi.

— Dans les terres, Trille d'Oiseau.

— Si loin de la rivière ? protesta-t-elle.

— C'est temporaire. Que tout le monde me suive !

— Attends ! le héla Cœur de Nacre en s'arrêtant à mi-pente. Où est Fleur de Pluie ?

— Là ! »

Une reine gris perle avança prudemment vers lui. Son ventre était gonflé par les petits à naître.

« Tu vas bien ? s'inquiéta le lieutenant.

— Ça ira mieux une fois que j'aurai les pattes au sec. »

Elle était hors d'haleine et la pluie dégoulinait de son pelage en filets ininterrompus.

Une petite chatte blanche tachetée de noir contourna la reine, les yeux brillants.

« Les douleurs ont commencé, annonça-t-elle.

— Les petits arrivent ? voulut savoir le lieutenant.

— Je ne sais pas encore, admit Baie de Ronce, la guérisseuse.

— Cœur de Nacre, va plutôt aider Étoile de Grêle au lieu de t'inquiéter. Tout ira bien », lança la reine à son compagnon.

Ce dernier acquiesça avant de s'éloigner.

« Reflet d'Argent ?

— Je suis là ! répondit un guerrier noir et argenté qui écartait les roseaux près de la tanière des anciens pour permettre à ses camarades de gagner un terrain surélevé.

— Assure-toi que tout le monde suit le mouvement. »

Reflet d'Argent hocha la tête et poussa du museau un ancien grisonnant qui refusait d'avancer dans l'ouverture.

« Je ne peux pas partir sans Onde de Nuit ! protestait le vieux matou, les griffes plantées dans la terre humide. Elle était partie faire ses besoins lorsque le camp a été inondé. Elle n'est toujours pas revenue.

— Nous la trouverons », lui promit Reflet d'Argent, qui se tourna vers Étoile de Grêle. « Tu la vois ?

— Non. Je vais m'assurer que tous les nids sont vides ! »

Le meneur dévala la pente vers la pouponnière, fourra le museau à l'intérieur et renifla, à l'affût de l'odeur de corps chauds.

Personne. Il inspecta ensuite les restes de la tanière des apprentis, puis ceux de la tanière des guerriers. Seule flottait une odeur de roseaux mouillés. Il balaya le camp du regard en luttant pour garder l'équilibre malgré le courant qui menaçait de l'emporter. Enfin, il retraversa la clairière inondée et suivit son Clan.

« Est-ce que nous sommes tous là ? cria-t-il.

— Onde de Nuit reste introuvable, se lamenta Reflet d'Argent.

— Je vais repartir à sa recherche, annonça Ciel Clair.

— Entendu, fit le chef. Les autres, vous continuez à avancer. »

Alors que Ciel Clair parcourait une nouvelle fois la berge, Fleur de Pluie poussa un gémissement sourd.

« Fleur de Pluie ? » s'inquiéta Cœur de Nacre.

La reine s'était recroquevillée, la gueule déformée par la douleur.

Baie de Ronce s'accroupit près d'elle.

« Les petits arrivent, annonça-t-elle.

— Maintenant ? s'étrangla le guerrier.

— Ils n'attendront pas la fin de la tempête, répliqua la guérisseuse. Nous devons la mettre à l'abri.

— Au milieu des arbres, suggéra le lieutenant. L'eau ne montera jamais si haut.

— C'est trop loin. » Baie de Ronce leva les yeux vers la branche large et basse du chêne au-dessus de leurs têtes. « Tu crois que tu peux la porter là-haut ? demanda-t-elle au matou.

— J'y arriverai s'il le faut. » Il prit sa compagne par la peau du cou et l'entraîna tant bien que mal jusqu'au pied de l'arbre. « Allez, on grimpe. »

La reine leva la tête et gronda. Elle ouvrit la gueule comme pour protester, mais ses flancs se contractèrent et elle se recroquevilla de nouveau sur elle-même.

« Allez ! la pressa la guérisseuse. On n'a pas toute la nuit ! »

Fleur de Pluie planta ses griffes dans l'écorce et entreprit de se hisser vers le haut tandis que Cœur de Nacre la poussait d'en bas. Haletante, la reine parvint à grand-peine à un creux dans le tronc d'où jaillissait la branche.

Baie de Ronce grimpa à son tour à toute allure, aussi vive qu'un écureuil, doublant Cœur de Nacre au passage. Elle regarda un instant le creux, puis hocha la tête.

« Ça ira. Cœur de Nacre, tu pourrais aller me chercher mes remèdes ?

— Je vais essayer.

— Sois prudent ! » hoqueta Fleur de Pluie.

Son compagnon avait déjà sauté de la branche pour filer vers le camp inondé.

Du bout de la patte, la guérisseuse balaya les feuilles mortes.

« Tu as largement la place de t'allonger là. »

Du museau, elle poussa la reine vers la litière de

fortune et s'installa tout près d'elle sur l'écorce trempée.

Il n'y avait même pas trois lunes que le mentor de Baie de Ronce, Pelage Lacté, avait rejoint le Clan des Étoiles et qu'elle était devenue l'unique guérisseuse de son Clan. C'était la première fois qu'elle devait faire face à une urgence.

Fleur de Pluie frémit, transpercée par une nouvelle contraction. Baie de Ronce inspira un bon coup pour évacuer de son esprit le hurlement du vent et le grondement du tonnerre. Elle posa doucement les pattes sur le flanc de sa patiente alors qu'un nouveau spasme la secouait.

La guérisseuse scruta les touffes de roseaux en contrebas. Aucun signe de Cœur de Nacre. Elle coupa un rameau avec ses crocs et le posa près de la joue de Fleur de Pluie.

« Tiens. Mords-le aussi fort que possible lorsque la douleur arrive.

— Tu n'as rien de mieux ? feula la reine.

— C'est tout ce dont tu as besoin. Les reines mettent bas depuis que le monde est monde. Il n'y a rien de plus naturel. »

La chatte grogna en mordant dans le bâton.

Des grattements sur l'écorce annoncèrent le retour du lieutenant.

« Désolé, haleta-t-il, trempé. J'ai dû nager jusqu'à ta tanière. J'ai réussi à y pénétrer, mais tes remèdes ont été emportés par le courant. »

Baie de Ronce ferma les yeux en pensant à toutes les lunes qu'il avait fallu pour constituer cette réserve.

Avant qu'elle puisse répondre, Fleur de Pluie feula et le bâton craqua dans sa gueule.

Le premier chaton arrivait.

Baie de Ronce se pencha juste à temps pour voir un petit paquet glisser sur l'écorce rugueuse. Elle déchira la poche, donna quelques coups de langue au chaton et le passa à son père.

« Ne le laisse pas tomber.

— Tout va bien ? » s'enquit Ciel Clair depuis le pied de l'arbre.

L'eau venait lui lécher les pattes. L'inondation gagnait du terrain.

« Il y a déjà un chaton et un autre est en route », répondit la guérisseuse.

Cœur de Nacre regarda en bas, une patte posée sur le chaton qui gigotait près de lui.

« Tu as trouvé Onde de Nuit ?

— Non, pas la moindre trace, dit la guerrière.

— Va rejoindre les autres. Ici, tout se passe bien. Reviens nous chercher quand le niveau de l'eau redescendra. »

Fleur de Pluie réduisit le bâton en miettes lorsque le second chaton sortit. Baie de Ronce attrapa la petite boule de poils dans la gueule et la nicha contre sa mère.

La reine tendit aussitôt la tête vers le nouveau-né et le lécha vigoureusement jusqu'à ce qu'il miaule.

« C'est un mâle.

— Celui-là aussi, annonça son compagnon en plaçant le premier-né près de son frère. Ils sont parfaits », murmura-t-il, ému.

Fleur de Pluie ronronna lorsque le guerrier frotta sa joue contre la sienne.

« Je nomme celui-ci Petit Chêne, pour rendre hommage à cet arbre qui nous a protégés de l'inondation, ronronna-t-elle encore. Et celui-là, Petite Tempête, en souvenir de la tempête qui nous a conduits dans ses branches.

— Des chatons nés par une telle nuit d'orage sont destinés à devenir de grands guerriers, murmura Cœur de Nacre en couvant sa compagne d'un regard plein de fierté. Dommage qu'ils ne puissent pas devenir tous deux chef du Clan. »

CHAPITRE 1

PETITE TEMPÊTE S'AVANÇA un peu plus sur la branche glissante. La voix de Petit Ragondin résonnait toujours à ses oreilles : « Je te parie que tu tomberas avant d'atteindre le bout ! »

Le chaton au pelage beige tigré sortit les griffes et les planta dans l'écorce gelée. De son perchoir, il voyait jusqu'au méandre de la rivière. Il devinait même la première pierre de gué. Et, sur l'autre rive, les Rochers du Soleil ! Petite Tempête ébouriffa son pelage. Aucun chaton du Clan n'avait jamais vu aussi loin !

« Fais attention ! lui lança d'en bas Petit Chêne.

— Tais-toi, Petit Chêne ! Je suis un guerrier ! »

Petite Tempête regarda en direction des roseaux. De petits poissons aux écailles brillantes nageaient dans le cours d'eau glacé.

S'il tendait la patte, parviendrait-il à briser la fine couche de glace à la surface et à en attraper quelques-uns ? Il colla son ventre pâle à l'écorce, enroula ses pattes arrière autour de la branche et tendit ses pattes avant. Il poussa un soupir de frustration lorsque ses griffes ne frôlèrent que la tête des roseaux. *Je suis né par une nuit d'orage ! Un jour, je serai le chef du Clan !* Petite Tempête s'étira encore, tremblant sous l'effort.

« Qu'est-ce que tu fais ? gémit Petit Chêne.

— Laisse-le ! le coupa Fleur de Pluie en ronronnant. Ton frère a déjà le courage d'un guerrier. »

Petite Tempête s'agrippa plus fort encore à la branche. *Tout ira bien. Je suis plus puissant que le Clan des Étoiles.*

« Attention ! » cria son frère.

Un courant d'air ébouriffa la fourrure de Petite Tempête, un battement de plumes noires et blanches lui cingla les oreilles.

Une pie !

Des serres lui griffèrent le dos.

Crotte de grenouille et pet de poisson !

Petite Tempête perdit l'équilibre et tomba au milieu des roseaux. Il brisa la fine couche de glace et effraya les poissons. L'eau gelée lui coupa le souffle.

Où est la rive ? Il avait de l'eau plein la gueule. Elle avait un goût de pierre et d'herbe. Il tenta de nager en crachotant, mais les roseaux entravaient ses mouvements. *Guerriers de jadis, aidez-moi !* Paniqué, il s'efforçait de garder le museau au-dessus de l'eau.

Soudain, les tiges s'écartèrent sur le passage de Moustache Emmêlée, qui se précipita vers lui.

« Je vais bien ! » protesta-t-il.

Il but la tasse et hoqueta.

Des crocs le saisirent par la peau du cou.

« Ah, les chatons ! » grommela l'ancien venu à la rescousse.

Tremblant de froid, Petite Tempête ramassa ses pattes contre son ventre, mort de honte, tandis que le vieux matou allait le déposer devant sa mère.

« Joli plongeon ! le taquina Petit Ragondin.

— Un vrai martin-pêcheur, renchérit Petit Scarabée. Peut-être qu'Étoile de Grêle devrait te rebaptiser Cervelle de Piaf. »

Petite Tempête feula au museau des deux chatons âgés d'une lune de plus que lui.

Écho de Brume accourut derrière ses petits.

« Arrêtez de vous moquer, tous les deux.

— Je ne me suis pas moquée, moi ! protesta Petit Bourgeon en se frayant un passage entre ses frères, la truffe haute. Moi, je trouve qu'il a été très courageux.

— La prochaine fois, cramponne-toi plus fort ! ronronna Fleur de Pluie en léchant les oreilles de son fils.

— Ne t'en fais pas, j'y compte bien », rétorqua-t-il avant d'esquiver le coup de langue suivant.

Alors que Moustache Emmêlée s'ébrouait pour sécher sa longue fourrure tigrée, Trille d'Oiseau dévala la pente depuis la tanière des anciens.

« Tu vas attraper froid ! gronda-t-elle.

— Tu aurais voulu que je le laisse se noyer ? rétorqua-t-il en fixant sa compagne au poil tigré et blanc.

— L'un des guerriers l'aurait sauvé.

— Ils sont trop occupés.

— Je pense que Petite Tempête aurait réussi à sortir tout seul. C'est un petit chat très fort. Pas vrai, chéri ? »

Le compliment de sa mère réchauffa la fourrure du chaton. Il cligna des yeux pour en chasser l'eau et balaya la clairière du regard. C'était là le foyer du Clan de la Rivière, le Clan le plus fort de tous. Il n'avait pas connu le camp avant l'inondation, si bien que la couche de boue lisse qui couvrait le sol et les tas de roseaux humides qui occupaient le moindre coin lui étaient plus familiers que les parois épaisses en joncs tressés qui émergeaient peu à peu dans de petites zones dégagées. Pelage d'Écorce et Pelage de Cèdre portaient des fagots de roseaux secs. Plus loin sur la rive, Cœur de Nacre et Poil de Loutre arrachaient d'autres tiges. Plume Fauve aidait Baie de Ronce à dégager les derniers débris de la tanière où elle rangeait ses remèdes. Œil de Chouette et Cristal d'Eau traînaient hors du camp le bois mort et les morceaux d'écorce déposés dans la clairière par la crue.

Une lune entière s'était écoulée depuis la nuit d'orage qui avait vu naître Petite Tempête et Petit Chêne, mais le camp portait encore les traces de l'inondation. Heureusement, la tanière des anciens avait tenu bon et ne nécessitait que quelques réparations. Quant à la pouponnière – une sphère formée de branches de saules et de tiges de roseaux entrelacées –, elle avait été retrouvée en aval, coincée entre les pierres du gué. Il n'avait pas été difficile de la rapporter au camp.

Les autres parties du camp étaient plus compliquées à réparer. Il leur avait fallu creuser pendant une demilune pour parvenir à faire levier sur le tronc couché, contre lequel était adossée la tanière des anciens avant la catastrophe. Ils voulaient le faire rouler au bord de la clairière et construire de nouvelles tanières contre lui. En attendant, les guerriers dormaient dans des abris de fortune au milieu de la haie de joncs qui entourait le camp ou dans les creux de l'arbre couché. Ils avaient tous oublié ce qu'avoir chaud signifiait. La saison des feuilles vertes s'annonçait déjà dans les bourgeons et les trilles des oiseaux mais, chaque nuit, les gelées de la mauvaise saison blanchissaient toujours les berges de la rivière.

Étoile de Grêle dormait à la belle étoile, malgré le froid. Il affirmait que sa tanière serait la dernière à être reconstruite.

« Lorsque mon Clan dormira au chaud, en sécurité, je pourrai trouver le repos. Pas avant. »

Petit Chêne s'enroula autour de Petite Tempête, sans tenir compte du fait que sa fourrure brun-roux se mouillait contre le pelage trempé de son frère.

« Je t'avais dit de faire attention.

— Je ne serais pas tombé si cette pie n'avait pas piqué sur moi, gronda le chaton, transi jusqu'aux os.

— Tu ne serais pas tombé si tu étais resté dans la clairière », rétorqua une autre voix.

Petite Tempête fit volte-face.

Étoile de Grêle le regardait de haut, son épaisse robe gonflée pour lutter contre la bise. Une lueur amusée dansait dans son regard.

« Cœur de Nacre ! » lança-t-il à son lieutenant sans quitter des yeux Petite Tempête.

Le matou se glissa hors de l'eau, le pelage luisant.

« Tout va bien ? s'inquiéta-t-il en jetant un coup d'œil vers son chaton.

— Ton fils sera un guerrier courageux. Enfin, s'il ne se noie pas avant même d'avoir commencé son apprentissage... Nous ferions mieux d'envoyer une patrouille à la poursuite de cette pie. Elle commence à se croire chez elle.

— Pour la faire fuir ou l'attraper ?

— Mieux vaut l'attraper, conseilla le chef, la truffe froncée de dégoût car peu de membres du Clan de la Rivière appréciaient la saveur du gibier à plume. Nous devons manger tout ce que nous trouvons. »

L'inondation avait tué presque tous les poissons, en les écrasant contre les rochers ou en les projetant sur la berge.

« Je vais rassembler une patrouille, répondit Cœur de Nacre.

— Attends le retour de celle de Reflet d'Argent. »

Il y avait tant à faire dans le camp qu'Étoile de Grêle ne dépêchait jamais plus d'une patrouille à la fois.

« J'espère qu'ils auront attrapé quelque chose de mangeable, cette fois-ci, marmonna Moustache Emmêlée. Nos guerriers ont besoin de force pour réparer les tanières.

— Laissez-nous vous aider à la reconstruction, dans ce cas, intervint Petite Tempête.

— Oh, oui, s'il vous plaît ! renchérit Petit Ragondin, son poil gris en bataille.

— Nous serons vraiment utiles ! ajouta Petit Bourgeon.

— Arrêtez de faire vos cervelles de souris, ronronna Écho de Brume en enroulant la queue autour de ses petits pour les faire reculer. Vous courrez dans les pattes de tout le monde.

— C'est même pas vrai ! pesta Petite Tempête en grattant le sol.

— Écho de Brume, je ne vais pas refuser un peu d'aide si gentiment offerte, ronronna Étoile de Grêle. Tant qu'ils restent dans le camp, je n'y vois pas d'objection. Ils formeront la patrouille des chatons ! »

Petite Tempête bomba le poitrail en allant se poster à côté de Petit Chêne, Petit Scarabée, Petit Ragondin et Petit Bourgeon.

« Chouette ! Qu'est-ce qu'on va faire ? »

Le meneur réfléchit un instant avant de répondre :

« Si vous apportez les roseaux coupés par Poil de Loutre à Nuage Doux et Nuage Blanc, alors Pelage d'Écorce et Pelage de Cèdre pourront rejoindre la patrouille de chasseurs de Cœur de Nacre.

— C'est parti ! s'écria Petite Tempête en filant vers la berge.

— Attention ! pesta Pelage de Cèdre, qui assemblait un nouveau fagot. Ne les fais pas tomber dans la rivière !

— Promis ! »

Le chaton mordit une tige et entreprit de l'apporter à la tanière à moitié construite des apprentis.

— Eh bien, miaula Nuage Blanc en s'arrêtant un instant de tisser le toit pour regarder en bas. On dirait que nous avons de nouveaux volontaires.

— Je peux en porter plus », fanfaronna Petite Tempête, tout fier.

Il lâcha la tige et fit demi-tour… et se figea juste avant de percuter Petit Scarabée.

« Regarde où tu vas ! le gronda le chaton noir, qui trébucha sur le jonc qu'il traînait.

— Désolé. » Petite Tempête se hâta de rejoindre la rive. Il passa devant Petit Ragondin, qui avait saisi trois tiges dans sa gueule. « La prochaine fois, j'en prendrai quatre », lança-t-il.

Il dressa les oreilles en entendant des bruits de pas sur le sol marécageux devant l'entrée du camp. Un chat arrivait à toute allure. Petite Tempête s'immobilisa lorsque Reflet d'Argent déboula dans le camp.

« Tu as trouvé du gibier ? » lui lança Trille d'Oiseau.

Le guerrier secoua la tête, à bout de souffle.

« Les Rochers du Soleil ! haleta-t-il. Le Clan du Tonnerre a pris les Rochers du Soleil ! »

CHAPITRE 2

« LE CLAN DU TONNERRE ! » répéta Petite Tempête en filant vers l'arbre couché. Il se hissa sur le tronc et grimpa à toute vitesse sur la branche qui dominait la rivière. « Ces cœurs de serpent ! »

Il apercevait de loin les pelages miteux des guerriers rivaux grouillant sur les énormes rochers, lesquels avaient toujours appartenu au Clan de la Rivière malgré les revendications du Clan du Tonnerre.

« Comment osent-ils faire une chose pareille ? » gronda le lieutenant.

Petite Tempête vit son père grimper sur le vieux saule puis le long d'une branche basse qui ployait jusqu'à l'eau. Le matou scruta la rive opposée à travers le rideau de tiges tombantes.

« Je n'arrive pas à y croire ! Étoile de Sapin se vautre au soleil comme s'il était chez lui ! »

Petite Tempête devina un énorme matou, roux comme un renard, étalé sur les rochers.

Reflet d'Argent faisait les cent pas dans la clairière, ses poils noirs et gris dressés sur l'échine.

« Ils doivent penser que nous avons perdu nos crocs et nos griffes ! »

Les joncs s'écartèrent de nouveau pour livrer passage à Patte de Pierre et Ciel Clair. Croc de Brochet les suivit, la fourrure en bataille, une grosse carpe coincée entre ses longues dents. Il lâcha sa prise et leva la tête vers Étoile de Grêle.

« Qui va commander la patrouille punitive ? »

Petite Tempête agita la queue. Pourquoi n'était-il pas déjà apprenti ? Il aurait tellement voulu aider ses camarades à chasser ces guerriers galeux hors du territoire du Clan de la Rivière.

Cœur de Nacre regagna lui aussi la clairière.

« Est-ce qu'on va laisser faire ces sales chasseurs d'écureuils ? lança le lieutenant à son chef.

— Ils doivent se douter que nous les voyons, gronda Reflet d'Argent.

— Ce qui signifie qu'ils sont sur la défensive, ajouta Cœur de Truite. Comment pourrions-nous remporter une bataille pour laquelle ils sont davantage préparés que nous ? » Il secoua la tête, où sa fourrure était collée par endroits. « N'avons-nous pas suffisamment souffert ? »

Petite Tempête se demanda si le vieux matou repensait à Onde de Nuit. Le chaton avait entendu Fleur de Pluie dire à Écho de Brume que le corps de l'ancienne n'avait jamais été retrouvé après l'inondation.

« Mais nous gagnerons, cette fois-ci ! s'écria le petit chat.

— Chut, Petite Tempête ! le rabroua son père.

— Au contraire, nous pourrions perdre, répondit Pelage d'Écorce en traversant la clairière, la mine sombre. Les Rochers du Soleil ont toujours été difficiles à défendre.

— Ce n'est pas une raison pour capituler ! » protesta Petite Tempête.

Il recula car son père vint se placer devant lui.

« Tu es trop jeune pour cette discussion », le rabroua le lieutenant.

D'un mouvement de la queue, Fleur de Pluie écarta son fils.

« Tais-toi, mon petit. Tu as déjà le courage d'un guerrier. Prends patience. Ton tour viendra. »

Tu ne crois pas si bien dire ! songea le chaton en sortant les griffes. *Un jour, je serai le chef et c'est moi qui déciderai s'il faut se battre.*

« Aïe ! » gémit Petit Chêne en le foudroyant du regard.

Petite Tempête baissa la tête et vit qu'il avait planté ses griffes dans la queue de son frère.

« Désolé ! s'excusa-t-il en reculant d'un bond. Il faut qu'on punisse ces chasseurs d'écureuils, pas vrai ? »

Petit Chêne ne dit rien. Il fixait Baie de Ronce. La guérisseuse blanche tachetée de noir s'était glissée hors de sa tanière parmi les joncs.

« Crois-tu que nous devons nous battre ? lui demanda Étoile de Grêle.

— Non. Ce n'est pas le moment. Je n'aurais aucun moyen de soigner les blessés. L'inondation a détruit mes réserves et je ne pourrai pas les renouveler avant la saison des feuilles vertes. Il ne me reste que quelques remèdes de base.

— Et la faim nous affaiblit », ajouta Cœur de Truite.

Petite Tempête cligna des yeux. Il n'avait jamais souffert de la faim. Fleur de Pluie avait toujours assez de lait pour Petit Chêne et lui. Il examina de loin ses camarades et fut frappé par leur apparence. Ils étaient presque aussi maigres que les guerriers du Clan du Tonnerre.

« Je ne veux pas provoquer une bataille que nous sommes sûrs de perdre, soupira Étoile de Grêle. Et je ne veux pas que les miens rapportent des blessures qu'on ne pourrait pas soigner.

— Allons-nous les laisser prendre autant de territoire qu'ils le veulent ? s'offusqua Reflet d'Argent.

— Ils ne veulent que les Rochers du Soleil, lui rappela Écho de Brume. Ils n'essaieront jamais de franchir la rivière.

— Il y a du gibier, dans les rochers, contra Croc de Brochet. Du gibier forestier qui pourrait compenser l'absence de poissons. Il m'a fallu toute la matinée pour attraper ça, conclut-il en donnant un coup de patte dans la carpe.

— Mais la saison des feuilles nouvelles est presque là, miaula Écho de Brume. Bientôt, nous aurons plus de gibier qu'il ne nous en faut. Et, en attendant, je préfère rester le ventre vide plutôt que de perdre un autre de nos camarades, conclut-elle en jetant un coup d'œil vers Cœur de Truite.

— Nous allons donc les laisser faire sans protester ? feula Croc de Brochet.

— Non, le rassura Étoile de Grêle, qui traversa la clairière et bondit sur la branche la plus basse du saule. Reflet d'Argent, Cœur de Nacre, allez jusqu'aux Rochers du Soleil avec Poil de Loutre et Ciel Clair. Vous ne vous battrez pas. Dites à Étoile de Sapin et à ses camarades que nous tolérons aujourd'hui leur présence sur les Rochers du Soleil. Mais prévenez-les : ces rochers appartiennent au Clan de la Rivière et nous reviendrons bientôt les défendre.

— Ne t'inquiète pas. Ces cœurs de serpent recevront le message ! » répondit le lieutenant en s'élançant, suivi de sa patrouille.

Alors que le reste du Clan se rassemblait en petits groupes pour échanger des murmures inquiets, Petite Tempête se tourna vers son frère.

« Viens vite, lui souffla-t-il à l'oreille avant de filer vers l'arbre couché.

Il grimpa sur le tronc et jeta un coup d'œil en arrière. Petit Chêne l'avait suivi.

« Qu'est-ce qu'on va faire ?

— On va regarder.

— Regarder quoi ?

— Cœur de Nacre rabrouer Étoile de Sapin, pardi ! expliqua Petite Tempête en s'aventurant sur la branche d'où il était tombé un peu plus tôt. Plante bien tes griffes dans l'écorce, ça glisse. »

Quand la branche commença à ployer, Petite Tempête s'arrêta et baissa la tête pour que son frère puisse voir par-dessus son épaule. Il n'y avait plus que quatre guerriers du Clan du Tonnerre sur les rochers. Leur chef, Étoile de Sapin, était toujours vautré au soleil.

Un matou roux clair était assis près de lui, les yeux fermés, la queue enroulée autour des pattes.

« Ce doit être Pelage de Soleil, le lieutenant, murmura Petit Chêne. Petit Ragondin m'a dit qu'il était roux. »

Deux guerriers élancés faisaient les cent pas à côté d'eux : un matou au poil gris-bleu et un autre pommelé. Ils paraissaient sur le qui-vive. Tout à coup, le pommelé s'arrêta pour regarder la rivière.

Petite Tempête suivit son regard. Cœur de Nacre nageait vers les Rochers du Soleil. Reflet d'Argent, Ciel Clair et Poil de Loutre plongèrent à leur tour dans de grands bruits d'éclaboussures. Le matou gris qui attendait sur les rochers gonfla son pelage. Il se précipita au bord, les crocs découverts, le regard rivé à la patrouille ennemie.

Étoile de Sapin se leva d'un bond, aussitôt imité par Pelage de Soleil. Les quatre guerriers du Clan du Tonnerre se placèrent en ligne sur la crête tandis que Cœur de Nacre bondissait hors de l'eau, la fourrure dégoulinante. En deux bonds, le lieutenant du Clan de la Rivière les rejoignit au sommet. Pelage de Soleil fit le gros dos et cracha lorsqu'il le vit s'approcher. Étoile de Sapin tendit l'oreille.

« Vous êtes sur le territoire du Clan de la Rivière, gronda Cœur de Nacre.

— Dans ce cas, chassez-nous, rétorqua Étoile de Sapin en s'approchant d'un pas.

— La situation n'appelle pas encore une bataille », répondit Cœur de Nacre en faisant claquer sa queue. Il tourna la tête vers le camp du Clan de la Rivière, visible entre les arbres dénudés. « Sachez que nous vous tenons à l'œil. Alors méfiez-vous, car ceci est notre territoire, et nous le défendrons.

— Mais pas aujourd'hui ? » le railla le matou gris.

Reflet d'Argent se précipita en avant, les oreilles rabattues.

« Si nous devons nous battre, alors je me ferai un plaisir de t'arracher la fourrure, feula-t-il.

— Reflet d'Argent ! le rappela à l'ordre Cœur de Nacre avant de soutenir le regard d'Étoile de Sapin. Vous pouvez rester sur les rochers, pour le moment. Ne vous gênez pas pour attraper du gibier. Le Clan de la Rivière n'a que faire de ces souris. Cependant, nous reprendrons ce bout de territoire quand nous en aurons besoin.

— Quelle bande de bouffeurs de souris galeux, marmonna Petite Tempête. Profitez des rochers tant que vous le pouvez encore. »

Cœur de Nacre sauta sur la berge et attendit que ses trois camarades le rejoignent et plongent dans l'eau. Avant de les suivre, il jeta un dernier coup d'œil aux rochers.

« Attention ! » Le cri de Petit Chêne fit sursauter Petite Tempête. « La pie revient ! »

Le chaton leva la tête et vit des plumes noires et blanches qui se découpaient dans le ciel gris.

« Tiens-moi ! » ordonna-t-il à son frère.

Alors que Petit Chêne plantait ses griffes dans son arrière-train, Petite Tempête se dressa et asséna une pluie de coups à la pie qui piquait vers la branche, jusqu'à ce que ses griffes pénètrent les plumes et la chair.

L'oiseau s'enfuit en criant et Petite Tempête retomba sur ses quatre pattes.

« Bien joué ! le félicita son frère.

— Merci pour ton aide, miaula-t-il, les yeux baissés vers les plumes ensanglantées coincées entre ses griffes. Je crois que cette pie ne reviendra pas de sitôt. » Il releva la tête, une lueur de triomphe dans les yeux. « Nous serons les meilleurs guerriers que le Clan de la Rivière ait jamais connus ! »

CHAPITRE 3

PETITE TEMPÊTE S'ÉTIRA dans son nid et sentit ses muscles se tendre sous son pelage brillant. Dans ce coin de la pouponnière, il touchait presque les deux parois opposées. Le soleil du petit matin filtrait par la voûte. Au cours des trois mois écoulés depuis que le Clan du Tonnerre avait envahi une partie de leur territoire, le soleil était devenu plus chaud et grimpait plus haut dans le ciel. De nouvelles pousses jaillissaient parmi les vieux roseaux et les joncs dégageaient un parfum suave, presque envoûtant.

« Réveille-toi ! » murmura Petite Tempête à l'oreille de son frère.

Fleur de Pluie remua légèrement et enroula sa queue autour du ventre de son fils.

« Rendors-toi, petit guerrier, ronronna-t-elle. Il est encore tôt. »

Le chaton repoussa la queue chaude et douce de sa mère et s'assit. Il secoua son frère du bout de la patte.

« Quoi ? grommela ce dernier sans ouvrir les yeux.

— Partons en exploration !

— N'oubliez pas que vous ne devez pas quitter le camp, murmura leur mère d'une voix ensommeillée.

— Bien sûr, promit Petite Tempête en secouant son frère de plus belle.

— Ça t'arrive jamais, de dormir ? grommela ce dernier, le museau caché sous une patte.

— Nous avons dormi toute la nuit. La patrouille de l'aube est partie depuis longtemps.

— C'est l'heure de manger ? s'enquit Petit Scarabée, qui se redressa gauchement dans le nid d'Écho de Brume, sa fourrure noire en bataille.

— Oui, moi aussi, j'ai faim, renchérit Petit Ragondin.

— La patrouille de pêcheurs va bientôt rentrer », répondit Petit Bourgeon, qui faisait déjà sa toilette.

Elle se pencha pour donner un coup de langue entre les oreilles de Petit Scarabée pour lisser un épi. Écho de Brume se roula sur le côté et se mit à ronfler.

D'un bond, Petite Tempête sortit de son nid.

« On va attraper notre repas, annonça-t-il.

— Ah bon ? fit Petit Chêne en s'asseyant.

— J'espère que tu ne vas pas encore entraîner ton frère dans tes bêtises, lança Fleur de Pluie en levant la tête.

— Pourquoi tu m'accuses ? » La veille, ils avaient été jusqu'au passage à gué avant de se faire repérer puis ramener au camp par un Patte de Pierre très fâché. « Ce n'est pas ma faute si Petit Chêne a suivi la patrouille.

— Ce n'est pas la patrouille, qu'il suivait, mais toi, lui rappela sa mère.

— Ah bon ? »

Alors qu'il la dévisageait d'un air innocent, la chatte lui donna une pichenette sur l'oreille.

« J'imagine que j'ai de la chance d'avoir un chaton si beau et si courageux, soupira-t-elle en reposant sa tête sur ses pattes.

— Moi aussi, je suis courageux. »

Petit Chêne sauta du nid et fila vers la sortie.

« Attends-moi ! » s'écria Petite Tempête, qui le rattrapa et passa en premier dans l'ouverture.

Il faisait déjà chaud, et grand jour, dans la clairière, même si le soleil était à peine plus haut que le vieux saule. Étoile de Grêle et Cœur de Nacre étaient assis près du tronc couché, absorbés par leur conversation. Cœur de Truite, Trille d'Oiseau et Moustache Emmêlée prenaient le soleil devant la tanière des anciens. Pelage d'Écorce et Poil de Loutre donnaient des coups de patte entre les roseaux au bord de la rivière, sans doute pour attraper les petits poissons qui se coinçaient souvent entre les tiges.

Baie de Ronce disposait des feuilles au soleil. Ses pattes blanches étaient tachées de sève verte.

« À quoi ça sert ? » demanda Petite Tempête en venant renifler les remèdes.

Leur odeur âcre le fit grimacer.

« Ce sont des feuilles de pas-d'âne, expliqua la guérisseuse. Elles soignent la toux. On les mâche pour en extraire le jus puis on les recrache. Je les ai trouvées près des rapides.

— Est-ce qu'on peut t'accompagner pour aller en chercher d'autres ? s'enquit le chaton tandis que son frère le rejoignait.

— Dans deux lunes, peut-être, quand vous serez des “nuages”.

— Je parie qu’Étoile de Grêle nous laisserait sortir s’il savait que nous sommes avec toi, l’implora-t-il.

— Pourquoi ne vas-tu pas le lui demander, dans ce cas ?

— J’irais peut-être le voir tout à l’heure », bougonna-t-il.

Il avait déjà demandé à leur chef la permission de quitter le camp : une fois pour aider Cœur de Nacre à chasser, deux fois pour suivre la patrouille de Reflet d’Argent, mais la réponse avait toujours été la même : « Attendez d’être des apprentis. »

Petite Tempête couvait des yeux la tanière des novices avec jalousie. En levant la truffe, il ne perçut aucune odeur chaude. Nuage Doux et Nuage Blanc avaient dû partir avec la patrouille de l’aube.

« Les veinards…

— Je croyais qu’on allait chasser ? s’étonna Petit Chêne.

— C’est le cas.

— Ah bon ? fit son frère en balayant le camp du regard. Dans les joncs ?

— Je voudrais attraper autre chose que des papillons !

— On pourrait essayer d’attraper des têtards, près de Poil de Loutre et Pelage d’Écorce.

— Des têtards ?

— Oui, pourquoi ?

— Tu veux rester au camp ?

— On n’a pas le choix.

— Oh, arrête ! soupira Petite Tempête en donnant

un léger coup de tête dans l'épaule de son frère. Filons en douce et allons chasser comme de véritables guerriers.

— Et si on se fait encore attraper ? s'inquiéta Petit Chêne en baissant la voix. Étoile de Grêle a dit qu'il nous ferait attendre une lune de plus avant de nous donner nos noms d'apprentis si nous faisions encore des bêtises.

— Il ne le pensait pas ! Le Clan de la Rivière a besoin de guerriers. Étoile de Grêle n'est pas une cervelle de grenouille. Plus tôt nous sortirons chasser et patrouiller, mieux le Clan se portera. Quand je serai chef, je laisserai les chatons sortir n'importe quand. »

Étoile de Tempête. Quel nom !

« Hé ! protesta son frère en le secouant du bout de la patte. Fleur de Pluie dit que je suis né le premier, alors ce sera moi le chef.

— Toi ? Chef ? gloussa Petite Tempête en froissant les oreilles de son frère. Tu veux chasser des *têtards* ! Je te ferai lieutenant, quand je serai chef. Viens ! Allons chasser ! »

Avant que Petit Chêne ait le temps de répondre, des miaulements aigus résonnèrent dans la clairière. Petit Ragondin et Petit Scarabée s'extirpaient bruyamment de la pouponnière.

« Viens, avant qu'ils ne commencent à nous interroger.

— Où ça ? s'enquit son frère. On ne peut pas filer en douce.

— Passons par le petit coin. De là, on pourra se glisser entre les joncs jusqu'aux marais. »

Petite Tempête se dirigea vers la clairière secondaire où les guerriers allaient faire leurs besoins. Il se faufila sous les frondes, son frère sur ses talons. Une odeur nauséabonde régnait de l'autre côté. Petit Chêne indiqua un bouquet de joncs.

« Par ici ?

— Laisse-moi voir. »

Petite Tempête le précéda entre les tiges qui lui griffèrent la truffe. Il poursuivit tout de même, les yeux à demi clos, jusqu'à ce qu'il se retrouve à découvert, au soleil. Une grande plaine marécageuse, où poussait une végétation luxuriante, s'étendait devant lui. Des massifs de roseaux et de joncs côtoyaient des cascades de fleurs blanches.

« Comme c'est grand ! » s'écria Petit Chêne.

Il observa la plaine qui courait le long de la rivière et remontait vers une prairie où paissaient des chevaux.

« Dirigeons-nous vers la rivière, suggéra Petit Chêne.

— Tu ne veux pas traverser les marais ?

— Je croyais que tu voulais trouver du gibier. Quel genre d'animal vit dans les marais ?

— Des grenouilles ? hasarda Petite Tempête.

— Si tu veux passer la matinée à sauter derrière des grenouilles, vas-y, *Étoile de Tempête* ! le taquina-t-il en s'éloignant. Moi, je vais vers la rivière.

— D'accord ! »

Petite Tempête s'élança derrière son frère le long du rideau de joncs. Ses pattes s'enfonçaient dans la mousse humide, souple et froide sous ses pattes.

« Attends ! lança Petit Chêne en s'arrêtant net.

— Quoi ? fit son frère, qui lui rentra dedans.

— Nous sommes tout près de l'entrée du camp. »

Petite Tempête reconnut à son tour le sentier qui sortait des joncs et serpentait entre les buissons et les herbes hautes de la rive.

« Viens », ordonna-t-il.

Il s'engouffra dans l'épaisse végétation qui bordait le sentier et se fraya un chemin entre les feuilles. Un peu plus loin, il traversa le chemin là où une flaque en occupait toute la largeur pour que la boue masque leur odeur. Puis, après avoir jeté un coup d'œil en arrière pour s'assurer que son frère le suivait, il plongea de nouveau dans la végétation de l'autre côté du sentier. Le sol se déroba sous lui et il dégringola jusqu'à la rive.

Il se remit péniblement sur ses pattes et s'écarta juste à temps, avant que Petit Chêne ne lui atterrisse dessus en couinant.

Ce dernier se releva d'un bond et s'ébroua.

« Super itinéraire, grommela-t-il.

— Ce n'est pas ma faute si je ne connais pas notre territoire, se défendit Petite Tempête. Étoile de Grêle ne nous laisse pas l'explorer, je te rappelle. »

Il regarda la rivière couler en aval, ruban d'eau marron si calme qu'il était difficile de croire que c'était elle qui avait détruit le camp une lune plus tôt.

« Regarde, le gué ! lança Petite Tempête en apercevant les grosses pierres lisses qui émergeaient un peu plus loin. On peut aller jusqu'aux Rochers du Soleil !

— Et pourquoi on irait là-bas ? Ils appartiennent au Clan du Tonnerre.

— Pas du tout ! Ce sont eux, les envahisseurs. »

Il tourna la tête vers la rive opposée. Les rochers dominaient une bande de sable. Le chaton se crispa. Un matou gris se déplaçait au bord de l'eau, tirant ici et là sur des herbes qui poussaient entre les pierres et flottaient à la surface.

« Viens voir ! siffla Petite Tempête à son frère.

— Ce doit être un guerrier du Clan du Tonnerre !

— Un guerrier ! Sûrement pas ! Regarde-le. Il a l'air plus vieux que les Rochers du Soleil. »

L'épaisse fourrure du matou était négligée, pleine de bourres et de brindilles. Le bord de ses oreilles était déchiré et ses moustaches ondulaient comme des brins d'herbe mâchouillés.

« Que fait-il ? » murmura Petit Chêne.

Concentré, le chat gris flairait les plantes qui poussaient sur la rive, reniflant chacune puis hésitant un instant avant d'en arracher une feuille ou deux avec ses pattes poilues.

« Il nous vole nos remèdes ! s'indigna Petite Tempête.

— Ils ne sont pas vraiment à nous. Étoile de Grêle a donné les Rochers du Soleil au Clan du Tonnerre.

— Pas du tout. Il a refusé de les affronter. De plus… » Le chaton leva la tête vers les blocs de pierre gris qui surplombaient la rivière. « … Ce vieux machin est sur la rive, pas sur les rochers, et ça, c'est définitivement chez nous.

— On devrait avertir Cœur de Nacre, non ?

— Hein ? T'es une cervelle de grenouille ou quoi ? Si nous l'avertissons, il saura qu'on est sortis du camp.

— Alors qu'est-ce qu'on va faire ?

— Le chasser !

— Le chasser ? répéta Petit Chêne, les yeux ronds. Il est plus gros que nous deux réunis !

— Regarde dans quel état il est ! Il n'est même plus capable de faire sa toilette. Ce n'est pas un vrai guerrier. Il n'appartient peut-être même pas au Clan du Tonnerre. C'est peut-être un solitaire.

— On ne peut pas affronter un adulte ! protesta Petit Chêne alors que son frère remontait le long de la rive.

— Pourquoi ? Nous sommes deux contre un.

— Mais nous...

— Chut ! Il va nous entendre. »

Le vieux chat allait toujours d'une plante à l'autre, la truffe au sol. Petite Tempête s'approcha du gué en rampant, imité par son frère. Petit Chêne sentit bientôt l'eau lui tremper la fourrure. La première pierre de gué était à une longueur de queue de la berge. Le courant n'était pas particulièrement fort, mais la rivière semblait profonde et froide à la base de la pierre. Petite Tempête banda ses muscles et bondit. Il atterrit sur la pierre, où il dérapa un peu.

Petit Chêne le rejoignit en poussant un petit « oumpf ! ». Ils tenaient tout juste à deux.

« Je crois toujours qu'on...

— Chut ! » le coupa Petite Tempête en lui plaquant la queue sur le museau.

La rivière gargouillait entre les pierres et formait de petits tourbillons. Petite Tempête inspira à fond avant de sauter vers la pierre suivante. Il atterrit les pattes écartées, un peu sonné. Il fixa son regard sur le vieux matou et sauta sur la pierre suivante, puis la suivante encore, en priant pour que le grondement de la rivière dissimule leur approche. Il sentit le pelage de son frère contre le sien. Ils étaient sur la dernière pierre. Plus qu'un saut, et ils seraient sur la berge opposée.

« Il va nous voir, c'est sûr ! lui murmura Petit Chêne à l'oreille.

— Pas si nous sautons là, répondit Petite Tempête en lui désignant d'un signe de tête un bouquet de mauves. On se cachera derrière. »

Il bondit le plus loin possible et se réceptionna dans les fleurs. Son frère lui projeta des giclées de sable en atterrissant près de lui. Petite Tempête jeta un coup d'œil vers le matou. Les avait-il vus ?

L'ancien arrachait toujours des feuilles, les yeux baissés vers le sol. Puis il releva la tête. Son regard bleu glacial se planta dans celui de Petite Tempête.

« Vous croyiez vraiment que je ne vous verrais pas ? gronda-t-il.

— Filons d'ici ! lança Petit Chêne, dont le pelage avait doublé de volume.

— Pas encore. » Petite Tempête montrait les crocs. « Tu es sur le territoire du Clan de la Rivière ! siffla-t-il au matou. Dégage de nos terres !

— Va donc voler les remèdes de quelqu'un d'autre ! enchérit Petit Chêne, les griffes sorties.

— Pour qui est-ce que vous vous prenez ? » rétorqua le chat gris en plissant les yeux, les oreilles rabattues.

La gorge de Petite Tempête se noua.

« Il va nous tuer ! gémit son frère.

— Cours ! »

Petite Tempête pivota, replongea dans les mauves et sauta. Il s'arrêta un instant sur la première pierre avant de bondir de nouveau.

Petit Chêne atterrit à côté de lui.

« Au secours ! » cria-t-il lorsque sa patte arrière glissa de la pierre.

Son frère l'attrapa par la peau du cou pour l'empêcher de tomber dans l'eau.

« Merci ! »

Petit Chêne retrouva l'équilibre et s'élança vers la pierre suivante. Le matou feula sur leurs talons. Petite Tempête se hâta d'imiter son frère.

« On n'échappe pas à Plume d'Oie si facilement ! »

Petite Tempête sentit un souffle chaud sur ses coussinets et des griffes émoussées lui piquer la queue. Déséquilibré, il se jeta vers la dernière pierre. Mais ses pattes avant plongèrent dans l'eau.

Que le Clan des Étoiles me vienne en aide !

Une douleur fulgurante lui traversa la mâchoire lorsqu'il se cogna contre la pierre. L'eau glacée s'engouffra dans sa gueule et tout devint noir. Le chaton agita les pattes pour regagner la surface, sauf qu'il ne savait pas de quel côté elle se trouvait. Il roula sur les graviers tandis que la rivière l'entraînait comme une feuille.

L'eau lui piqua les yeux lorsqu'il les rouvrit pour localiser la lumière du soleil. Des formes fantomatiques filaient devant lui. Tandis qu'il tentait de nager, de lutter contre le courant, il percuta un autre rocher et le choc lui coupa le souffle. Il s'efforça de ne pas inspirer d'eau. Il aperçut alors une silhouette qui avançait vers lui. Une chatte. Au pelage roux et blanc. Il la distinguait à peine sous l'eau.

Est-ce que le Clan des Étoiles était venu le chercher ? La terreur lui noua le ventre et il redoubla d'efforts, priant pour rejoindre l'air, la surface, pour agripper quelque chose qui l'empêcherait de dériver jusqu'au terrain de chasse de ses ancêtres. Il ne pouvait pas mourir tout de suite !

La chatte se rapprocha.

Va-t'en ! Je ne veux pas te suivre !

« Ne t'inquiète pas, mon petit. » Il l'entendit comme si elle lui murmurait à l'oreille, alors qu'elle se trouvait à une longueur de queue. « Ton heure n'est pas encore venue. Un grand destin t'attend. »

Ses yeux ambrés brillèrent un instant dans l'eau verte, puis elle disparut.

Petite Tempête fut saisi par la peau du cou et tiré brusquement hors de l'eau. Il pendait entre les mâchoires de Patte de Pierre. Le guerrier brun se tourna et nagea à contre-courant jusqu'à la rive. Petite Tempête avala de grandes goulées d'air, toussant et tremblant, et prit soudain conscience d'une douleur terrible dans la joue.

Patte de Pierre sortit de l'eau et grimpa sur la berge.

« Il va bien ? » hurla Petit Chêne.

Petite Tempête entendait son frère, mais il ne pouvait ouvrir les yeux car il lui semblait que tout son visage était en feu. Un liquide poisseux lui coula dans la gueule et le goût du sang lui imprégna la langue. Il se mit à trembler. *Qu'est-ce que j'ai ?*

Patte de Pierre poursuivit en silence, sans le poser par terre, jusqu'au camp du Clan de la Rivière.

« Qu'est-ce qu'il a ? »

La peur qui perçait dans la voix de son frère effraya Petite Tempête un peu plus. Chaque fois que l'ancien posait la patte sur le sol, une douleur fulgurante explosait dans la tête du chaton. Il essaya de nouveau d'ouvrir les yeux. De l'herbe, des joncs, des fleurs roses défilèrent devant lui. Sa respiration grondait dans ses oreilles. Il avait horriblement froid et ses pattes étaient engourdies.

Ton heure n'est pas encore venue. Ton heure n'est pas encore venue. Il se raccrochait aux paroles de la chatte et se les répétait comme pour prier le Clan des Étoiles. Il reconnut l'odeur de Baie de Ronce lorsque Patte de Pierre lui fit traverser le tunnel de joncs jusqu'au camp.

« Où l'as-tu trouvé ? » Le miaulement suraigu de Fleur de Pluie couvrit les murmures inquiets qui accueillirent leur arrivée. « Petit Chêne ? Petit Chêne !

— Je suis là.

— Que s'est-il passé ?

— Petite Tempête est tombé, il s'est cogné contre une pierre du gué. »

Le miaulement calme de Baie de Ronce se détacha des autres :

« Amène-le jusqu'à mon antre, Patte de Pierre. »

Des taches de fourrures floues, des regards inquiets l'entouraient. La teinte olive des joncs laissa place au calme verdoyant du repaire de la guérisseuse. La tanière était très spacieuse, presque aussi vaste qu'une clairière, protégée par un rideau de joncs contre lequel Baie de Ronce avait installé sa litière. Petite Tempête huma le parfum de sa mère, tout près, souillé par l'odeur de sa peur.

Dès que Patte de Pierre l'eut posé, Fleur de Pluie se glissa devant Baie de Ronce pour s'accroupir à côté de son fils.

« Qu'est-ce qu'il s'est fait ?

— Laisse-moi l'examiner », répondit la guérisseuse en l'écartant du bout du museau.

Petite Tempête avait beau essayer de se concentrer sur la chatte blanche, les taches noires qui constellaient son pelage ne cessaient de danser devant ses yeux.

« Son museau ! Son si joli museau ! » se lamenta sa mère.

Une nouvelle vague de terreur envahit le chaton blessé, qui se roula en boule.

« Allons, Fleur de Pluie, fit Patte de Pierre. Tu dois aller voir Petit Chêne. Il est sous le choc. »

Tandis que le guerrier éloignait Fleur de Pluie, Baie de Ronce se pencha vers Petite Tempête.

« Ne t'inquiète pas, mon petit. Je prendrai soin de toi. »

Elle disparut un instant et le chaton meurtri resta seul, inerte et tremblant. Elle revint en portant quelque chose qui sentait fort.

« Je vais faire couler des sucs au coin de ta gueule, lui expliqua-t-elle. Le goût sera mauvais, et tu auras mal en avalant, mais tu dois le boire quand même. Tu te sentiras mieux, ensuite. »

Lorsque Petite Tempête voulut miauler, sa langue lui sembla bizarrement épaisse et une nouvelle décharge de douleur lui arracha un cri.

« J'ai mis de l'écorce de saule, du thym et de l'extrait de pavot », poursuivit-elle de sa voix grave et douce.

Petite Tempête sentit un liquide couler dans sa gueule. Il se força à l'avaler malgré la douleur.

« Tu es un bon chaton, murmura-t-elle en lui caressant le flanc avec sa queue. Dors. Quand tu te réveilleras, tu te sentiras déjà bien mieux. »

Tout en le rassurant, elle rassembla de la mousse autour de lui jusqu'à ce qu'il soit confortablement installé. Ses paroles devinrent des murmures inaudibles et la clairière verte tout comme l'odeur âcre se fondirent dans les ténèbres.

CHAPITRE 4

« TU PARS DÉJÀ ? lança Petite Tempête à sa mère.

— Il le faut », répondit Fleur de Pluie en levant la tête vers le ciel.

Pourquoi refuse-t-elle de me regarder ?

« Nous devons profiter du retour des poissons pour en pêcher un maximum », expliqua-t-elle.

Petit Chêne posa ses pattes sur le bord du nid de son frère.

« Moi, je reste ! le rassura-t-il.

— Maman, je voulais te raconter comment j'ai attrapé un papillon de nuit, hier soir », poursuivit Petite Tempête, qui essayait d'attirer l'attention de sa mère.

Confiné dans la tanière de la guérisseuse depuis une lune, il n'avait guère l'occasion de chasser. Il avait eu de la chance que le papillon se soit glissé dans l'antre de Baie de Ronce. Il l'avait attrapé d'un seul coup de patte.

Petit Chêne se rapprocha un peu plus de son frère.

« Tu pourras me le raconter, à moi.

— Le papillon était énorme, continua Petite Tempête, le cou tendu vers la reine, mais celle-ci était déjà près de la sortie.

— J'ai promis à Reflet d'Argent que je me joindrais à sa patrouille.

— Fleur de Pluie ! » lança Baie de Ronce, qui sortait à reculons du recoin dans les joncs où elle conservait ses remèdes.

Une odeur végétale étrange imprégnait sa fourrure et elle avait des fragments de feuilles collés au museau.

« Oui ? fit la reine en s'arrêtant.

— Petite Tempête va pouvoir retourner dans la pouponnière, aujourd'hui.

— Vraiment ? miaula Petit Chêne, qui dégringola dans le nid de son frère et commença à lui donner des coups de patte amicaux. C'est génial ! Allez, gros feignant !

— Alors il est guéri ? » s'enquit Fleur de Pluie. Son regard s'assombrit lorsqu'elle jeta un coup d'œil vers son fils blessé. « Tu ne peux rien faire d'autre ? »

Petit Chêne s'interrompit au milieu de son jeu.

« Ses oreilles et ses moustaches sont à leur place, rétorqua la guérisseuse d'un ton sec qui n'échappa pas à Petite Tempête. Il peut jouer et s'entraîner à chasser comme n'importe quel chaton. Que veux-tu de plus ? »

Fleur de Pluie tourna les talons et disparut entre les roseaux.

« Très bien. Renvoie-le dans la pouponnière, alors, lança-t-elle sans se retourner.

— Fleur de Pluie va bien ? s'inquiéta Petite Tempête, la tête penchée de côté.

— Elle est juste fatiguée parce qu'elle pêche beaucoup, répondit Petit Chêne.

— Fatiguée... » soupira Baie de Ronce en sortant les griffes.

Du bout de la queue, Petit Chêne donna une pichenette à l'oreille de son frère.

« Viens ! ordonna-t-il en bondissant hors du nid de mousse. Tu es resté allongé bien trop longtemps. Il faut que tu reprennes des forces. Nous serons apprentis dans moins de deux lunes...

— Je ne le crois pas, le coupa Baie de Ronce.

— Comment ça ? s'étonna Petite Tempête, la gorge nouée.

— Tu devras attendre un peu avant de devenir un "nuage", mon petit.

— Pourquoi ? protesta-t-il tout en quittant son nid d'un saut.

— Tu t'es cassé la mâchoire.

— Elle est guérie ! »

Il ouvrit et ferma la gueule pour lui montrer. Elle lui semblait toujours un peu raide et tordue, et elle lui faisait mal s'il s'endormait dessus, mais il savait que les os s'étaient ressoudés, car la douleur ne lui donnait plus de nausées.

« Tu as à peine mangé pendant toute une demi-lune, et tu as toujours des difficultés pour t'alimenter, expliqua-t-elle en examinant le flanc du chaton. Tu as besoin de te remplumer un peu avant de devenir apprenti.

— Ça ira, miaula Petit Chêne. Je parie que tu pourras me rattraper même si tu commences ton entraînement plus tard. »

Il donna à son frère un coup d'épaule taquin qui faillit le renverser. Quand est-ce que Petit Chêne avait tant grandi ? Il était si fort et si lourd qu'il ressemblait déjà à un apprenti. Petite Tempête se sentait minuscule, près de lui, avec ses côtes saillantes et ses pattes maigres. Il s'assit. Est-ce que son accident l'empêcherait de devenir guerrier ? Et chef du Clan ? Pourrait-il tout de même diriger son Clan un jour s'il commençait tard son apprentissage ?

Du bout du museau, Baie de Ronce lui effleura la tête.

« Petit Chêne a raison, murmura-t-elle. Tu vas grandir très vite. Mange bien et fais de l'exercice, c'est tout. Le Clan des Étoiles veille sur toi. Il n'y a aucune raison pour que tu ne deviennes pas aussi grand que Cœur de Nacre avant la prochaine saison des feuilles nouvelles. »

Le Clan des Étoiles veille sur moi. Petite Tempête planta ses griffes dans le sol meuble.

« Je vais devenir grand et fort ! Je serai le meilleur des apprentis ! »

Petit Chêne pointa sa queue vers le tunnel.

« Viens ! répéta-t-il. Tout le monde veut te voir. »

Petite Tempête s'élança derrière son frère, soudain tout excité à l'idée de rejoindre le reste du Clan.

« Merci, Baie de Ronce ! lança-t-il sans se retourner.

— Je viendrai t'examiner demain, promit la guérisseuse. Surtout, mange bien et repose-toi dès que la fatigue se fait sentir. »

Petite Tempête jaillit dans la clairière, aveuglé par les rayons du soleil et surpris par la chaleur. La rivière gazouillait derrière le rideau de roseaux qu'agitait la brise. De nouvelles tanières de guerriers avaient été tissées autour de l'arbre couché. Le gîte des apprentis était tapissé de mousse, à présent, et la pouponnière, nichée au loin dans les joncs, semblait plus accueillante que jamais. Le repaire d'Étoile de Grêle avait été reconstruit. Petit Scarabée, Petit Ragondin et Petit Bourgeon pourchassaient une boule de mousse dans la clairière. Patte de Pierre était allongé à l'ombre près de Pelage de Cèdre. Cœur de Nacre partageait une pièce de gibier avec Étoile de Grêle, Moustache Emmêlée et Trille d'Oiseau au sommet de la butte pendant que Nuage Doux changeait leur litière.

« Tu as bientôt fini, Nuage Doux ? lança Plume Fauve, son mentor, près de la sortie du camp. Je veux te montrer une nouvelle attaque.

— J'arrive. »

Petite Tempête inspira profondément et distingua une odeur alléchante de poisson frais.

« Tu as faim ? demanda-t-il à Petit Chêne.

— J'ai mangé quand la patrouille de l'aube est revenue. Il reste du poisson dans la réserve si tu en veux. » Du bout de la queue, il lui montra le tas de grosses truites près des roseaux. « Je vais t'en chercher une. » Sur ces mots, il détala.

Le miaulement rauque de Patte de Pierre retentit à l'autre bout de la clairière :

« Petite Tempête ! » Le guerrier se leva pour venir à sa rencontre. « Quel plaisir de te revoir sur pattes ! »

Petit Ragondin attrapa la boule de mousse que

Petit Bourgeon venait de lui lancer et se tourna vers eux.

« Petite Tempête ! » s'écria-t-il à son tour, lâchant la boule au passage pour se précipiter vers son ami, aussitôt imité par les deux autres apprentis.

Les trois chatons caracolèrent autour de Patte de Pierre, qui faillit tomber.

« C-comment vas-tu ? hoqueta Petit Ragondin.

— On n'a pas arrêté de supplier tout le monde de nous laisser te voir, mais Fleur de Pluie ne voulait pas, ajouta Petit Bourgeon. Pas vrai, Patte de Pierre ? »

Elle jeta un drôle de regard vers le guerrier et son ton était étrange.

Qu'est-ce qui lui prend ?

Patte de Pierre s'assit derrière les chatons.

« Fleur de Pluie pensait que tu étais trop mal en point. »

Petite Tempête écarquilla les yeux. Il avait supplié sa mère de lui envoyer des visiteurs. Son état avait-il vraiment été si grave ? Bien qu'il ait beaucoup souffert, au bout d'une demi-lune, il s'était autant ennuyé qu'une tortue en haut d'un arbre.

« Tu as une drôle de tête, déclara Petit Scarabée en le dévisageant.

— Chut, Petit Scarabée, gronda Écho de Brume, venue les rejoindre. Il a très bonne mine après ce qu'il lui est arrivé. » Elle donna un coup de langue entre les oreilles de Petite Tempête. « Je suis bien contente que tu sois sorti de chez Baie de Ronce. La pouponnière était trop tranquille, sans toi… Enfin, presque tranquille », se corrigea-t-elle en jetant un coup d'œil à Petit Ragondin.

Ce dernier déglutit avant de déclarer :

« On a… euh… arrangé un coin pour s'entraîner dans la pouponnière. » Il se détourna pour poursuivre : « Tu vas adorer. On a pris des joncs et de la mousse pour nous aider…

— Il verra tout ça plus tard, le coupa Écho de Brume. Pour l'instant, il a besoin de soleil et de nourriture. » Elle baissa les yeux vers Petite Tempête et ajouta : « Et pas qu'un peu. »

Même Écho de Brume se conduisait bizarrement.

« Euh… Petit Chêne est parti me chercher à manger.

— Petite Tempête ! s'écria à son tour Trille d'Oiseau, sur la butte.

— C'est bien notre Petite Tempête qui est sorti de la tanière de Baie de Ronce ? » voulut savoir Moustache Emmêlée, apparu près de Trille d'Oiseau.

Petite Tempête tendit le cou car il avait aperçu son père derrière eux : ce dernier descendait déjà vers lui à toute allure.

« Petite Tempête ! »

Il frotta son museau contre la joue de son fils comme s'ils ne s'étaient pas vus depuis des lunes.

« On s'est vus hier ! protesta le chaton en reculant.

— Je sais, je suis juste content de te voir de nouveau parmi nous ! Tu as des tas de choses à rattraper. J'ai commencé à entraîner Petit Chêne afin qu'il soit prêt à devenir apprenti. Tu vas devoir te mettre à son niveau aussi vite que possible. »

Petite Tempête ronronna. Il balaya la clairière du regard en se demandant si son frère lui avait enfin trouvé un poisson. Son estomac miaulait famine.

Il se crispa soudain.

Installé sous le vieux saule, Reflet d'Argent le fixait. Le guerrier se détourna dès que leurs regards se croisèrent.

Le Clan tout entier se comportait bizarrement.

L'esprit confus, Petite Tempête reporta son attention sur le cercle chaleureux qui l'entourait. Tous insistaient sur le fait qu'ils étaient contents de le revoir, mais ils le dévisageaient de façon étrange. En fait, ce n'était pas lui qu'ils fixaient. Une idée frappa Petite Tempête : malgré leurs ronrons et leur sollicitude, personne ne le regardait en face. Un frisson glacé courut sous sa fourrure.

Il se fraya un passage entre Écho de Brume et Patte de Pierre et se dirigea droit vers les roseaux.

« Petite Tempête ? » fit Petit Chêne en lâchant sa truite tandis que son frère passait devant lui à toute allure.

Le convalescent s'arrêta sur la berge et baissa la tête vers l'eau.

« Petite Tempête ! »

Il entendit à peine le miaulement de son frère. Il contemplait le drôle de chat qu'il voyait à la surface de l'eau. Ce n'était pas son museau ! La mâchoire de ce félin-là était complètement tordue sous une oreille, à peine visible sous la joue et horriblement enfoncée sous sa lèvre supérieure. Sa truffe était de travers, et sa langue, qui dépassait sur le côté, pendait entre ses dents comme un ver de terre dodu.

« Qu'est-ce qui m'est arrivé ? murmura-t-il.

— Tu as de la chance de t'en être sorti », répondit Petit Chêne en se pressant contre lui. Du bout de la queue, il caressa le dos de son frère. « Baie de Ronce pensait que tu ne survivrais pas à la fracture, ensuite elle a cru que l'infection aurait raison de toi. Elle s'est battue pour te garder en vie. Et Cœur de Nacre t'a veillé toutes les nuits.

— Et Fleur de Pluie ? »

Était-ce pour cela que sa mère lui avait si peu rendu visite ? Parce qu'il était trop horrible à regarder ?

« Elle était sous le choc, elle aussi. »

Petite Tempête se sentit terriblement coupable.

« Je suis désolé, murmura-t-il.

— Pour quoi ?

— D'avoir fait tant de peine à Fleur de Pluie.

— Ne dis pas de bêtises. Ce n'était pas ta faute », le rassura Petit Chêne, la gorge serrée. Du bout du museau, il éloigna son frère du bord de l'eau. « On est censés te remplumer ! »

Petite Tempête le laissa le guider jusqu'au poisson abandonné sur le sol. Il se sentait faible.

« Mange », lui ordonna Petit Chêne.

Le chaton s'accroupit pour en prendre une bouchée. Il ne prêta guère attention au goût de la carpe tant ses sensations étaient inhabituelles : sa langue tentait sans cesse de glisser par le côté et il devait bouger les mâchoires de travers pour arriver à mâcher. Dans la tanière de Baie de Ronce, cela lui avait semblé normal. *Cela fait partie de la rééducation*, lui avait assuré la guérisseuse lorsqu'il avait mâchouillé tant bien que mal les poissons qu'elle lui apportait. Et il allait mieux, à présent. Il était de retour parmi ses camarades. Pourquoi était-il toujours si difficile de manger ? Il devait avoir l'air bizarre, à agiter la tête pour empêcher que la nourriture ne dégouline de sa gueule. Il leva les yeux en se demandant si on l'observait.

« Je ne peux pas faire ça, murmura-t-il.

— Mais si. » Petit Chêne ramassa le poisson et le porta à l'ombre d'une branche de l'arbre couché. « Viens par ici. Il n'y a personne. Tu pourras manger tranquillement. »

Petit Chêne poussa le poisson vers son frère et repartit dans la clairière.

L'estomac de Petite Tempête gargouilla comme pour lui rappeler qu'il avait toujours faim. Il prit une nouvelle bouchée et releva la tête pour s'assurer que personne ne le regardait. Heureusement, son frère lui avait trouvé la meilleure cachette du camp. Personne ne pouvait le voir. Soulagé et reconnaissant, il dévora la truite. Malgré la douleur sourde qui irradiait dans sa mâchoire, il continua à manger. Une fois repu, il s'assit. De petits bouts de poisson à moitié mâchés étaient tombés par le côté enfoncé de sa mâchoire et s'étaient empilés près de ses pattes. Il se hâta de creuser un trou dans la terre meuble pour les enterrer et sursauta, un peu honteux, lorsque Petit Chêne surgit derrière la branche.

« Tu as fini ? Alors viens voir le coin qu'on a aménagé pour s'entraîner dans la pouponnière. »

Petite Tempête le suivit.

« Waouh ! » fit-il en s'émerveillant de voir les nids rassemblés d'un côté et le sol couvert de mousse de l'autre.

Petit Chêne se jeta dans la litière.

« Comme ça, on peut tomber sans se faire mal.

— Et ça, qu'est-ce que c'est ? interrogea-t-il, les yeux levés vers les têtes de roseaux plantées en haut de la paroi.

— Regarde ! »

Petit Chêne se ramassa, la tête en arrière pour se concentrer sur les roseaux. Puis il bondit, les pattes tendues, et attrapa une grosse quenouille marron avant de retomber parfaitement sur ses pattes arrière et de clouer la plante au sol.

« Formidable ! s'enthousiasma le convalescent. Est-ce que je peux essayer ?

— Bien sûr. C'est là pour ça. Petit Ragondin et moi, nous grimpons tous les matins là-haut pour en planter de nouveaux. C'est pour nous entraîner à chasser. Le temps qu'on commence notre apprentissage, on sera déjà capables d'attraper une souris à trois longueurs de queue de nous.

La tanière frémit quand Petit Ragondin, Petit Scarabée et Petit Bourgeon déboulèrent à l'intérieur.

« Hé ! J'étais là en premier ! gémit Petit Scarabée tandis que Petit Bourgeon lui grimpait sur le dos et sautait par-dessus les nids pour gagner le coin d'entraînement.

— Tu as déjà essayé, Petite Tempête ? » demanda Petit Ragondin avant de sauter à son tour pour attraper une quenouille.

Petite Tempête se mit en boule et leva le museau. Un gros roseau pendouillait au-dessus de lui, comme pour l'inciter à bondir. Il plissa les yeux et sauta. Les pattes tendues, il visa l'épi. Ses pattes se refermèrent sur le vide et il retomba sur la mousse en haletant.

« Crotte de grenouille !

— Tu l'avais presque, l'encouragea Petit Bourgeon.

— Presque, ça ne suffit pas. »

La tanière frémit lorsque Écho de Brume entra à son tour. Elle adressa à Petite Tempête un regard chaleureux.

« Je suis contente que tu sois revenu, déclara-t-elle.

— Il essaie notre aménagement, ronronna Petit Bourgeon. Il arrive déjà à sauter très haut.

— On va devoir mettre plus de roseaux, annonça Petit Ragondin, pensif.

— Vous n'allez tout de même pas remettre du bazar dans ce coin, n'est-ce pas ? » miaula Fleur de Pluie en se faufilant à l'intérieur. Elle se lécha une patte et nettoya son museau gris perle. « Vous ne pouvez pas jouer dehors, comme des chatons normaux ?

— Bon, d'accord, soupira Petit Chêne en poussant son frère vers la sortie. Venez, lança-t-il aux autres. Allons jouer à la boule de mousse.

Tandis que ses camarades lui passaient devant, Petite Tempête trébucha sur un tas de roseaux tissés au bord de la tanière.

« Qu'est-ce que c'est ? » s'enquit-il.

On aurait dit un nid. Est-ce qu'une nouvelle reine s'était installée dans la pouponnière ?

« C'est ta litière, répondit Fleur de Pluie entre deux coups de langue.

— *Ma litière ?* »

Il ne dormirait plus avec sa mère et Petit Chêne, comme avant ?

« Tu auras besoin d'espace. Ta mâchoire doit te faire souffrir. Tu vas sans doute t'agiter dans ton sommeil. Je ne veux pas que Petit Chêne soit gêné simplement parce que tu es blessé.

— Je n'ai plus mal. Je ne gigoterai pas, je le promets.

— Quand bien même. Il vaut mieux que tu aies ton propre nid », insista la reine, qui reprit sa toilette.

Petit Ragondin donna un coup de museau à l'épaule de Petite Tempête.

« Allez, viens jouer. »

Le chaton blessé dévisagea sa mère. Est-ce qu'elle lui en voulait parce qu'elle s'était fait du mauvais sang pour lui après son accident ?

Cœur de Nacre passa la tête dans l'ouverture.

« Alors, tu es bien installé ?

— J'ai mon propre nid, miaula Petite Tempête à son père.

— Et toi aussi, Petit Chêne ? » demanda le guerrier, les yeux plissés.

Le chaton brun-roux baissa les yeux vers ses pattes.

« Fleur de Pluie, j'aimerais te dire un mot dehors », gronda le matou.

La reine sortit, le pelage dressé le long de sa colonne vertébrale.

« Allez, les petits, et si vous vous amusiez encore un peu avec les roseaux ? s'écria Écho de Brume avec entrain.

— Mais on voulait jouer dehors », protesta Petit Scarabée.

Son miaulement fut couvert par le feulement de Cœur de Nacre qui leur parvint depuis l'extérieur.

« Il a son propre nid ?

— Il faut bien qu'il grandisse un jour, répondit Fleur de Pluie.

— Et Petit Chêne, lui, peut toujours dormir avec toi ?

— Petite Tempête doit être habitué à dormir seul, après être resté si longtemps chez Baie de Ronce.

— Tiens, tu l'appelles encore Petite Tempête ?

— Et je continuerai à le faire jusqu'à ce qu'Étoile de Grêle change son nom de façon officielle.

— Alors tu es toujours déterminée à l'appeler Petite Balafre ? »

Petite Balafre ? Petite Tempête était horrifié.

« Ça lui ira à merveille.

— N'est-ce pas un peu cruel ?

— S'il était resté au camp, il n'aurait jamais eu d'accident. Et il ne serait pas devenu cette horrible chose déformée. Il serait toujours mon beau petit guerrier. »

Elle croit vraiment que tout est ma faute ! La froideur de sa mère lui donna la nausée. Il se mit à trembler. Un doux pelage le frôla. Écho de Brume se blottit contre lui tandis que Cœur de Nacre grondait :

« Et que ressent-il, à ton avis ?

— Il s'habituera.

— À quoi ? rétorqua le guerrier d'un ton hargneux. À son nouveau nom ? Son museau défiguré ? Sa mère qui le rejette ?

— Cet accident n'était pas ma faute ! Ce n'est pas à moi d'en payer les conséquences. »

La gorge de Petite Tempête se noua.

« Elle ne s'est pas remise du choc, lui murmura Écho de Brume à l'oreille. Elle ne se rend pas compte de ce qu'elle dit.

— Jamais je ne t'aurais crue si dure, Fleur de Pluie ! s'exclama le guerrier. Si tu insistes pour qu'Étoile de Grêle organise un nouveau baptême, alors tu ne seras plus ma compagne. Je ne partagerai plus jamais mon nid ni même une pièce de gibier avec toi.

— Qu'il en soit ainsi. »

Petite Tempête ne pouvait en entendre davantage. Il se leva d'un bond et se précipita dehors.

« S'il vous plaît, ne vous disputez pas ! Ça ne m'embête pas, de dormir seul ou de changer de nom ! » gémit-il.

Mais sa mère se dirigeait déjà vers la tanière de leur chef comme si elle ne l'avait pas entendu. Petite Tempête jeta un regard implorant à son père :

« Ne vous disputez pas à cause de moi.

— Ce n'est pas à cause de toi, le rassura le guerrier. Mais à cause d'elle. »

Le regard brûlant, il suivit des yeux Fleur de Pluie.

Baie de Ronce les rejoignit à petits pas.

« Comment ça se passe, dans la pouponnière ? » demanda-t-elle. La lueur joyeuse qui dansait dans ses prunelles s'assombrit lorsqu'elle remarqua l'expression de Cœur de Nacre. En se tournant, elle vit Fleur de Pluie entrer dans l'antre d'Étoile de Grêle. « Elle va vraiment le faire ? »

Le guerrier hocha la tête. Baie de Ronce ferma un instant les yeux avant de les rouvrir pour regarder Petite Tempête.

« Les saisons changent, Petite Tempête, mais le Clan de la Rivière ne cessera jamais d'être le Clan de la Rivière. Cœur de Nacre sera toujours courageux et loyal, qu'il y ait du soleil ou de la neige sur son pelage. Et toi, tu auras toujours le cœur d'un guerrier, quel que soit ton nom. »

Du bout du museau, elle lui effleura le sommet du crâne.

La mousse qui pendait devant l'antre d'Étoile de Grêle frémit et le chef sortit dans la clairière. Fleur de Pluie le suivit.

« Que tous ceux qui sont en âge de pêcher se rassemblent devant moi pour entendre mes paroles, déclara-t-il d'un ton solennel.

— Je devrais peut-être aussi changer de nom, miaula Baie de Ronce à Petite Tempête en se dirigeant vers le meneur. On pourrait m'appeler Bile de Souris ? » Sa blague la fit ronronner. « Tu ne crois pas ? Après tout, je sens souvent la bile quand je vais traiter les anciens. »

Petite Tempête la suivait d'un pas traînant. Il eut beau tenter de ronronner aussi, sa gorge était sèche. La guérisseuse s'arrêta pour le regarder dans les yeux.

« Le Clan des Étoiles veille sur toi. Cet événement fait partie d'un destin que seuls nos ancêtres peuvent comprendre. N'oublie pas qu'ils guident chacun d'entre nous et qu'ils tiennent à toi comme à n'importe quel autre membre du Clan de la Rivière. »

Petite Tempête cligna les yeux, pensif, tandis qu'elle s'éloignait. Il aurait voulu la croire... *Dans ce cas, pourquoi le Clan des Étoiles permet-il une telle injustice ?*

Cœur de Truite, Trille d'Oiseau et Moustache Emmêlée descendirent du talus pendant qu'Écho de Brume écartait Petit Ragondin, Petit Bourgeon et Petit Scarabée de la pouponnière.

« Comment peut-il changer le nom d'un chat avant même qu'il soit apprenti ? protesta Petit Ragondin.

— Chut ! » le fit taire sa mère en le poussant du bout du museau.

Étoile de Grêle attendait, avec Fleur de Pluie à ses côtés, que le Clan se rassemble au bord de la clairière.

« Que se passe-t-il ? voulut savoir Larme de Nuit.

— Aucune idée, miaula Plume Fauve. Il est encore trop tôt pour que les chatons reçoivent leurs noms d'apprentis.

— Peut-être qu'Étoile de Grêle va annoncer nos baptêmes de guerriers », hasarda Nuage Doux à l'oreille de Nuage Blanc.

Ce dernier se tourna vers son mentor. Pelage d'Écorce murmurait quelque chose à Poil de Loutre, le regard sombre.

Le cœur de Petite Tempête s'emballa. Il chercha à croiser le regard de Fleur de Pluie. Celle-ci fixait les buissons droit devant elle.

« Petite Tempête, viens par ici », ordonna Étoile de Grêle d'une voix douce.

Tout tremblant, le chaton s'exécuta. Il avança dans la clairière, et les museaux de ses camarades lui parurent soudain étranges, menaçants. Est-ce que c'était un cauchemar ?

« J'ai réuni le Clan pour que tous soient témoins de ton nouveau baptême. Je suis désolé que tu aies tant souffert. Tout le Clan sait à quel point tu as été courageux. Ton museau a peut-être été abîmé, jeune félin, mais ton cœur est intact. Je sais que tu es aussi fiable et loyal qu'un guerrier. Tant que tu es un chaton, assume ce nom avec courage. Tu pourras le porter avec noblesse quand tu seras un guerrier. »

Petite Tempête acquiesça.

« À partir d'aujourd'hui, tu t'appelleras Petite Balafre. »

Le chaton s'efforça d'ignorer les murmures indignés de ses camarades. Il regarda le lointain, au-delà d'Étoile de Grêle.

Mais je suis né par une nuit d'orage. Je suis Petite Tempête.

Comment pourrait-il devenir Étoile de Tempête, à présent ?

Il aperçut soudain un pelage roux et blanc à l'ombre des joncs. La chatte de la rivière ! Sa silhouette ondulait, comme à travers une brume de chaleur. Il leva la truffe et ne sentit que les odeurs familières de ses camarades. Elle devait venir du Clan des Étoiles. Les paroles de Baie de Ronce résonnèrent dans sa tête : *Le Clan des Étoiles veille sur toi.* Est-ce que l'inconnue avait été envoyée là pour lui rappeler leur serment ? « *Ne t'inquiète pas, mon petit.* » Il l'entendait encore. « *Ton heure n'est pas encore venue. Un grand destin t'attend.* »

Il murmura son nouveau nom :

« Petite Balafre… Je suis Petite Balafre. » Il jeta un coup d'œil vers ses camarades. Personne ne le regardait. À part la chatte au pelage roux et blanc. Ses yeux ambrés brillaient, sans ciller, braqués sur lui. *Elle croit en moi.* Soudain plein d'espoir, il releva le menton et répéta :

« Je suis Petite Balafre. »

CHAPITRE 5

« Est-ce que je peux dormir dans le nid de Petite Balafre ? » Petit Chêne suppliait Fleur de Pluie. « C'est ma dernière nuit dans la pouponnière.

— Non », répondit la reine en grimpant dans sa litière. Elle tourna sur elle-même, prête à s'endormir. « Combien de fois faudra-t-il que je te le répète ? Il a l'habitude de dormir seul. Tu l'empêcherais de se reposer et il a besoin de beaucoup de sommeil s'il veut grandir un jour. »

Le ventre de Petite Balafre se noua. Loin de le soulager, dormir seul pendant une lune dans son propre nid n'avait fait qu'aggraver son chagrin. Nuage de Ragondin, Nuage de Bourgeon et Nuage de Scarabée avaient reçu leurs noms d'apprentis et s'étaient installés dans l'antre des novices, tandis qu'Écho de Brume, leur mère, était retournée dans le repaire des guerriers. Petite Balafre se roula en boule dans la mousse et glissa la truffe sous sa patte. Si seulement il ne s'était pas brisé la mâchoire, Fleur de Pluie l'aimerait toujours. Au lieu de quoi, elle se comportait comme si sa laideur était contagieuse. Il avait tout essayé pour lui faire plaisir, pour se faire pardonner son accident. Il avait été lui chercher à manger jusqu'à ce qu'elle lui demande d'arrêter. Il avait proposé d'enlever la mousse souillée de son nid, mais elle avait secoué la tête.

« Occupe-toi de ta propre litière, lui avait-elle ordonné. Nuage Doux peut se charger de la nôtre. »

Petite Balafre se replia un peu plus. Son ventre gargouillait, sa mâchoire le faisait souffrir. Il n'avait réussi à manger qu'une queue de poisson, avant que la douleur ne l'empêche de mâcher. S'il ne pouvait pas se nourrir, comment pourrait-il devenir suffisamment grand pour devenir apprenti ?

« Petite Balafre ! »

C'était Nuage de Ragondin qui l'appelait. Petite Balafre ouvrit les yeux. Le soleil brûlant de la saison des feuilles vertes filtrait à travers la paroi de roseaux. Le nid de Fleur de Pluie était vide. Avait-il manqué le baptême de Petit Chêne ?

« La patrouille de l'aube a rapporté à manger ! »

Petite Balafre quitta tant bien que mal son nid et sortit de la pouponnière sur des pattes tremblantes.

Nuage de Ragondin bondissait autour de Cœur de Nacre.

« Regarde ce qu'il a attrapé ! » s'écria l'apprenti.

Cœur de Nacre tenait une énorme truite entre ses mâchoires. Il la lâcha devant son fils. Petite Balafre recula d'un bond – le poisson était presque aussi gros que lui. Cœur de Nacre ronronna.

« Un jour, tu attraperas toi aussi des poissons comme celui-là. » Il arracha un morceau de chair qu'il lança au chaton. « Mange. Je vais donner le reste aux anciens. Moustache Emmêlée ne va pas en croire ses yeux. »

Petite Balafre regarda son père emporter sa prise puis il baissa la tête vers le morceau de poisson.

Nuage de Ragondin l'observait.

Petite Balafre ignora le bout de truite, même si son odeur était alléchante. Il ravala la salive qui menaçait de couler par sa mâchoire tordue.

« Est-ce que mon frère a déjà reçu son nom d'apprenti ? s'enquit-il.

— Pas encore », répondit Nuage de Ragondin en jetant un coup d'œil vers le gîte du chef. Une queue gris perle dépassait du rideau de mousse qui en couvrait l'entrée. « Fleur de Pluie voulait parler à Étoile de Grêle avant la cérémonie. »

Elle lui demande peut-être de me donner mon nom d'apprenti, à moi aussi ! Son cœur se gonfla d'espoir.

« Elle a dit à Écho de Brume qu'il n'y avait qu'un seul guerrier digne d'entraîner Petit Chêne, poursuivit Nuage de Ragondin. Elle veut donc s'assurer qu'Étoile de Grêle le choisira.

— Oh, fit le chaton, déçu au-delà des mots. De quel guerrier s'agit-il ?

— Qui sait ? miaula-t-il avant de baisser les yeux vers le morceau de truite. Tu n'en veux pas ? »

Petite Balafre hésita. Il avait faim mais il était hors de question qu'il mange devant Nuage de Ragondin. Il bavait toujours comme un ancien édenté.

« Non, prends-le. »

Du bout de la patte, il le poussa vers son camarade.

« Merci. »

Le novice s'accroupit pour manger et le ventre de Petite Balafre miaula famine.

« Que tous ceux qui sont en âge de pêcher se rassemblent devant moi pour entendre mes paroles ! lança Étoile de Grêle en sortant de son antre.

— Une cérémonie, déjà ? grommela Moustache Emmêlée en sortant de la tanière des anciens. Le soleil vient à peine de se lever ! »

Trille d'Oiseau et Cœur de Truite l'imitèrent tandis que leurs camarades s'installaient autour de leur chef.

Baie de Ronce émergea de son gîte et vint s'asseoir près de Nuage Doux. Petite Balafre se demanda où il devait prendre place. Cœur de Nacre se tenait près d'Étoile de Grêle. Fleur de Pluie restait à l'écart de ses camarades, à côté de Petit Chêne. Les yeux du chaton brun-roux pétillaient. Petite Balafre aurait voulu traverser la clairière à toute allure pour aller lui souhaiter bonne chance, mais il savait que Fleur de Pluie le renverrait en montrant les crocs.

« Viens t'asseoir avec moi », suggéra alors Baie de Ronce. Il s'approcha d'elle et, du bout de la queue, elle lui caressa le dos. « Il fait frais, ici, à l'ombre. »

Alors qu'il s'asseyait sous le saule, Écho de Brume les rejoignit.

« Je parie que tu es très fier de ton frère. »

Petite Balafre ronronna. Bientôt, Petit Chêne serait le plus fort et le plus courageux des apprentis du Clan.

« Il va devenir un guerrier formidable, comme Cœur de Nacre. »

Le parfum d'Écho de Brume lui caressa la truffe et des souvenirs du temps où elle dormait encore dans la pouponnière lui revinrent. Lorsqu'il se réveillait en sursaut à cause d'un cauchemar, elle le laissait se glisser dans son nid, parmi ses propres petits. Elle le chassait gentiment avant l'aube pour qu'il retourne dans sa litière sans que Fleur de Pluie le remarque.

« Inutile de chercher les ennuis », murmurait-elle alors en lui léchant les oreilles.

Le miaulement de Baie de Ronce le tira de ses pensées :

« Je crois que Petit Chêne essaie t'attirer ton attention. »

En effet, son frère le fixait en articulant silencieusement quelque chose. Ça ressemblait à « Nuage Balafré ». *Il regrette que je ne reçoive pas mon nom d'apprenti en même temps que lui.* Cette idée lui réchauffa le cœur. *Mon tour viendra bientôt.*

« Approche, Petit Chêne », ordonna Étoile de Grêle. Pendant que le chaton s'avançait, il appela : « Cœur de Nacre ! »

Petite Balafre écarquilla les yeux. Étoile de Grêle avait choisi Cœur de Nacre pour entraîner Petit Chêne ! Les pères ne devenaient jamais les mentors de leurs petits. Il dévisagea Fleur de Pluie. Les yeux de la reine brillaient. C'était elle qui avait arrangé ça. Petite Balafre eut soudain très froid.

Le regard d'Étoile de Grêle parcourut l'assemblée.

« Cœur de Nacre et Petit Chêne partagent le même courage, la même force et la même loyauté. » Il fit un signe de tête à son lieutenant avant d'ajouter : « Renforce ces qualités chez ton apprenti, Cœur de Nacre, et fais de Petit Chêne un guerrier qui mènera loin le Clan de la Rivière.

— Nuage de Chêne ! lança Fleur de Pluie, qui fut la première à féliciter le nouvel apprenti.

— Nuage de Chêne ! » répétèrent Nuage de Ragondin et Nuage de Bourgeon.

Pelage d'Écorce et Ciel Clair agitèrent la queue avec enthousiasme tout en clamant le nom du novice.

Petite Balafre scruta les roseaux, guettant un pelage roux et blanc. La chatte du Clan des Étoiles était déjà venue. Reparaîtrait-elle pour lui rappeler son destin ? Ou bien ne viendrait-elle que pour Nuage de Chêne ?

« Acclame-le avec nous ! » lui souffla Baie de Ronce à l'oreille.

Il comprit qu'il n'avait pas crié le nom de son frère.

« Nuage de Chêne ! Nuage de Chêne ! » clama-t-il, la tête levée vers l'azur du ciel.

Ô nobles ancêtres, faites qu'il devienne un grand guerrier !

Nuage de Chêne vint frotter son museau contre la joue de son frère.

« Merci, miaula le novice. J'espère qu'on s'entraînera bientôt ensemble. Tu es mon frère et je serai toujours là pour toi. »

Petite Balafre ronronna et sa jalousie disparut. Il aimait trop Nuage de Chêne pour lui souhaiter autre chose que le meilleur. Il aurait juste voulu que Fleur de Pluie les aime tous deux équitablement.

Les yeux brillants, Nuage de Chêne se retourna vers Étoile de Grêle.

« Je promets de m'entraîner dur pour devenir le meilleur guerrier possible.

— Bien joué, mon chéri », ronronna Fleur de Pluie en s'approchant du jeune novice.

Cœur de Nacre passa devant elle pour poser le bout de son museau sur la tête de leur fils.

« J'attendrai de toi que tu t'entraînes plus dur que les autres, le mit-il en garde. Je ne veux pas qu'on dise que je te ménage parce que je suis ton père.

— Moi non plus ! répondit Nuage de Chêne, le poitrail gonflé.

— Petite Balafre, reprit le lieutenant, rien n'empêche que je te montre une partie de ce que j'enseignerai à ton frère. »

Les paroles de son père mirent du baume au cœur du chaton.

« Ne dis pas n'importe quoi, le coupa Fleur de Pluie. Il est bien trop petit. »

Petite Balafre la dévisagea, bouche bée. Il referma la gueule en vitesse pour ravaler sa salive. Avait-elle raison ? Il mangeait autant qu'il le pouvait et il était maintenant à l'étroit dans son nid.

Nuage de Bourgeon et Nuage de Ragondin lui passèrent juste devant la truffe pour aller féliciter son frère.

« Bravo, Nuage de Chêne ! »

Ce dernier recula un peu.

« Ouais, grommela Nuage de Scarabée en se frayant un passage entre son frère et sa sœur. Maintenant, je comprends pourquoi Cœur de Nacre n'a pas été choisi pour devenir *mon* mentor.

— Oh, Nuage de Scarabée, soupira Nuage de Bourgeon en lui donnant un coup de museau dans l'épaule. Tu ne l'as toujours pas digéré ? Ce n'est pas parce que tu es le fils d'Étoile de Grêle que le lieutenant doit forcément devenir ton mentor. Tu sais qu'Étoile de

Grêle nous attribue le guerrier qui nous convient le mieux, selon lui.

— Dans ce cas, pourquoi m'a-t-il donné Poil de Loutre ?

— Chut ! siffla Nuage de Ragondin.

— Quoi ? » fit son frère, surpris par les regards horrifiés des deux autres.

Poil de Loutre, qui avait traversé la clairière, se tenait juste derrière son apprenti. Le poil blanc et roux de la guerrière brillait au soleil.

« Étoile de Grêle pensait peut-être que tu avais besoin d'apprendre le respect, suggéra-t-elle.

— Désolé ! gémit Nuage de Scarabée en pivotant vers elle.

— Je crois que tu vas passer l'après-midi à nettoyer la tanière des anciens au lieu d'apprendre de nouvelles attaques. »

S'il fit la grimace, il se garda bien de protester.

« D'accord, répondit-il avant de s'éloigner d'un pas traînant.

— Je vais t'aider ! lança Nuage de Bourgeon.

— Tu devrais peut-être l'aider, toi aussi, miaula Cœur de Nacre à Nuage de Chêne.

— Ma première tâche d'apprenti ! Chouette ! »

Alors que Petite Balafre le regardait détaler avec envie, le miaulement sec de sa mère le fit sursauter.

« Tu ne comptes pas me remercier ? lança-t-elle à Cœur de Nacre.

— Pour quoi ? rétorqua le lieutenant, méfiant.

— À ton avis, qui s'est arrangé pour que tu sois le mentor de Nuage de Chêne ?

— Toi ?

— Étoile de Grêle a compris qu'il était logique que le guerrier le plus fort entraîne l'apprenti le plus fort. »

Le miaulement inquiet d'Écho de Brume résonna dans l'oreille de Petite Balafre.

« Et si tu allais voir si ton frère a besoin d'aide ? Vas-y », conclut-elle en le poussant vers la butte.

Il obéit à contrecœur en jetant un ultime coup d'œil à Cœur de Nacre et Fleur de Pluie, qui se tenaient face à face, les poils hérissés. S'il n'avait pas eu son accident, ils s'aimeraient encore. Ils seraient toujours heureux.

« Nuage de Chêne ? appela Petite Balafre, le museau plongé dans la tanière des anciens.

— Il est parti chercher de la mousse, miaula Nuage de Bourgeon, qui s'occupait du nid de Moustache Emmêlée.

— Je vais aller l'aider, annonça le chaton.

— Il est *à l'extérieur* du camp.

— Ah ! Est-ce que je peux t'aider ? »

Une boule de mousse puante rebondit sur son museau.

« Tu ne ferais que nous gêner, répondit Nuage de Scarabée, qui donnait des coups de griffe dans la tanière de Cœur de Truite, la truffe froncée de dégoût.

— Et si tu allais jouer dehors ? suggéra gentiment Nuage de Bourgeon. Nous pouvons nous débrouiller.

— Il faut bien qu'il apprenne un jour, les coupa Moustache Emmêlée, qui redonnait forme à son nid.

— Eh bien, il pourra revenir un autre jour et apprendre tout seul, rétorqua Nuage de Scarabée en jetant une autre boule de mousse vers l'entrée. C'est suffisamment barbant sans qu'on ait en plus un chaton dans les pattes.

— Je n'ai qu'une lune de moins que toi ! répliqua Petite Balafre.

— Mais quatre lunes de moins, question poids ! »

Le chaton sortit du gîte en grondant puis dévala la pente. Croc de Brochet et Larme de Nuit, eux, auraient peut-être besoin de son aide. Il avait ramassé des roseaux, deux lunes plus tôt. Il n'y avait pas de raison qu'il ne puisse plus le faire. Il n'avait tout de même pas rapetissé !

« Est-ce que je peux vous aider ? » lança-t-il près des roseaux.

L'eau froide qui vint lui lécher les griffes le rafraîchit.

Croc de Brochet sortit à reculons d'un épais bouquet de roseaux.

« Ne tombe pas dans la rivière ! le mit-il en garde.

— Si tu m'apprenais à nager, je pourrais t'aider encore plus, lui fit remarquer le chaton.

— Tu es un peu trop petit.

— Les têtards aussi sont tout petits, et pourtant ils nagent ! »

Frustré, Petite Balafre faillit se jeter à l'eau pour apprendre tout seul à nager.

Larme de Nuit sortit de la rivière et déposa sur la berge le fagot de roseaux qu'elle tenait dans la gueule.

« Je sais que tu t'ennuies, miaula-t-elle avec compassion. Il n'y a plus d'autres chatons pour jouer avec toi. » Elle balaya le camp du regard avant d'ajouter : « Tu pourrais peut-être t'entraîner seul à traquer une proie ? »

Petite Balafre s'éloigna, la queue basse. Vraiment personne ne voulait de lui ?

« Tu veux m'aider à ranger les remèdes ? lui demanda Baie de Ronce, qui l'observait depuis le seuil de sa tanière.

— Je vais devenir un *guerrier*, pas un guérisseur ! » rétorqua-t-il.

Il se tourna pour traverser la clairière et vit que son frère était rentré, la gueule pleine de mousse. Cœur de Nacre le héla :

« Nuage de Chêne, quand tu auras posé ça, je t'emmènerai faire le tour du territoire.

— Je peux venir ? lança Petite Balafre avec espoir.

— Un autre jour, soupira son père, tandis que son frère filait déposer son fardeau sur la butte avant de redescendre vers eux à toute allure. Tu es prêt ? »

Nuage de Chêne acquiesça. Petite Balafre s'assit pour les regarder disparaître entre les roseaux.

À l'ombre de la paroi de joncs, Fleur de Pluie partageait un poisson avec Cristal d'Eau. Elle releva la tête pour s'adresser à Petite Balafre :

« Je retourne dans la tanière des guerriers, cette nuit. Cristal d'Eau veut bien partager son nid avec moi le temps que je construise le mien. »

Non ! Tu ne peux pas faire ça ! Le cœur de Petite Balafre s'emballa. Il allait se retrouver seul dans la pouponnière ! Ses camarades feraient tous leur toilette ensemble, blottis les uns contre les autres, pendant qu'il resterait tout seul, comme s'il était banni. Fleur de Pluie resterait peut-être avec lui s'il parvenait à l'impressionner. Peut-être qu'il pourrait regagner son amour. Il fila vers l'arbre couché et grimpa sur le tronc. Les griffes plantées dans l'écorce, il suivit la branche surplombant la rivière qu'il avait escaladée jadis.

« Regarde, Fleur de Pluie ! »

Arrivé au bout, il se dressa sur ses pattes arrière tremblantes, le cœur battant, si grand que le Clan tout entier pouvait le voir – lui, le chaton le plus courageux du Clan.

« Regarde-moi !

— Redescends avant de tomber, lança-t-elle d'un ton sec entre deux bouchées de poisson. Et arrête de fanfaronner. Tu deviendras apprenti quand tu seras prêt, pas avant. »

Quelque part dans les bois, une fauvette cria. Petite Balafre fut réveillé en sursaut. Le Clan tout entier dormait. Même à travers les parois de la pouponnière, il entendait les ronflements, les reniflements et même le crissement des litières lorsque ses camarades s'étiraient ou changeaient de position. Le chaton, lui, était complètement réveillé. Il avait le cœur trop gros pour se rendormir. Il tourna en rond dans la tanière vide et flaira les parfums éventés de Fleur de Pluie et Écho de Brume.

La guerrière au poil roux et blanc du Clan des Étoiles allait peut-être apparaître. Il scruta les coins sombres de la pouponnière, à l'affût du moindre mouvement. Cette solitude faisait-elle partie du destin qu'elle lui avait promis ? *Le Clan des Étoiles veille sur toi.* Il se remémora les paroles de Baie de Ronce. *Cet événement fait partie d'un destin que seuls nos ancêtres peuvent comprendre. N'oublie pas qu'ils guident chacun*

voir. Il avait détruit le foyer de son Clan. Il avait failli le tuer.

Les pierres du gué, trempées par la pluie, brillaient droit devant. Un hibou hulula dans les arbres au-delà des Rochers du Soleil. Petite Balafre leva la truffe, guettant une trace fraîche du Clan du Tonnerre. Il ne distingua que l'odeur de ses camarades.

Petite Balafre s'arrêta. La trace de Plume Fauve était vraiment *très* nette. Sa camarade était-elle encore là ? Le ventre au ras du sol, il scruta la rive en priant pour que son pelage beige tigré ne se remarque pas dans la pénombre. Cependant, il ne pouvait dissimuler son odeur, surtout maintenant qu'il avait peur. Les oreilles dressées, il s'immobilisa un instant. Il n'entendit rien que le murmure de l'eau et le léger crépitement de la pluie sur les feuilles. Il inspira profondément et s'élança vers le gué. Il banda ses muscles pour sauter sur la première pierre, où il atterrit sans trembler. Il gagna ensuite la deuxième. Il avait *beaucoup* grandi depuis la dernière fois. Ses griffes agrippaient les pierres plus fermement et celles-ci lui semblaient bien moins éloignées les unes des autres. Il fixa la rive opposée et sauta sur les dernières sans hésiter avant d'arriver sur la berge. Il poussa un soupir de soulagement.

Les Rochers du Soleil se dressaient vers le ciel sombre et bruineux. Des nuages dissimulaient la lune et Petite Balafre dut plisser les yeux pour voir ses pattes plantées dans le sable. Ses poils se dressèrent sur son échine lorsqu'il flaira l'odeur du Clan du Tonnerre, qui lui parvenait de la nouvelle frontière. Étoile de

Grêle se battrait-il un jour pour récupérer ce bout de territoire ?

Les griffes sorties, il commença à remonter le long du cours d'eau. Il était au cœur du territoire du Clan du Tonnerre, à présent. Leur marquage imprégnait le moindre arbuste et il dut fermer la gueule pour que leur puanteur n'effleure pas sa langue. Ses oreilles frétillèrent soudain. Derrière le gazouillis de l'eau, il distinguait un grondement sourd. Il devait approcher des gorges où Baie de Ronce allait cueillir les feuilles de pas-d'âne. Petite Balafre huma l'air et reconnut l'odeur acide du remède ainsi que la senteur minérale de l'eau qui cascadait plus haut.

Le sentier devint escarpé et la rive n'était plus qu'une falaise qui s'élevait à chaque pas un peu plus haut au-dessus de l'eau. Petite Balafre jeta un coup d'œil vers le bas. La rivière filait à toute allure, tourbillonnant sous la nuit étoilée dans un canyon. Le grondement devint assourdissant et, au détour d'un arbre, Petite Balafre vit la cascade pour la première fois. Plus haute que le plus haut des arbres, la chute d'eau se jetait dans les gorges en projetant des embruns.

Le chaton s'immobilisa, soudain conscient de l'étroitesse du chemin. D'un côté, la paroi rocheuse lisse, de l'autre, le vide. Collé à la falaise, il se remit en marche, les oreilles rabattues pour ne plus entendre le fracas de la cascade. Le sol caillouteux lui blessait les pattes, et la pluie lui cinglait le museau. Les gouttes d'eau sentaient la tourbe et le pollen.

Arrivé au sommet de la cascade, il constata avec soulagement que le grondement s'atténuait. Le sentier s'aplanit et la rivière retrouva son cours paisible. Petite Balafre balaya du regard le territoire qui s'étendait devant lui. Il s'élevait jusqu'à la lande et se perdait au loin vers de nouvelles falaises. *Les Hautes Pierres ?* Il avait entendu des guerriers et des anciens évoquer ces pics acérés, et il savait que la Pierre de Lune se trouvait là-bas.

Une puanteur atroce lui assaillit les narines. Il devait se trouver sur le territoire du Clan du Vent, à présent. *Ensuite je dois traverser la lande.* Les paroles de Baie de Ronce lui revinrent en mémoire. Le cœur battant, il tourna le dos à la rivière et se lança dans la pente en direction de la lande. Les doux buissons laissèrent place à la bruyère et aux ajoncs piquants. Le chaton se faufilait entre leurs tiges, tout en se félicitant qu'elles le dissimulent. Les oreilles dressées et la gueule entrouverte, à l'affût du moindre signe du Clan du Vent, il poursuivit sa route.

Il s'arrêta tout à coup en repérant une odeur familière.

Le Clan de la Rivière ?

Il renifla de nouveau, incapable de mettre un nom sur ce parfum au milieu des fragrances puissantes de la végétation. Mais il s'agissait bel et bien de l'un de ses camarades. Est-ce qu'Étoile de Grêle avait envoyé une patrouille à sa recherche ? Peu probable. Puisqu'il dormait seul dans la pouponnière, qui aurait pu déjà se rendre compte de son absence ? Il reprit son chemin, perplexe.

Au sommet de la pente, des rochers dépassaient de la bruyère. Petite Balafre grimpa tant bien que mal sur le plus petit d'entre eux et leva la tête. S'il parvenait à grimper plus haut, il pourrait voir les Hautes Pierres. Il jeta un coup d'œil vers le ciel en priant pour que les nuages se dissipent. Il voulait voir la Toison Argentée afin que la présence du Clan des Étoiles le rassure. La pluie lui éclaboussait le museau. Il se dressa sur ses pattes arrière, les pattes avant tendues à la recherche d'une fissure où loger ses griffes. Il en trouva une et se hissa sur le roc. De là, il dominait la lande. Elle s'étendait devant lui et, au loin, il distinguait tout juste la forme sombre et dentelée des Hautes Pierres.

Un vent chaud malmena sa fourrure mouillée. Il huma l'air. L'odeur familière lui parvint de nouveau, plus nette encore. Il la reconnut.

Plume Fauve !

Un miaulement retentit soudain. Petite Balafre grimpa sur le rocher le plus haut et s'accroupit.

« Tu as entendu ? » fit une voix caverneuse juste sous lui.

Petite Balafre s'avança en rampant, les griffes plantées dans la roche mouillée pour ne pas tomber. Il regarda en contrebas et aperçut deux pelages dans la bruyère. Il en eut le souffle coupé. Des gravillons roulèrent sous ses pattes et dégringolèrent bruyamment.

La fourrure brun clair de Plume Fauve brillait dans la pénombre. Un matou tigré se tenait près d'elle. Petite Balafre eut un mouvement de recul et se plaqua contre la roche.

« Il y a quelqu'un, là-haut ? lança la guerrière d'une voix apeurée.

— Je vais voir », gronda le matou.

La puanteur qui accompagnait le parfum teinté de peur de Plume Fauve rappelait à Petite Balafre le marquage qu'il avait passé à la frontière. *Un guerrier du Clan du Vent !* Lorsque le chaton entendit un crissement de griffes sur la pierre, il s'approcha du bord du rocher à reculons et se laissa tomber sur le rocher du dessous où il se pelotonna dans un creux. Heureusement que sa petite taille lui permettait de s'y cacher ! Il enroula sa queue autour de lui et attendit en tremblant.

« Je ne vois rien, lança une voix au-dessus de lui.

— Laisse-moi regarder. »

Petite Balafre entendit un autre frottement de fourrure contre la pierre.

« C'est l'odeur du Clan de la Rivière ! hoqueta Plume Fauve.

— Il n'y a personne, le rassura le matou. Un guerrier ne pourrait jamais se cacher là.

— Je sens pourtant l'odeur des miens ! Quelqu'un a dû me suivre. Partons. »

Petite Balafre se ratatina plus encore dans la fissure lorsque les deux félins passèrent devant lui. Les pattes moites, il les regarda se glisser dans les hautes herbes et disparaître. Une fois sa respiration calmée, il sortit de sa cachette et descendit lentement du rocher. Il contourna le massif rocheux, évita la piste où les odeurs des Clans du Vent et de la Rivière se mêlaient et poursuivit vers les Hautes Pierres.

Mille questions tourbillonnaient dans sa tête tandis qu'il suivait un sentier à travers les ajoncs. Que faisait donc Plume Fauve ici ? Étoile de Grêle l'avait-il envoyée en mission ? Dans ce cas, pourquoi parlait-elle à un matou du Clan du Vent ? L'aidait-il dans sa tâche ? Il s'accrocha à cette possibilité pour ne pas penser à d'autres explications...

La pluie cessa et les nuages se dissipèrent, révélant un croissant de lune argenté fin comme un coup de griffe déchirant le noir du ciel. Petite Balafre grimpa sur un monticule qui évoquait une île au milieu d'une vaste rivière de bruyère. Les Hautes Pierres se dressaient dans le lointain. Si elles se découpaient plus nettement sur la voûte nocturne, elles ne paraissaient en rien plus proches. Petite Balafre contempla avec stupeur la distance qui séparait la lande de la Pierre de Lune. Il reconnut des haies, des prairies et des formes sombres qui devaient être des nids de Bipèdes.

Comment pourrait-il y parvenir ? Son ventre gronda. Si seulement il savait chasser ! Cela ne devait pas être bien difficile. Écho de Brume se plaignait toujours des chats domestiques chassant aux abords de leur territoire. Si un chat domestique en était capable, alors lui aussi. La tête que ferait Fleur de Pluie lorsqu'il lui dirait qu'il avait voyagé jusqu'à la Pierre de Lune ! Lorsqu'il huma l'air à l'affût d'un fumet de gibier, il ne flaira rien d'autre que la bruyère et la puanteur du Clan du Vent. Il descendit la butte en soupirant. Au moins, la lande se terminait bientôt. Il en voyait déjà le bout, là où le terrain descendait vers les prairies. Il serait sorti du territoire du Clan du Vent avant minuit.

Des buissons frémirent tout près de lui. Petite Balafre fit volte-face et vit deux yeux brillants dans la bruyère.

Que le Clan des Étoiles me vienne en aide !

Le cœur battant la chamade, il se mit à courir. Il filait si vite qu'il projetait des nuages de terre dans son sillage. Les brindilles pointues se prenaient dans son pelage, mais il sentait à peine la douleur. Des pattes martelaient le sol, juste derrière lui. Le chaton n'osa pas regarder en arrière lorsqu'il franchit la crête au bout de la lande et dévala la pente menant aux prairies.

Son poursuivant gagnait du terrain, le bruit de ses pas le talonnait. Petite Balafre s'engouffra dans un buisson qui empestait le Clan du Vent. *La frontière !* Le marquage était très fort, ce devait être la limite de leur territoire. Leurs guerriers ne le chasseraient plus ici, n'est-ce pas ? Pourtant, le bruit de pas n'avait pas cessé.

Petite Balafre fila comme le vent jusqu'au bas de la pente. Ses poumons le brûlaient, le sang battait à ses oreilles. Devant, une rivière de pierre noire et lisse serpentait, bordé par une haie. Peut-être qu'il trouverait une cachette là-bas. *Si j'arrive jusque-là.* Les pas n'étaient plus qu'à un saut de grenouille de lui. Il entendit un reniflement et sentit la terre trembler sous lui. Les yeux écarquillés, il se retourna enfin.

Un lapin !

Stupéfait, il s'arrêta net. Le lapin le doubla à toute allure, les yeux emplis d'effroi. Petite Balafre scruta le haut de la colline. Il en eut le souffle coupé : quatre guerriers du Clan du Vent étaient postés sur la crête, les yeux luisants au clair de lune. Qu'observaient-ils ?

Un grondement lui fit tourner la tête. Deux yeux géants illuminaient le sentier de pierre. Un *monstre* fonçait droit sur lui ! Des histoires effrayantes sur ces bêtes couraient dans la pouponnière. Celle-là était encore plus horrible que celles qu'Écho de Brume décrivait, les yeux écarquillés, le pelage hirsute. C'était d'énormes créatures aux pelages brillants et dont les yeux crachaient des rayons jaunes. Leurs pattes rondes et noires empestaient la pierre brûlée et l'air vibrait de leur grondement avant même qu'elles apparaissent. Cependant, ces monstres étaient stupides et ne quittaient jamais le Chemin du Tonnerre, comme s'ils avaient peur de s'aventurer sur l'herbe ou dans les arbres. Un chat pouvait les battre en gardant son sang-froid et en restant hors de leur chemin.

Petite Balafre s'éloigna du Chemin du Tonnerre juste à temps, et le monstre passa dans un rugissement assourdissant. Le vent hurla et la puanteur imprégna la fourrure du chaton. Les poils dressés, le cœur serré, Petite Balafre s'accrocha à la terre.

Le monstre disparut.

Que le Clan des Étoiles soit loué, il ne m'a pas vu !

Petite Balafre rouvrit les yeux. Le lapin gisait devant lui, aplati, sur la pierre dure et noire. Le sang qui s'écoulait de sa gueule formait une flaque autour de lui. Petite Balafre frémit. Le monstre avait tué le rongeur sans même ralentir pour lui briser la nuque ou prendre une bouchée de viande. Le chaton jeta un coup d'œil vers la crête. Les guerriers avaient disparu.

Le souffle court, les pattes tremblantes, il s'élança sur le Chemin du Tonnerre. Il s'arrêta près du lapin en se demandant s'il devait le tirer jusqu'à l'accotement pour le manger. Après tout, c'était du gibier. Mais ses yeux morts, grands ouverts, le firent frémir, si bien qu'il n'y toucha pas. Il alla s'abriter sous la haie de l'autre côté et attendit que ses frissons s'estompent.

Les Hautes Pierres se dressaient au-delà des champs vallonnés. Petite Balafre se releva et suivit la haie, là où renards et blaireaux ne pourraient pas le voir. Son estomac gargouillait toujours et sa mâchoire le faisait souffrir. La lune passa au-dessus des Hautes Pierres et se glissa derrière. Petite Balafre marqua une pause. Les étoiles disparaissaient à mesure que l'horizon pâlissait. Il n'arriverait pas aux Hautes Pierres avant l'aube.

Devant lui, un muret de pierre marquait la limite d'un autre pré. Petite Balafre se faufila dans un trou entre deux pierres descellées et aperçut un énorme nid aux parois tapissées d'écorce noire et à la voûte arrondie. Un bout de bois plus clair en interdisait l'entrée. En regardant dans une fissure, le chaton se rendit compte qu'il faisait sombre et chaud à l'intérieur et qu'un doux parfum d'herbe sèche y régnait. Il y serait peut-être en sécurité pour se reposer. Plus fatigué qu'il ne l'avait jamais été de toute sa vie, il s'approcha de la petite ouverture. Il distingua dans l'immense nid des tas de grandes tiges empilées jusqu'au plafond. Il ne perçut aucun signe de vie, aucune odeur de guerrier. Les pattes lourdes, il se glissa à l'intérieur et se dirigea vers un coin sombre. Trop épuisé pour savoir où il était, il se roula en boule, glissa sa truffe sous sa patte et sombra dans le sommeil.

CHAPITRE 7

« PETITE BALAFRE ! »

Le chaton ouvrit les yeux. Le foin où il s'était lové avait disparu, remplacé par de la terre mouillée. Des arbres l'entouraient, noyés de brume, leur tronc couvert de mousse humide, leurs racines noueuses plongeant dans un terreau. Le chaton sortit les griffes lorsque des odeurs âcres imprégnèrent sa langue.

« Petite Balafre ! » répéta la voix. Des yeux ambrés luirent dans l'ombre. « Comment as-tu pu quitter ton Clan ?

— Je... je voulais me rendre à la Pierre de Lune », expliqua-t-il en clignant des paupières pour s'accoutumer à la pénombre. Le regard ambré brilla de nouveau et une chatte au pelage roux et blanc s'approcha de lui. *La guerrière du Clan des Étoiles ! Elle est revenue !* « Où suis-je ?

— Tu rêves, mon petit, répondit-elle en s'enroulant autour de lui.

— Je rêve ? » répéta-t-il, rassuré par la chaleur de l'inconnue.

Pourquoi rêverait-il d'un endroit pareil ?

« Pourquoi aller jusqu'à la Pierre de Lune pour parler au Clan des Étoiles ? Tu peux me demander ce que tu veux, là, dans tes rêves.

— J'avais raison ! Tu viens bien du Clan des Étoiles ! »

La chatte hocha la tête.

« Je m'appelle Ombre d'Érable. Que veux-tu savoir, mon petit ?

— Quel sera mon destin ?

— Tout ce qui t'arrive fait partie de ton destin.

— Mais l'accident ? Et le fait que je ne devienne pas apprenti ? Est-ce que tout ça devait réellement se produire ? »

Elle tourna autour de lui et son doux pelage caressa celui du chaton.

« Oh, mon pauvre... soupira-t-elle. Ta voie n'est pas des plus faciles. Mais le Clan des Étoiles ne te l'aurait jamais infligée si tu n'avais pas possédé assez de force, de courage et de loyauté pour t'en sortir.

— Vraiment ? Alors je suis spécial ?

— Bien sûr que tu es spécial », confirma-t-elle en lui effleurant le crâne du bout du museau.

Il se souvint soudain du parfum de Fleur de Pluie. Elle lui parlait ainsi, jadis. Il s'écarta.

« En quoi suis-je spécial ?

— Je ne peux pas encore te le dire.

— Pourquoi ?

— Tu dois d'abord rejoindre ton Clan, expliqua-t-elle tandis que son regard s'assombrissait.

— Je ne faisais que me rendre à la Pierre de Lune.

— Tu n'as pas besoin d'y aller pour le moment.

— Je comprends », répondit-il en regardant ses

pattes. Il avait eu tellement hâte d'annoncer à ses camarades qu'il avait été jusque là-bas ! « Qu'est-ce que je vais dire à tout le monde ?

— Que tu es désolé et que tu ne partiras plus jamais comme ça, miaula-t-elle en lui caressant le menton du bout de la queue. Ils doivent savoir que tu leur es fidèle.

— Je le suis ! s'écria-t-il en relevant la tête.

— Alors tu vas rentrer ?

— Oui. Par où dois-je partir ? s'enquit-il avant de regarder partout autour de lui. Je... je crois que je suis perdu. »

La chatte ronronna. Elle reprit ensuite :

« Ferme les yeux, mon petit. Quand tu te réveilleras, tu sauras où aller. »

Petite Balafre obéit et laissa les ténèbres l'engloutir.

Le chaton roula sur le dos et s'étira. L'air était étouffant. Il éternua et se gratta le museau avant d'ouvrir les yeux et de voir les tas de foin. Ils étaient bien plus grands que lui et sentaient le bois. Des particules de poussière dansaient dans les rayons du soleil qui s'infiltraient par des interstices. Il était de retour dans son nid de fortune.

Il s'assit et bâilla. *Alors tu vas rentrer ?* Les paroles d'Ombre d'Érable lui revinrent en mémoire. Puis il repensa soudain à la voix lasse de Fleur de Pluie lorsqu'elle lui avait demandé de descendre de l'arbre, puis de son Clan qui l'envoyait jouer seul. Petite Balafre soupira. *Et si je n'ai pas envie de rentrer ?* Tout à coup, son estomac gargouilla. *Je meurs de faim !*

Il dressa l'oreille, croyant avoir entendu un couinement. Il se plaqua contre le sol poussiéreux. La gueule ouverte, il laissa les odeurs du nid imprégner sa langue. Un fumet musqué lui parvint. *Une souris ?* S'il n'avait jamais senti de souris, il avait entendu les descriptions des anciens. À pas menus, il se glissa vers la paroi du fond. Des tiges frémirent. Petite Balafre retint son souffle. Il banda les muscles de ses pattes arrière et, le regard rivé à une forme ronde sous le foin, il se prépara à bondir.

« Outch ! »

Un poids considérable venait de lui tomber sur le dos. La peur le tétanisa lorsqu'il reconnut l'odeur d'un chat mâle. Sauf que ce n'était pas une odeur de Clan. Des griffes se plantèrent dans son dos. Malgré sa terreur, il se débattit pour s'échapper, mais le matou était lourd et tenait bon.

« Dégage ! feula-t-il en donnant des coups de patte dans l'air.

— Tu te rends ? gronda l'autre, qui avait resserré sa prise.

— Jamais ! »

Petite Balafre repensa aux séances de jeu avec Nuage de Chêne. Il se souvint de la feinte favorite de son frère et relâcha tout à coup tous ses muscles.

« Tu te rends vraiment ? » répéta le chat en le relâchant.

Petite Balafre recula à toute vitesse et se glissa sous son adversaire aussi vite qu'un poisson. Lorsque l'autre se retourna, le chaton se dressa sur ses pattes arrière, les griffes tendues.

« Je vais te réduire en charpie ! »

Pour la première fois, il vit son opposant : un gros rouquin, presque aussi haut sur pattes qu'Étoile de Grêle.

« Vas-y, l'encouragea le mâle, une lueur amusée dans le regard. Je t'attends. »

Il s'assit et leva ses pattes avant pour révéler un gros ventre blanc.

Petite Balafre plissa les yeux, méfiant. Se moquait-il de lui ? *Il va voir !* Le chaton fonça vers le ventre en agitant les pattes. Sa truffe s'enfonça dans une fourrure douce et épaisse et il se coinça des touffes de poils entre les griffes. De grosses pattes finirent par le repousser gentiment.

« Laisse tomber, petit. »

Petite Balafre s'arrêta un instant. Il secoua la tête pour se débarrasser des poils collés dans ses yeux puis regarda le rouquin.

« Tu perds ton temps, ronronna ce dernier. On risque de rater le petit déj' si tu continues comme ça.

— Le « petit déj' » ? » répéta-t-il, la tête penchée de côté.

Qu'est-ce que c'est que ça ? se demanda-t-il tandis que son estomac gargouillait de plus belle.

« On dirait que t'en as bien besoin, ajouta le mâle. D'ailleurs, à te voir, on croirait que tu n'as pas mangé depuis des lunes. »

Petite Balafre feula. Pourquoi tout le monde se sentait obligé de lui faire remarquer à quel point il était famélique ? Il se ramassa, prêt à bondir.

« Ouh, là ! miaula l'autre en levant une patte. On ne va pas recommencer. Tes griffes sont pointues. »

Il se dirigea vers le fond du nid. « Comment tu t'appelles ? lança-t-il sans se retourner.

— Petite Balafre.

— Moi, c'est Flocon, répondit-il avant de s'asseoir. Qu'est-ce qui t'amène dans ma grange, Petite Balafre ? »

Le mâle fixait le tas de tiges poussiéreuses que le chaton avait observé plus tôt. Il frémissait toujours.

« J'étais en route pour la Pierre de Lune », expliqua-t-il en suivant le matou. Était-ce un ennemi ? En tout cas, il n'appartenait à aucun Clan, c'était certain. « Qu'est-ce que tu regardes ?

— Le petit déj, répéta-t-il tout en se mettant en boule, la queue battante.

— Attends ! C'est ma proie ! » protesta le chaton.

Flocon avait déjà bondi. Il atterrit les pattes tendues sur la petite forme ronde que Petite Balafre avait repérée. D'un geste habile, il sortit une souris des tiges et la tua d'un coup de dent à la nuque.

« Tiens », fit le matou en la lui jetant.

Même si ce n'était pas du poisson, l'odeur chaude le fit saliver.

« Tu as l'air d'en avoir plus besoin que moi. »

Petite Balafre contempla le rongeur. Il mourait de faim. Pouvait-il vraiment laisser un autre chat le nourrir ?

« Mange. » Le matou fouilla un peu plus loin dans les tiges. « J'en trouverai une autre dans le foin. »

Foin ? Grange ? Ce félin connaissait de drôles de mots.

Petite Balafre renifla la proie encore chaude en se demandant par où commencer.

« Je n'ai jamais mangé de souris, admit-il.

— Tu es un chat domestique ?

— Non, un guerrier !

— Ah… Ça explique ta mâchoire. Tu t'es fait blesser dans un combat ? Il paraît que les chats sauvages se battent tout le temps.

— C'est pas vrai ! protesta le chaton. Je me suis blessé en tombant dans la rivière.

— La rivière devait être dure, rétorqua-t-il en enfouissant la patte dans le foin. J'avais un parent lointain comme toi, avec la mâchoire cassée. » Un éternuement le fit taire un instant. « Il était tombé de la mezzanine de la grange.

— La quoi de quoi ? »

Du bout du museau, le matou lui désigna le nid immense :

« Ça, c'est la grange, et là-haut, c'est la mezzanine. Sacrée chute.

— Où est-il, maintenant ?

— Qui ? Domino ? »

Domino ? Les chats des granges avaient de drôles de noms.

« Celui qui s'était cassé la mâchoire.

— Il est mort.

— Mort ? répéta le chaton, épouvanté. Parce qu'il s'était cassé la mâchoire ?

— Non, le rassura aussitôt l'autre en s'asseyant. Il est mort de vieillesse. Pendant la mauvaise saison dernière. Il avait une drôle de tête, un peu comme toi. Il a appris à manger en n'utilisant qu'un seul côté de sa mâchoire. Il chassait comme ça, aussi. C'était l'un des meilleurs chasseurs de souris du coin. »

Petite Balafre balaya aussitôt l'endroit du regard.

« Est-ce qu'il y a d'autres chasseurs, ici ?

— Non, il n'y a plus que moi. Et Mitzi, ma sœur. Mais elle est partie vivre dans le champ de maïs pour mettre bas.

— Votre pouponnière est là-bas ?

— "Pouponnière" ? répéta le matou en le dévisageant avant de secouer la tête. C'est plus tranquille. Les monstres de la ferme n'y vont pas. » D'un geste du menton, il lui désigna la souris. « Tu vas la manger, oui ou non ?

— Tu continues à chasser ? s'enquit le chaton, qui avait soudain très chaud à l'idée qu'on le regarde manger.

— Oh, oui. Tu n'es pas le seul à avoir besoin de nourriture. »

Flocon retourna vers le tas de foin au fond de la grange.

Petite Balafre s'accroupit pour mordre le rongeur. La chair était dense et musquée. Il fronça un peu la truffe. Enfin, c'était toujours à manger. Un petit bout de viande tomba de sa mâchoire tordue.

« Penche la tête », lui conseilla Flocon.

Petite Balafre se redressa. Est-ce que le matou l'observait ? Non, il lui tournait toujours le dos, le regard rivé au tas de foin. Perplexe, le chaton pencha la tête pour que la chair de la souris glisse dans sa gueule du côté où sa mâchoire était droite. À force de prendre de minuscules bouchées qu'il mâchait en vitesse, il parvint à manger presque toute la souris. D'un petit mouvement de la tête, il avait réussi à rattraper les morceaux qui s'échappaient du mauvais côté. Il n'en fit tomber que quelques miettes.

« J'en ai une ! annonça Flocon en lâchant une deuxième souris près du chaton. Tu la veux ? »

Petite Balafre déclina son offre en avalant une ultime bouchée. Il était déjà repu. Il venait d'ingérer plus de nourriture en un seul repas qu'il n'en avait mangé depuis son accident. Et sa mâchoire tordue le faisait à peine souffrir.

« Merci, Flocon.

— Pour quoi ? s'étonna le matou, qui s'était mis lui aussi à manger.

— Le gibier. Et les conseils pour bien le manger.

— Je regardais souvent comment Domino se débrouillait. Je peux aussi te montrer comment il chassait, si tu veux. Il avait une façon bien à lui d'achever sa proie d'un coup de dent. C'était un peu bizarre, pourtant ça fonctionnait.

— Merci, mais je dois rentrer chez moi, répondit le chaton, qui se nettoyait le museau. Mon Clan doit se demander où je suis passé.

— Ils ne savent pas que tu es parti voir le Pied de la Lune ?

— La *Pierre* de Lune, corrigea-t-il.

— C'est pareil, rétorqua le matou, qui mordit de nouveau dans sa souris et poursuivit la bouche pleine : Je vais attraper un petit quelque chose pour Mitzi quand j'aurai fini de manger. Elle est coincée dans son nid avec quatre chatons. Et j'ai promis de les surveiller pendant qu'elle allait boire.

— Tu parles comme un chat des Clans.

— Ça, j'en sais rien. C'est juste qu'il n'y a personne pour chasser pour elle... Et on ne peut pas laisser les membres de sa propre famille mourir de faim, pas vrai ?

— Je peux t'aider ? s'enquit Petite Balafre, qui voulait trouver un moyen de remercier Flocon. Je pourrais surveiller les petits avec toi.

— Ils sont turbulents », le prévint-il en ronronnant.

Petite Balafre repensa à ses camarades de tanière avec un pincement au cœur.

« Je sais comment m'y prendre avec les chatons.

— D'accord. » Le matou avala sa dernière bouchée de souris et se releva. « Chassons d'abord. »

Le chaton le suivit derrière un tas de foin roulé sur lui-même et empilé aussi haut qu'une montagne. Flocon se glissa sans hésiter dans l'espace entre le foin et le mur de la grange. Petite Balafre l'imita, la truffe levée. Le fumet du gibier local lui était familier, à présent, et il flaira une odeur chaude lorsque Flocon le conduisit dans un recoin sombre.

« Elles se planquent toujours ici », chuchota celui-ci. Un petit animal se déplaçait dans l'ombre. « Tu la vois ? »

Un petit rongeur brun rasait le mur en direction d'une fissure. Petite Balafre se tapit, la queue agitée. Le cœur battant comme un pic-vert cognant un arbre, il bondit, les pattes tendues.

Crac ! Il percuta le mur tandis que la souris disparaissait dans la lézarde. *Crotte de grenouille !* Il s'assit et jeta un regard penaud à Flocon.

Ce dernier haussa les épaules.

« Les souris sont stupides, mais pas à ce point.

— Je l'ai attaquée aussi vite que possible...

— La vitesse ne fait pas tout. Elle t'avait vu, entendu et senti avant même que tu sautes.

— Ah bon ?

— Oui. Ta queue frottait contre le foin. De plus, tu haletais comme un blaireau, et ton haleine empeste la chair de souris.

— Il faut bien que je respire !

— Laisse-moi te montrer. »

D'un mouvement du museau, il l'invita à l'imiter. Petite Balafre fila se tapir derrière le matou roux.

« Respire par la truffe. »

Petite Balafre ferma la gueule. Sa queue ne demandait qu'à s'agiter, mais il se força à rester immobile, comme Flocon. Lorsqu'un petit museau pointa par la fissure, Petite Balafre se raidit.

Flocon, lui, semblait aussi détendu qu'une truite au soleil.

« Attends. »

Le chaton tenta de garder son sang-froid tandis que Flocon s'avançait, les épaules relâchées. Comment ferait-il pour attraper une souris en se déplaçant si lentement ? Petite Balafre sortit les griffes, prêt à s'élancer, mais son aîné le prit de vitesse. Vif comme un martin-pêcheur, le gros matou sortit le rongeur de sa cachette d'un seul coup de patte. Il le jeta vers Petite Balafre.

Il est encore en vie ! comprit Petite Balafre en contemplant la bête sonnée qui tremblait sur le foin.

« Tue-le avant qu'il ne reprenne connaissance ! »

Petite Balafre s'immobilisa.

« Croque-lui la nuque du bon côté de ta mâchoire. »

La tête penchée, Petite Balafre referma sa mâchoire sur le cou du rongeur. Il le sentit devenir inerte et un goût de sang imprégna sa langue.

« Elle a une drôle de saveur, cette souris.

— C'est un campagnol, lui expliqua le matou. Mitzi va être contente. C'est son gibier préféré. »

Petite Balafre ronronna. Il venait de tuer sa première prise. *Attends un peu que je dise ça à Nuage de Chêne !* Son cœur se serra. Son frère était si loin. *Je devrais rentrer.* Il était repu, et le soleil venait à peine de se lever – il pourrait regagner le camp avant la tombée de la nuit.

« Viens, ordonna Flocon tout en ramassant sa proie. Allons le porter à ma sœur. »

Il fila et disparut par le trou que Petite Balafre avait emprunté la veille pour entrer.

« Mais...

— Ouvre l'œil, et le bon, dans la cour, lui ordonna Flocon. Les monstres de la ferme sont partout. Tu les entendras venir, mais il n'est pas toujours évident de savoir de quelle direction ils arrivent.

— Je n'entends rien.

— Il est encore tôt. »

Flocon se glissa par un interstice dans le mur de pierre qui encerclait la clairière devant la grange. Petite Balafre le suivit en vitesse, à l'affût du moindre bruit de monstre. De l'autre côté du mur, Flocon ralentit l'allure. Le sentier, semé de galets et d'ornières, descendait à flanc de colline vers un champ doré. Petite Balafre le contempla longuement, les yeux écarquillés. Il brillait comme le soleil et ondulait telle la rivière.

« C'est le champ de maïs de Mitzi, expliqua Flocon malgré la proie qu'il tenait dans la gueule. Elle a construit un nid là-bas », ajouta-t-il en désignant du bout du museau le milieu du champ.

Ils suivirent le sentier jusqu'en bas et, au moment où il commençait à contourner le champ, Flocon obliqua sur une piste étroite, presque invisible. Il se fraya un passage entre les herbes hautes, sauta par-dessus un ravin et s'engouffra dans une haie.

Petite Balafre s'arrêta. Il vit son compagnon disparaître dans le maïs au-delà de la haie, son pelage roux se mêlant aux épis dorés.

« Tu viens ? »

Je devrais rentrer chez moi. Petite Balafre ouvrit la gueule pour s'expliquer. *Sauf que j'ai promis que j'aiderais Flocon.* À son tour, il se faufila dans les herbes et jeta un coup d'œil dans le ravin. Il était large et haut ; un mince filet d'eau coulait tout au fond. La curiosité fut la plus forte. *Je me demande à quoi ressemblent les chatons des granges. Je vais juste les saluer.* Il inspira profondément et sauta par-dessus le ravin. Ses pattes avant saisirent une touffe d'herbe de l'autre côté mais ses pattes arrière glissèrent vers le bas et sa queue trempa dans l'eau. Les griffes plantées dans la terre, il parvint tant bien que mal en haut et se glissa dans la haie.

« Attends-moi ! »

Il plongea dans la forêt de maïs et se faufila entre les hautes tiges raides qui lui rappelèrent les roseaux.

Il rattrapa son bienfaiteur à l'endroit où le champ s'inclinait vers le vallon.

« Prends ça, lui ordonna-t-il en lâchant le gibier devant ses pattes. L'instinct protecteur de Mitzi la pousse à se méfier des étrangers. Elle sera plus accueillante si tu lui apportes à manger. »

Des miaulements ténus leur parvinrent d'un peu plus loin.

« Viens. »

Petite Balafre prit le campagnol et suivit le rouquin jusqu'à une petite clairière au creux du vallon, entourée d'une paroi de tiges frémissantes. Une chatte noire releva la tête à leur approche. Quatre chatons remuaient près de son ventre. Mitzi se tortilla un peu avant de se lever malgré leurs protestations. Sa truffe remua et son regard se posa sur le campagnol que portait Petite Balafre.

« Qui es-tu ? s'enquit-elle avec défiance.

— Petite Balafre, du Clan de la Rivière, répondit-il après lui avoir lancé la proie.

— Que fait un chat des Clans par ici ? feula-t-elle, la tête tournée vers Flocon. D'aussi loin que je me souvienne, on n'a jamais vu de guerriers par ici. Où sont les siens ? lança-t-elle encore en scrutant d'un œil inquiet les environs.

— Il est venu seul.

— Seul ? N'est-il pas un peu trop jeune pour se retrouver si loin de chez lui ? Je pensais que les guerriers vivaient là-haut, dans la lande.

— Mon Clan réside près de la rivière. Au-delà de la lande.

— Et tu es venu jusqu'ici tout seul ? l'interrogea-t-elle en enroulant sa queue autour de ses petits.

— Il va vers la Pierre de Prune.

— De *Lune* ! » le corrigea Petite Balafre.

Une chatonne noire s'approcha du bord du nid de sa mère.

« C'est là que vit la lune ? » demanda-t-elle en dévisageant le visiteur.

Ses yeux verts étaient identiques à ceux de sa mère.

« Allons, allons, la gronda Mitzi. Il est mal élevé de poser des questions à quelqu'un avant de lui avoir été présenté.

— Désolée. Je m'appelle Suie.

— Bonjour, Suie », répondit Petite Balafre.

Pour la première fois depuis son accident, devant cette boule de poils minuscule, il eut l'impression d'être grand.

« Est-ce que la lune vit là-bas ? répéta-t-elle.

— Non, ronronna-t-il. Nous nous y rendons pour voir nos ancêtres. »

Mitzi s'extirpa de l'ornière et se secoua.

« Flocon, peux-tu t'occuper d'eux pendant que je mange ?

— Moi, je peux le faire ! » proposa Petite Balafre.

La chatte coula un regard oblique vers son frère.

« Tu peux lui faire confiance, la rassura ce dernier.

— Il est à peine plus grand qu'un chaton lui-même », soupira-t-elle avant de faire un signe de tête à Petite Balafre et d'attaquer joyeusement son repas.

Le jeune mâle sauta dans le nid. Les chatons s'écartèrent de lui en piaillant, puis revinrent le renifler prudemment.

« Où est ta maman ? lui demanda le chaton gris.

— Elle est restée au camp. Comment t'appelles-tu ?

— Brume.

— Et moi, Colombe, déclara une petite chatte au pelage gris tigré et blanc en grimpant par-dessus son frère.

— Est-ce qu'il y a une Pierre de Prune, en plus de la Pierre de Lune ? voulut savoir le quatrième petit, un mâle noir et blanc. Est-ce qu'on peut y aller ?

— Ne dis pas de bêtises, Pie, la gronda Mitzi en relevant un instant la tête. Tu es bien trop jeune. » Pie se mit soudain à tousser, les oreilles rabattues, le corps secoué violemment. « Cette toux ne s'améliore pas, dit la chatte à Flocon.

— Si elle était là, Baie de Ronce lui donnerait des feuilles de pas-d'âne. » Devant le regard ahuri de Mitzi, il s'expliqua : « Baie de Ronce, c'est notre guérisseuse.

— Du pas-d'âne, contre la toux ? Je l'ignorais. »

Petite Balafre jeta un coup d'œil à Pie, qui toussait toujours.

« D'après elle, il faut mâcher les feuilles, avaler le jus et cracher les morceaux.

— Ça vaut le coup d'essayer, répondit Flocon. Il y en a quelques pieds près du sentier qui mène à la ferme. Je vais en chercher. »

Sur ces mots, il disparut dans le maïs. Mitzi se pencha au-dessus de l'ornière et attrapa Pie par la peau du cou. Elle déposa son fils entre ses pattes avant.

« Ça va, mon chéri ? » Le chaton reprit son souffle et hocha la tête. Mitzi lui lécha le sommet du crâne et se redressa. « Je n'ai plus une goutte de salive, soupira-t-elle.

— Flocon se doutait que tu aurais soif, lança Petite Balafre en la rejoignant d'un bond. Tu veux que je surveille les petits pendant que tu vas boire ? »

Mitzi tourna la tête vers les épis où avait disparu son frère.

« Flocon m'avait dit qu'il s'occuperait d'eux.

— Je peux leur apprendre à jouer avec une boule de mousse, proposa-t-il en voyant à quel point Mitzi semblait épuisée.

— Il ne devrait pas être long, répondit-elle en se passant la langue sur ses lèvres sèches.

— Je m'arrangerai pour qu'ils restent dans l'ornière jusqu'à son retour. »

Il prit doucement Pie par la peau du cou et le reposa dans le nid.

« Laisse-le nous apprendre à jouer ! implora Suie, qui grattait le flanc du nid.

— On sera sages ! assura Colombe.

— D'accord, mais ne vous approchez pas du maïs, leur ordonna leur mère.

Mitzi s'éloigna en suivant le même itinéraire que son frère.

« C'est quoi une "boule de mousse" ? » demanda Pie.

Si son miaulement restait rauque, il ne toussait plus.

« C'est quoi, de la "mousse" ? » renchérit Colombe.

Petite Balafre contempla le sol labouré et les épaisses tiges de maïs. Pas de mousse par ici.

« Et si on jouait plutôt à la "boule de maïs" ? »

Il se dressa, les pattes avant tendues au-dessus de sa tête pour faire ployer une tige jusqu'à ce qu'il puisse saisir l'épi.

« Voilà ! »

Il le coupa d'un coup de crocs et l'épi tomba dans le trou.

Suie se précipita dessus et le lança en l'air. Colombe l'intercepta et l'épi fusa sous le museau de Petite Balafre. Le jeune mâle alla le chercher entre les tiges et le renvoya dans l'ornière. Pourquoi rentrer aujourd'hui ? Il observa les chatons jouer en ronronnant. Il était bien plus utile ici qu'il ne le serait jamais dans son propre Clan.

CHAPITRE 8

LES ARBRES DE LA FORÊT, noirs et menaçants, se dressaient autour de Petite Balafre. Il frémit en sentant l'air humide poisser sa fourrure.

« Il y a une lune que tu as quitté ton Clan ! lança Ombre d'Érable en le foudroyant du regard.

— Tu crois vraiment que je leur ai manqué ? rétorqua-t-il sans ciller. Tu ne crois pas qu'ils étaient plutôt soulagés d'être débarrassés d'un guerrier aussi inutile ?

— Tu n'es *pas* inutile !

— Moi, je le sais ! »

Petite Balafre chassait tous les jours dans la ferme et aidait Mitzi à surveiller ses petits. Flocon se moquait bien qu'il n'ait pas encore reçu son nom d'apprenti. Il lui avait enseigné comment traquer et attraper une souris, comment laisser les chatons jouer ensemble sans qu'ils se blessent, comment reconnaître les monstres qui ne s'en tenaient pas qu'aux Chemins du Tonnerre mais fonçaient dans l'herbe et la boue plus vite que ne courait un chat. Petite Balafre avait vraiment compris qu'il était loin d'être inutile.

« Mais je ne sais pas si mes camarades seraient d'accord avec moi.

— Alors, prouve-leur ta valeur !

— Et pourquoi ? Ce sont eux qui ont cessé de croire en moi !

— Tous les guerriers doivent prouver leur valeur. Tu dois rentrer au camp ! Ta destinée est liée à celle de ton Clan. »

Son ton était presque suppliant.

« Je rentrerai lorsque je serai assez grand et fort pour devenir un apprenti.

— C'est déjà le cas ! Tu as mangé tant de souris que tu as sans doute oublié le goût du poisson. »

Avec un pincement au cœur, Petite Balafre se lécha les babines au souvenir du goût des proies de la rivière. Puis il planta les griffes dans la terre brune. Il aimait vivre dans la ferme. Il aimait se sentir utile. Il aimait que Pie et Brume le regardent avec admiration. Et si Ombre d'Érable se trompait ? Son grand destin l'attendait peut-être ici.

« Et si mes camarades ne voyaient jamais plus loin que ma mâchoire tordue ? murmura-t-il. Et si Étoile de Grêle ne me nommait jamais apprenti ?

— Si tu ne rentres pas bientôt, cela risque fort d'arriver, gronda la chatte. Tu seras considéré comme un solitaire.

— Je suis un membre du Clan de la Rivière !

— Alors, rentre chez toi et prouve-le. »

Ses yeux ambrés le fixaient. La forêt disparut peu à peu autour d'eux. Puis Ombre d'Érable cligna les yeux et Petite Balafre se réveilla.

Il se leva doucement en profitant des chauds rayons du soleil matinal qui filtraient dans la grange.

« Ça sent la souris, miaula-t-il en secouant Flocon du bout de la patte.

— T'as encore rien vu. Le temps de la moisson approche, bâilla le matou. Là, tu les verras courir dans tous les sens.

— J'ai trouvé un nouveau nid de souris, hier.

— Où ça ? » s'enquit Flocon en se levant.

D'un bond, Petite Balafre quitta sa litière de foin.

« Je vais te montrer. »

Il voulait s'occuper pour chasser de son esprit les paroles d'Ombre d'Érable. Il n'était pas un solitaire, il était un membre du Clan de la Rivière. Et dès qu'il serait assez grand pour que ses camarades le prennent au sérieux, il rentrerait pour le leur prouver.

« Attends ! lança Flocon en donnant un coup de langue à sa fourrure en bataille.

— Dépêche-toi ! Je veux te le montrer avant le réveil des monstres. »

Flocon se mit à courir derrière lui en soupirant avant de s'arrêter net au bout de quelques pas. Il se tordit le cou pour se mordiller le dos.

« Je n'ai pas eu le temps de m'occuper de mes puces.

— Tu le feras plus tard. »

Le chaton fila par l'ouverture, ébloui par la clarté matinale. Le soleil brillait sur les collines lointaines. Les monstres de la ferme reposaient dans leurs nids. Petite Balafre traversa la clairière à toute allure.

« Dépêche-toi ! » miaula-t-il à son compagnon à la traîne.

Des touffes d'herbe poussaient au pied du mur de la grange. Petite Balafre alla de l'une à l'autre jusqu'à gagner un épais fourré d'orties. Il saliva lorsqu'il écarta les tiges. Derrière les orties, une pierre abritait un trou minuscule.

« C'est là, murmura-t-il à Flocon.

— Tu devras rester à l'affût. Jusqu'à ce que la souris sorte.

— On peut creuser pour agrandir le trou.

— J'ai déjà essayé. Il n'y a que des pierres sur une longueur de queue. Tu ne pourras pas les déloger.

— J'attendrai, dans ce cas, soupira le jeune mâle du Clan de la Rivière en relâchant les orties.

— Toi ? Attendre ?

— Quoi ? Je peux être patient, quand je veux.

— Tu as peut-être grandi, au cours de la lune passée, mais tu as toujours la bougeotte, comme un chaton.

— On va voir ! »

Vexé, Petite Balafre s'accroupit près des orties.

« C'est ça. Pendant que tu attends, moi je vais voir ce que je peux attraper derrière le tas de bois. »

Le chaton beige tigré le regarda disparaître au coin du nid. *Je peux être patient !* Il agita la queue, le regard rivé aux orties, les oreilles dressées, les moustaches raides, guettant le moindre mouvement. Rien ne bougea.

Je peux attendre une lune entière s'il le faut.

Il sortit et rentra les griffes. Puis il ouvrit la gueule et inspira profondément. Aucune odeur de souris.

Elles ne vont pas tarder à venir.

Une démangeaison lui fit soudain trembler la queue. Petite Balafre ne détourna pas le regard des orties. La démangeaison s'amplifia, insupportable. Il se tourna pour se mordiller et fut aussitôt soulagé.

Le trou est peut-être vide. C'est idiot de perdre du temps à attendre pour rien alors que je pourrais chasser ailleurs. Il se tourna dans la direction prise par Flocon. Son compagnon aurait besoin d'aide. Petite Balafre jeta un coup d'œil aux orties. *Je reviendrai plus tard,* songea-t-il, *lorsque les souris seront réveillées.* Le menton levé bien haut, il rebroussa chemin le long du mur et rejoignit son compagnon.

« Tu n'as pas mis beaucoup de temps, le taquina Flocon lorsque Petite Balafre parvint à la réserve de bois. Tu en as attrapé beaucoup ? »

Le rouquin était tapi au pied d'un tas de bois coupé, le regard rivé à un trou entre deux bûches.

« Elles étaient toutes parties.

— Tu vas pouvoir m'aider. Je les entends, mais je n'arrive pas à les voir. »

Petite Balafre jeta un coup d'œil à l'intérieur avant de lever la tête vers le sommet du tas de bois.

« J'ai une idée. » D'un bond, il se retrouva sur le côté du tas, à deux longueurs de queue du sol. Les bûches vacillèrent sous son poids et de petits couinements retentirent. Les griffes plantées dans l'écorce, il grimpa jusqu'au sommet et regarda en bas.

Flocon avait attrapé une souris. Il la déposa derrière lui.

« Est-ce que tu peux les faire bouger encore une fois ? On dirait que ça leur fait peur. »

Petite Balafre sauta sur place et se laissa retomber le plus lourdement possible. Le bois crissa sous son poids et une autre souris s'échappa... pour finir entre les pattes de Flocon. Petite Balafre dressa l'oreille. Des grattements venaient de derrière le tas. Le chaton descendit quelques bûches et, vif comme l'éclair, il se mit à plat ventre, la patte tendue vers le bas. Il sentit ses griffes plonger dans la chair chaude et il remonta bientôt une souris qu'il tua en la croquant entre ses molaires.

« J'en ai une ! annonça-t-il à Flocon. Est-ce qu'on va voir Mitzi, maintenant ? Je parie qu'elle meurt de faim.

— Sans doute. Et les petits doivent trépigner sur place. »

Ils grandissaient vite et s'aventuraient chaque jour un peu plus loin hors du nid.

« Je les emmènerai en expédition dans le ravin si Mitzi est d'accord, annonça-t-il avant de prendre la souris dans la gueule et de sauter à terre.

— Tes proches ne te manquent pas ? lui demanda tout à coup Flocon.

— Si, bien sûr. Sauf qu'ils n'ont pas autant besoin de moi que Mitzi et les chatons.

— Je peux m'occuper de... »

Petite Balafre quitta la réserve de bois à toute allure, sans le laisser finir. Flocon le rattrapa alors qu'il se faufilait dans la lézarde du muret. Petite Balafre jeta un coup d'œil inquiet à son compagnon. Est-ce qu'il allait lui dire qu'il n'était plus le bienvenu ?

Flocon regardait les prés lointains, son butin pendait par la queue dans sa gueule.

« Il fait beau, aujourd'hui », se contenta-t-il de miauler maladroitement.

Petite Balafre en fut si soulagé que ses pattes se ramollirent sous lui. *Ils ont vraiment besoin de moi.*

Ils se dirigèrent vers le champ de maïs sous un soleil de plomb. La crête de la colline se découpait sur le bleu infini du ciel. Les feuilles commençaient à perdre de leur éclat, le maïs paraissait terne et poussiéreux. Les oreilles de Petite Balafre frémirent. Un bruit étrange résonnait dans l'air chaud. Il lâcha sa souris et regarda en bas du sentier.

« Qu'est-ce que c'est ? »

Un grondement retentissait au loin.

Flocon se figea, la truffe frémissante.

« On dirait qu'un monstre de la ferme est déjà au travail.

— Mais ils sont tous dans leur tanière. »

Le chat de la grange lâcha soudain ses proies :

« LA MOISSON ! »

Le poil hérissé, il partit à toute allure. Stupéfait, Petite Balafre contempla le gibier abandonné.

« C'est quoi, la moisson ? » lança-t-il.

Des fourmillements envahirent ses pattes lorsqu'il reconnut une trace de peur dans l'odeur de son ami.

« Ils coupent le maïs ! » lui répondit l'autre sans s'arrêter.

Horrifié, Petite Balafre s'élança à son tour en soulevant des nuages de graviers dans son sillage.

Flocon s'arrêta brutalement au bord du champ, la fourrure en bataille. Petite Balafre dérapa dans la terre battue et contempla, les yeux écarquillés, le champ de maïs. Un énorme monstre écarlate fonçait à travers les végétaux en aspirant les épis dorés et en recrachant des bouts par son arrière-train. Il laissait des tas de tiges coupées dans son sillage.

« Mitzi ! hurla Flocon.

— Les chatons ! »

Petite Balafre se propulsa en avant, dévala la pente et franchit le ravin d'un seul bond. Flocon sur ses talons, il fonça à travers la haie puis les hauts épis. Le monstre se dirigeait droit sur eux, vers le nid de Mitzi. En approchant de l'ornière, Petite Balafre entendit des miaulements. Il jaillit dans la petite clairière où Mitzi le dévisagea, les yeux ronds. Colombe pendait dans sa gueule. Petite Balafre regarda dans le nid.

« Le monstre arrive ! gémit Pie, assis au fond.

— Où sont les autres ? » cria Flocon en surgissant à son tour du champ.

Mitzi posa Colombe entre ses pattes avant.

« J'ai emmené Brume au ravin, mais Suie s'est enfuie dans le maïs, leur apprit-elle, terrifiée.

— Je la retrouverai. »

Petite Balafre jeta un coup d'œil vers le monstre grondant. Il voyait sa tête rouge sang avancer au milieu du champ.

« Je prends Pie, annonça Flocon en se penchant.

— De quel côté est partie Suie ?

— Je ne sais pas ! gémit la chatte.

— Par là », répondit Pie, la patte tendue.

Petite Balafre plongea entre les tiges, la truffe au sol. Il éternua à cause de la poussière. La puanteur du monstre l'enveloppait et son rugissement résonnait à présent dans le sol.

« Suie ! » hurla-t-il.

Il tendit les oreilles avant de les rabattre, assourdi par le grondement. Il entrouvrit la gueule et distingua une trace du passage de Suie. Il hésita un instant avant de s'enfoncer plus profondément dans le maïs. Il devina une piste minuscule et reprit espoir. Le cœur battant, il suivit la trace – qui se dirigeait droit vers le monstre.

L'odeur de Suie était plus forte, à présent, et chargée du parfum de sa peur. Petite Balafre suivait les tiges tordues. Le monstre rugissait si fort qu'il n'entendait plus que le sang battre à ses oreilles. Il leva la tête et eut le souffle coupé en voyant l'énorme corps rouge à moins de trois longueurs de queue devant lui. Des griffes gigantesques tournaient sur son poitrail, déchirant le maïs pour le propulser dans sa gueule géante.

« À l'aide ! »

Le couinement strident de Suie lui parvint tout juste. La fourrure du chaton noir était à peine visible au pied des tiges. Le monstre fonçait droit vers elle.

Le pelage ébouriffé, Petite Balafre bondit, la saisit par la peau du cou et s'élança. Les tiges lui fouettaient le museau et il sentit bientôt le goût de son propre sang sur sa langue. Malgré la douleur, il ne lâcha pas Suie et s'efforça de ne pas paniquer en entendant les griffes du monstre bourdonner près de son oreille et en sentant son souffle sur sa nuque. D'un bond, il s'écarta en pressant Suie contre lui et sentit le sol vibrer sous ses pattes à mesure que le monstre s'éloignait.

Il resta là un instant, tremblant, sous le choc, puis lâcha Suie. Elle se blottit tout contre lui. Alors que le grondement du monstre mourait au loin, un bruit de pas précipités se rapprocha.

« Vous allez bien ? s'inquiéta Flocon, les yeux écarquillés.

— Oui, haleta Petite Balafre. Emmenons-la jusqu'au ravin avant que le monstre revienne. »

Flocon prit Suie et attendit que son ami se remette sur ses pattes.

« Il t'a blessé ?

— Non, il ne nous a pas touchés, le rassura le jeune félin en léchant le sang sur son museau.

— Petite Balafre m'a sauvée ! s'écria la jeune chatte en se tortillant entre les mâchoires de son oncle.

— La prochaine fois, reste avec ta mère ! » la rabroua ce dernier.

Le jeune chat suivit Flocon de l'autre côté du chemin que le monstre avait tracé dans le champ, puis traversa la haie en tremblant. Mitzi, de l'autre côté, serrait ses petits contre elle. Un ronronnement monta de sa gorge lorsqu'elle vit Suie pendre de la gueule de son frère.

Celui-ci la déposa devant sa mère.

« Petite Balafre est arrivé juste à temps.

— Tu as sauvé ma fille », murmura la chatte, les yeux brillants.

Le jeune félin beige tigré tremblait trop pour répondre.

« Tu es vraiment un guerrier, ajouta-t-elle avant de lécher le sang qui poissait son museau.

— Tu aurais pu te faire tuer », grommela Flocon.

Petite Balafre dirigea son regard vers le monstre qui grondait toujours au milieu du champ. Et si un péril de même nature menaçait son Clan ?

« Je dois rentrer chez moi, chuchota-t-il.

— Tu ne risques plus rien, le rassura Flocon. Le monstre ne viendra pas de ce côté de la haie.

— Je ne cherche pas à fuir, expliqua-t-il, la gorge serrée. Le temps de la fuite est révolu. »

Il savait qu'il devait rentrer pour devenir un guerrier. S'il était heureux d'avoir sauvé Suie, ce n'était que le début. Son destin n'était pas de rester à la ferme, mais d'accomplir de grandes choses, en tant que *guerrier*. Il deviendrait peut-être le plus valeureux guerrier de tous les temps. Il ne se souciait plus que les membres de son Clan le trouve trop petit ou trop laid. Il les forcerait à voir que, au fond de son cœur, il était aussi courageux qu'eux. Et aussi loyal.

« Je ne vous oublierai jamais », promit-il en inclinant la tête. Une boule lui obstrua la gorge lorsqu'il vit les yeux tristes de Suie, Brume, Pie et Colombe. « J'aurais aimé rester avec vous pour toujours, mais ma place n'est pas ici. » Il devinait, à leurs regards, que Flocon et Mitzi avaient du mal à le comprendre. « Je suis un chat de Clan, murmura-t-il. Je *dois* rentrer chez moi. »

CHAPITRE 9

LORSQU'IL S'ENGAGEA dans la descente, Petite Balafre entendit le grondement des chutes. Il avait marché toute la nuit, traversant le Chemin du Tonnerre et le territoire du Clan du Vent. Le ciel s'éclaircissait derrière les arbres. Bientôt, dans le camp, ses camarades se réveilleraient. Il força l'allure. Le sentier qui longeait les gorges lui parut plus étroit que la dernière fois. Il avait grandi. Son pas avait gagné en confiance et il ne jeta pas le moindre coup d'œil inquiet vers le bas. Le regard fixé droit devant, il distinguait au loin le cours d'eau qui traversait le territoire du Clan de la Rivière.

Est-ce que Brume, Suie, Pie et Colombe étaient déjà réveillés ? Flocon avait peut-être proposé de les surveiller pendant que Mitzi partait chasser. Les chatons s'interrogeaient-ils sur son départ, se demandaient-ils où il était parti et quand il reviendrait ? Le cœur du jeune mâle se serra. Ils lui manquaient déjà. Mais il rentrait *chez lui.*

Tandis que la berge devenait plus basse et les buissons plus touffus, il huma des parfums familiers, et discerna le rideau de roseaux bien connu. Un voile de brume coiffait la rivière, signe avant-coureur de la saison des feuilles mortes. Elle l'enveloppa pendant qu'il suivait la rive au pied des Rochers du Soleil. En flairant le marquage du Clan du Tonnerre, il comprit avec agacement qu'Étoile de Grêle ne les avait toujours pas revendiqués.

Le gué était à peine visible dans le brouillard. Chaque pierre n'apparaissait qu'une fois qu'il avait atterri sur la précédente. Il sauta sur la plage de galets et grimpa sur la berge. Le sentier herbeux lui fit l'effet d'un baume sur ses pattes fatiguées.

« Petite Balafre ? » miaula soudain une voix dans la brume.

La silhouette sombre de Patte de Pierre apparut devant lui, encadré par Reflet d'Argent et Écho de Brume. Leur fourrure grise lui était aussi familière que leur odeur.

« Tu es en vie ! s'écria joyeusement la chatte.

— Je vais avertir Cœur de Nacre. »

Avant qu'il ait le temps de répondre, Patte de Pierre avait déjà filé vers le camp et Écho de Brume avait accouru pour lui donner des coups de langue vigoureux entre les oreilles.

« Où étais-tu passé ? On était malades d'inquiétude. On pensait qu'un renard t'avait attrapé. »

Son doux parfum l'enveloppa. Petite Balafre baissa la tête, honteux. *Elle pensait que j'étais mort.*

« Je suis désolé.

— Tu t'étais donc bien enfui, intervint Reflet d'Argent, le regard perçant. Pelage de Cèdre avait raison.

— Oui. Mais je suis revenu.

— Pourquoi ? Tu n'arrivais pas à survivre, en solitaire ?

— Je n'ai jamais cessé d'être un membre du Clan de la Rivière.

— Tu ne sens plus comme nous », rétorqua le guerrier après avoir levé la truffe.

Écho de Brume cracha sur le matou noir et argent : « Tu devrais te réjouir qu'il soit sain et sauf !

— Le Clan de la Rivière n'a pas besoin de déserteu... »

Reflet d'Argent fut interrompu par un martèlement de pattes et Cœur de Nacre apparut bientôt à son côté. Le lieutenant du Clan de la Rivière contempla son fils, l'œil brillant.

« Tu as grandi. »

Nuage de Chêne arriva à toute allure, dépassa son père et vint se frotter à Petite Balafre en ronronnant bruyamment.

« Tu as l'air en pleine forme ! Où étais-tu passé ?

— Je voulais voir la Pierre de Lune, expliqua-t-il.

— Tu t'es perdu ?

— Allons, les coupa Cœur de Nacre. Étoile de Grêle voudra sans doute te voir. »

Il se pressa contre son fils pour l'escorter jusqu'au camp en ronronnant.

Petite Balafre fut ému de revoir la haie de roseaux à l'entrée du camp.

« Est-ce que Fleur de Pluie va bien ? murmura-t-il à son père.

— Très bien, le rassura-t-il. Comme tous nos camarades. »

Il baissa la tête pour entrer dans le tunnel de joncs. Petite Balafre le suivit, Nuage de Chêne sur ses talons. Écho de Brume fermait la marche. Elle n'avait pas cessé de ronronner.

Étoile de Grêle était déjà dans la clairière. Patte de Pierre faisait les cent pas près de lui. Cœur de Truite, Moustache Emmêlée et Trille d'Oiseau descendaient de leur tanière, tandis que Ciel Clair et Cristal d'Eau approchaient en échangeant des murmures. Plume Fauve surgit de son nid pour les rejoindre.

« Il est revenu, vous vous rendez compte ? » chuchotait-on ici et là.

Peu à peu, le Clan tout entier se réunit autour d'eux.

« Plume Douce ! Réveille-toi ! lança Poil de Loutre en fixant Petite Balafre sans y croire. Croc Blanc ! Venez voir ! »

Le fugueur les regarda tous deux sortir de leur tanière. Nuage Doux et Nuage Blanc avaient dû recevoir leurs noms de guerriers pendant son absence. Il jeta un coup d'œil vers le repaire des apprentis. Qui d'autre était devenu guerrier ? Il ne put s'empêcher d'être soulagé lorsque Nuage de Ragondin, Nuage de Scarabée et Nuage de Bourgeon en sortirent à la queue leu leu.

« Petite Balafre est revenu ! s'écria Nuage de Bourgeon en s'élançant vers lui, aussitôt imitée par Nuage de Ragondin.

— Tu as grandi ! ronronna ce dernier.

— Il a *grossi*, oui, corrigea Nuage de Scarabée avant de le renifler. On dirait un chat domestique.

— Je ne suis pas un chat domestique ! gronda-t-il.

— Alors qui t'a nourri ? le défia Nuage de Scarabée.

— Personne. J'ai chassé, rétorqua-t-il en relevant le menton.

— Vraiment ? fit Étoile de Grêle en s'approchant. Pas mal, pour un chaton qui n'a toujours pas quitté la pouponnière. »

Inquiet, Petite Balafre sonda le regard de son chef et fut soulagé de voir une lueur chaleureuse briller dans ses prunelles ambrées.

« Tout le monde s'inquiétait pour toi, gronda celui-ci. Mais nous sommes contents que tu sois revenu.

— Tu vas le réintégrer comme si de rien n'était ? marmonna Reflet d'Argent, qui venait de rentrer au camp.

— Évidemment ! le rabroua Moustache Emmêlée. Petite Balafre est l'un des nôtres.

— C'est vrai, renchérit Trille d'Oiseau en s'appuyant contre son compagnon. Nous sommes des guerriers, pas des chats errants. Nous ne chassons pas nos propres camarades !

— Est-il toujours notre camarade ? lança Pelage de Cèdre, l'air méfiant.

— Bien sûr ! s'indigna Cœur de Nacre.

— Où était-il passé ? voulut savoir Nuage de Scarabée.

— Il sent la bruyère, fit remarquer Cristal d'Eau. Il était peut-être parti voir comment on vivait dans un autre Clan. »

Petite Balafre jeta un coup d'œil vers Plume Fauve, qui avait baissé la tête. Les avait-elle prévenus qu'elle avait senti une présence du Clan de la Rivière sur le territoire du Clan du Vent ?

« Jamais je ne changerai de Clan, assura-t-il en gonflant le poitrail. J'appartiens au Clan de la Rivière. »

Étoile de Grêle lui tourna autour en observant ses guerriers.

« Il est né dans le Clan de la Rivière, et là est sa place.

— Comment jurer qu'il ne repartira pas dès que la vie deviendra difficile, ici ? feula Pelage de Cèdre d'un air entendu.

— C'est vrai ! renchérit Nuage de Scarabée. Pendant qu'il était parti se goinfrer, d'autres s'entraînaient dur.

— Je commencerai mon apprentissage dès que tu voudras ! » rétorqua Petite Balafre, plein d'espoir.

Baie de Ronce surgit alors de sa tanière.

« Tu vas bien ? s'enquit-elle après l'avoir reniflé. Tu as l'air en pleine forme, en tout cas.

— Tu ne nous a toujours pas dit où tu étais, intervint Étoile de Grêle.

— J'étais parti voir la Pierre de Lune.

— La Pierre de Lune ! s'écria Cœur de Nacre. C'est si loin !

— Il a toujours eu le goût du risque, et il l'a payé cher », déclara Fleur de Pluie en arrivant à son tour dans la clairière.

Son miaulement fit frissonner Petite Balafre. Il se tourna vers sa mère pour déchiffrer son expression. Elle balançait sa queue d'un côté, puis de l'autre. Était-elle contente ou agacée qu'il soit revenu ? Son regard ne trahissait rien.

Petite Balafre s'adressa de nouveau à Étoile de Grêle :

« Je suis parti pour demander au Clan des Étoiles si mon destin était de rester dans la pouponnière pour toujours.

— Et que t'ont dit nos ancêtres ?

— Je n'ai pas été jusqu'à la Pierre de Lune, admit-il avant de relever le menton. Mais j'ai trouvé ma réponse. Mon destin est de devenir un guerrier du Clan de la Rivière, quel que soit le temps que cela me prendra.

— Comment le sais-tu si tu n'as pas atteint les Hautes Pierres ? s'enquit Baie de Ronce. Est-ce que nos ancêtres sont venus à toi ? »

Petite Balafre hésita. Devait-il parler d'Ombre d'Érable à Étoile de Grêle ? Non, il avait désobéi à la guerrière de jadis lorsqu'elle lui avait ordonné de rejoindre son Clan.

« J'ai aidé une solitaire à sauver ses chatons et j'ai compris que je devais aussi aider mon Clan. Je suis désolé de m'être enfui. C'était idiot et je ne le ferai plus jamais. Je veux devenir le meilleur guerrier du Clan de la Rivière.

— Meilleur que Cœur de Nacre ? » le taquina le chef.

Le jeune félin jeta un coup d'œil à son père, qui soutint son regard.

« Un jour, oui, répondit-il.

— Bien, fit le meneur en hochant la tête. Le Clan de la Rivière aura toujours besoin de guerriers forts.

— Sois le bienvenu, Petite Balafre ! » s'écria Nuage de Bourgeon en venant le féliciter.

Écho de Brume, Trille d'Oiseau et Moustache Emmêlée se massèrent autour de lui en ronronnant. Petite Balafre savoura le contact de leurs corps chauds.

« Est-ce que je peux accueillir mon fils comme il se doit ? » lança Fleur de Pluie, qui attendait derrière Trille d'Oiseau. L'ancienne s'écarta aussitôt. « Sois le bienvenu, miaula la chatte en lui frôlant la tête du bout du museau. Je suis contente que tu ailles bien.

— M-merci.

— Est-ce que je me peux me joindre à ta patrouille ? demanda-t-elle à Reflet d'Argent.

— Bien sûr, répondit le guerrier, qui fit signe à Écho de Brume et Patte de Pierre de les suivre. Nous devrions déjà être sur la frontière, ajouta-t-il en décochant un regard accusateur à Petite Balafre.

— Je n'arrive pas à croire que tu sois allé jusqu'à la Pierre de Lune tout seul, ronronna Nuage de Bourgeon.

— Je ne suis pas allé aussi loin, corrigea-t-il.

— Je parie que tu n'es même pas arrivé au territoire du Clan du Vent, se moqua Nuage de Scarabée.

— Jusqu'où as-tu été ? voulut savoir Nuage de Ragondin.

— Nuage de Bourgeon, Nuage de Ragondin, venez avec nous, lança Reflet d'Argent depuis l'embouchure du tunnel. Patte de Pierre veut évaluer vos talents de chasseurs, aujourd'hui. Autant le faire tout de suite. »

Poil de Loutre traversa la clairière et poussa Nuage de Scarabée du museau.

« Toi aussi, tu viens, déclara la guerrière. Nous

allons nous entraîner dans la hêtraie. Plus nous y serons tôt, plus nous attraperons de gibier.

— Est-ce que Nuage de Chêne peut venir aussi ? s'enquit Nuage de Scarabée, les yeux luisants. J'apprends toujours plus vite quand j'essaie de battre quelqu'un.

— Tu pourras te mesurer à ton frère et ta sœur.

— Eux, ils sont trop faciles à battre.

— C'est pas vrai ! » protesta Nuage de Ragondin.

Petite Balafre regarda ses anciens camarades de pouponnière suivre leurs mentors hors du camp puis il se tourna vers Nuage de Chêne.

« Tu dois t'entraîner, toi aussi ? lui demanda-t-il tout en interrogeant du regard Cœur de Nacre.

— Avec l'arrivée prochaine de la saison des feuilles mortes, nous n'avons pas de temps à perdre, expliqua le lieutenant avec douceur. Tu pourras nous raconter tes aventures ce soir. »

Petite Balafre acquiesça. Il avait suffisamment perturbé son Clan pour aujourd'hui.

« D'accord. À tout à l'heure.

— Et si tu allais nettoyer les litières des anciens ? » suggéra le lieutenant avant de s'éloigner avec Nuage de Chêne.

— Bonne idée, ajouta Moustache Emmêlée, qui passa sa patte grisonnante sur son oreille déchirée. Elles auraient bien besoin de mousse fraîche. La nôtre est pleine de puces. »

Petite Balafre se retint de soupirer. Alors qu'il avait voyagé plus loin et appris plus de choses que tous les apprentis réunis, il était cantonné au camp pour nettoyer les tanières. Son futur baptême de guerrier lui parut soudain très lointain.

Cette nuit-là, Petite Balafre rêva qu'il se trouvait dans une forêt envahie par le brouillard, les troncs gris se perdaient dans le ciel ténébreux. Ombre d'Érable apparut, ses pattes étaient cachées par la nappe de brume.

« Alors comme ça, ils t'ont réintégré ?

— Évidemment, rétorqua-t-il en agitant la queue. J'appartiens au Clan de la Rivière.

— Je craignais que tu l'aies oublié.

— Je suis revenu, gronda-t-il. Alors, arrête d'insinuer ces choses.

— Tu as du cran. Je dois bien l'admettre.

— Que veux-tu de moi ? »

Il se demandait pourquoi elle réapparaissait dans ses rêves. Il était rentré chez lui. Que voulait-elle de plus ?

« Je veux t'aider à accomplir ton destin. »

Elle s'approcha tout près de lui et fit glisser sa queue sur son flanc.

— Si tu m'obéis et si tu t'entraînes dur, un jour, tu dirigeras ton Clan.

— Je deviendrai chef ? » Il n'en croyait pas ses oreilles. « Mais je ne suis même pas encore apprenti !

— Espérais-tu donc qu'Étoile de Grêle serait si impressionné par tes aventures qu'il te nommerait aussitôt apprenti ? »

Petite Balafre grimaça. Elle avait raison.

« Je sais chasser, insista-t-il en se redressant. Et je suis assez grand, maintenant.

— Étoile de Grêle ne peut récompenser la désobéissance, lui fit-elle remarquer. Tu devras attendre encore un peu.

— C'est bête d'attendre pour me former, se plaignit-il. Je serais bien plus utile pour le Clan en m'entraînant tout de suite.

— Moi, je pourrais t'entraîner, proposa la chatte, dont les yeux ambrés brillèrent dans le clair-obscur. À condition que tu gardes le secret.

— Tu es sérieuse ?

— Oui, même s'il y a bien longtemps que je n'ai plus eu d'apprenti.

— Je promets de ne pas ménager ma peine et de t'obéir sans discuter, jura le jeune félin en tournant autour de la guerrière. Je te retrouverai toutes les nuits et tu pourras me montrer comment chasser et me battre comme un guerrier du Clan de la Rivière ! » S'il voulait devenir chef un jour, il lui fallait connaître toutes les techniques. « S'il te plaît, prends-moi comme apprenti… je veux être un "nuage" ! »

La queue de la chatte ondulait doucement.

« La première chose que tu vas devoir apprendre, c'est la patience, murmura-t-elle.

— Je sais, marmonna-t-il avant de s'asseoir et d'enrouler la queue autour de ses pattes en repensant aux taquineries de Flocon. Je jure d'essayer. Mais j'ai dû attendre si longtemps…

— Plus la traque est longue, plus le gibier est savoureux, répondit-elle, l'air pensif. Promets-moi une chose !

— Tout ce que tu voudras !

— Si je peux faire en sorte que tu deviennes chef,

je peux davantage encore pour toi. Je peux t'offrir ce dont tu as toujours rêvé. Le pouvoir sur tous tes camarades. Et sur *tous* les Clans.

— Je te le promets !

— Un instant ! Tu ne sais pas encore ce que je vais te demander. »

Il cligna des yeux en attendant le verdict.

« Tu dois me jurer de faire passer ta loyauté envers ton Clan avant tout le reste. Tes désirs ne sont rien comparés aux besoins de ton Clan. Rien du tout. Compris ? » Ses yeux ambrés se plantèrent dans les siens. « Tu peux me le promettre ?

— Oui ! s'écria-t-il, le cœur battant, les griffes sorties. Je t'en fais le serment ! »

CHAPITRE 10

« NON ! NON ! LE RABROUA Ombre d'Érable. Garde tes deux pattes arrière au sol ou ton ennemi n'aura qu'à te cracher dessus pour te déséquilibrer ! » Du museau, elle lui poussa les pattes pour bien les positionner. « Recommence. »

Concentré, Petite Balafre se dressa et griffa de nouveau le bâton que son mentor avait planté dans la terre glaiseuse. Il découvrit que ses coups étaient plus puissants ainsi et le bout de bois tomba à la troisième tentative.

« C'est bien mieux. Maintenant, fais-le sur moi, ajouta-t-elle en repoussant le bâton.

— Et si je te blesse ?

— Tu peux toujours essayer », renifla-t-elle.

Lorsqu'elle se mit en face de lui, Petite Balafre remarqua que l'épais pelage de la guerrière formait presque une crinière autour de sa tête. Il s'imagina qu'il affrontait un guerrier du Clan du Lion. *Seuls les plus courageux survivent !* Excité par les images qui tourbillonnaient dans son esprit, il se dressa sur ses pattes arrière pour frapper Ombre d'Érable. Mais elle avait disparu. Il écarquilla les yeux, stupéfait, et sentit soudain de la fourrure glisser sous son ventre. Tout à coup, il fut projeté dans les airs. Il eut beau agiter les pattes et la queue pour se retourner, il atterrit lourdement sur le sol. Le souffle coupé, il se releva tant bien que mal.

La chatte se trouvait à une longueur de queue de lui.

« Un guerrier ne rêvasse pas, gronda-t-elle.

— Comment le savais-tu ?

— Tu t'es déconcentré juste avant de te dresser. Je l'ai vu dans tes yeux. Tu pensais à une bataille imaginaire, au lieu de te focaliser sur le combat présent.

— Est-ce que je peux recommencer ? »

Une douleur lui déchira l'épaule. Lorsqu'il ouvrit les yeux, il sentait toujours dans sa chair le feu des griffes d'Ombre d'Érable. La lumière de l'aube filtrait par la voûte de la pouponnière. Plume Fauve ronflait. Après avoir dormi seul une lune dans la tanière, Petite Balafre avait d'abord mal pris l'arrivée de sa camarade. La guerrière était une reine, à présent, et ses chatons à naître gonflaient son ventre. Cependant, au cours de la première nuit, il avait écouté sa douce respiration et regardé son ventre rond se soulever et s'abaisser tandis que son souffle réchauffait la tanière, et il s'était réjoui de sa présence.

Il n'osa pas lui demander ce qu'elle faisait dans la lande, trois lunes plus tôt, craignant qu'il s'agisse d'une mission secrète pour Étoile de Grêle. Même s'il savait qu'il devait d'abord prouver sa loyauté, chaque matin, il se réveillait avec l'espoir qu'Étoile de Grêle lui donne son nom d'apprenti. Au moins, ses camarades ne le traitaient plus comme un avorton inutile. Il nettoyait les nids des anciens, aidait à réparer les gîtes des guerriers en prévision de la mauvaise saison, et Croc de Brochet lui avait appris à nager et à attraper des petits poissons entre les roseaux. Cela nécessitait bien plus d'adresse qu'il ne le pensait : il devait être aussi rapide que l'éclair pour les saisir alors qu'ils se glissaient entre les tiges. Il mangeait avec ses camarades – peut-être pas aussi proprement que d'autres, mais moins salement qu'avant. D'ailleurs, il n'avait plus honte. L'important était de continuer à grandir.

« Étoile de Grêle devra bientôt te nommer apprenti, lui avait dit Baie de Ronce en examinant sa mâchoire. À ce rythme-là, tu seras bientôt trop grand pour tenir dans la pouponnière. »

De fait, la place vint à manquer lorsque Plume Fauve donna le jour à Petit Nénuphar et Petit Lac. Petite Balafre ajouta des roseaux au nid de la reine afin qu'il soit assez spacieux pour accueillir les deux boules de fourrure grise qui s'agitaient sans cesse, après quoi il déblaya le coin d'entraînement où il se bâtit une litière plus confortable. Il se demanda quand le père des chatonnes viendrait lui rendre visite, car aucun mâle n'était venu dans la pouponnière et Plume Fauve ne parlait jamais de son compagnon.

La neige tomba tôt sur la forêt, alors que Petit Lac et Petit Nénuphar n'avaient que deux lunes.

« Est-ce qu'on peut aller jouer dehors ? » supplia Petit Nénuphar.

Plume Fauve jeta un regard implorant à Petite

Balafre, qui était occupé à retirer la mousse souillée de son nid.

« Peux-tu les accompagner, s'il te plaît ? Je dois nettoyer notre litière et elles sont sans cesse dans mes pattes.

— On voulait t'aider ! protesta Petit Lac.

— M'aider ? renifla la reine. C'est pour m'aider que vous sautez partout comme des grenouilles chaque fois que je soulève un brin ? »

Petite Balafre ronronna en repensant à Brume, Suie, Pie et Colombe.

« Je vais les surveiller. »

Il se faufila dans l'ouverture et se retrouva dans la clairière, de la neige jusqu'au ventre. L'épaisse couverture nuageuse en promettait davantage encore.

« On ne pourra pas rester dehors longtemps, annonça-t-il aux chatonnes. Vous vous changeriez en glaçons. »

Petit Nénuphar avança jusqu'à lui.

« Est-ce qu'on peut grimper sur ton dos ? couina-t-elle.

— Allez-y. »

Il s'accroupit et grimaça lorsque les deux chatonnes escaladèrent son pelage avec leurs petites griffes aiguisées comme des épines.

« Tenez-vous bien ! »

Il se redressa avec précaution et commença à marcher dans la poudreuse.

« Pourquoi tu es toujours dans la pouponnière alors que tu es si grand ? l'interrogea Petit Nénuphar.

— Chut ! la coupa Petit Lac. Plume Fauve nous a dit de ne pas lui parler de ça ! »

La fourrure de Petite Balafre se dressa.

« Attention ! couina Petit Nénuphar, qui planta ses griffes dans son dos. J'ai failli glisser.

— Ça t'apprendra à poser des questions stupides.

— Ce n'est pas stupide. Nuage de Chêne est apprenti depuis des lunes. Qu'est-ce qui cloche chez toi ?

— Je me suis cassé la mâchoire en tombant », lâcha-t-il en se frayant un passage à travers la clairière enneigée.

Nuage de Scarabée et Poil de Loutre dégageaient des chemins dans la poudreuse.

« Tu es guéri, maintenant, insista Petit Nénuphar.

— En fait, Étoile de Grêle le punit parce qu'il a fugué, murmura Petit Lac à sa sœur.

— Où voulez-vous aller ? leur demanda-t-il en feignant de ne rien entendre.

— Jusqu'aux roseaux, miaula Petit Lac. Nuage de Bourgeon nous a dit que, pendant la mauvaise saison, la rivière durcit et qu'on peut marcher dessus.

— Seulement si un guerrier a testé la solidité de la glace, les mit-il en garde. Sinon, elle risque de se briser sous votre poids. »

Il sauta par-dessus un tas de neige et gagna les roseaux couverts de givre.

Reflet d'Argent et Ciel Clair dégageaient un coin du sol pour y déposer les souris qu'elles avaient attrapées. Comme la rivière était gelée, les patrouilles de chasseurs devaient quadriller la saulaie en quête de gibier.

« Voilà. »

Petite Balafre fit descendre les chatonnes sur la berge.

« Est-ce qu'on peut y aller ? demanda Petit Nénuphar en jetant un coup d'œil vers la mince couche de glace qui recouvrait la surface de l'eau.

— Non, c'est trop fin.

— Alors, jouons aux guerriers ! »

Elle était si légère qu'elle atterrit sur la congère sans briser la croûte de neige gelée. Petit Lac la pourchassa, s'arrêta un instant pour prendre de la neige sur une patte et l'envoya à sa sœur.

Petite Balafre ronronna. Il les aurait bien rejointes, mais Reflet d'Argent était tout près. Il était suffisamment humiliant d'être traité comme chaton sans en plus se comporter comme tel. Une ombre couvrit soudain la clairière. Petite Balafre leva la tête. Un héron tournait au-dessus d'eux. Ses grandes ailes battaient l'air, blanches dans le ciel gris. Son long bec était aussi coupant qu'une pousse de roseau à la saison des feuilles nouvelles. Le jeune félin retint son souffle : l'oiseau les fixait de son regard noir, les chatonnes seraient des proies faciles pour un gros oiseau goulu.

« Toi, tu es un guerrier du Clan du Vent, lança Petit Lac à sa sœur. Et moi, une guerrière du Clan de la Rivière. Essaie d'envahir mon camp. »

Petit Lac se trouvait au centre de la clairière. Elle avait érigé des murs de neige autour d'elle et se cachait derrière.

Couinant un cri de guerre, Petit Nénuphar se précipita vers la paroi blanche et l'escalada.

« Invasion ! » miaula-t-elle en se jetant sur sa sœur.

Le héron traçait des cercles de plus en plus resserrés au-dessus de la clairière.

Petite Balafre se raidit.

« Petit Lac, Petit Nénuphar. » Il s'efforça de garder un ton calme. Il ne voulait pas les faire paniquer, il fallait éviter qu'elles se mettent à courir dans des directions opposées.

— Petit Nénuphar ! répéta le jeune félin en se dirigeant vers elles dans la neige. Petit Lac ! On rentre à la pouponnière.

— Pourquoi ? s'étonna Petit Nénuphar.

— On n'a pas froid ! » ajouta l'autre lorsque sa sœur la relâcha.

Soudain, le héron se figea un instant dans le ciel avant de piquer vers le sol. Son cri perçant déchira l'air tandis qu'il fondait sur les chatonnes.

Guerriers de jadis, aidez-nous !

Petite Balafre s'élança.

« Gare au héron ! »

Son cri d'alarme retentit dans le camp alors qu'il sautait sur Petit Nénuphar et l'enfonçait profondément dans la neige. Vif comme l'éclair, il tendit la patte pour attraper Petit Lac et l'attirer sous lui.

Le cri du héron lui vrilla de nouveau les oreilles. Il agrippa les petites et banda les muscles de son dos.

Et ma destinée ?

Il ferma les yeux et se prépara à encaisser le choc, la douleur des serres plongeant dans sa fourrure.

Ombre d'Érable ! Tu m'as dit que je deviendrais chef un jour !

Il s'imagina le bec transperçant sa chair. Il allait mourir, il en était certain.

Tout à coup, le cri de Poil de Loutre retentit au-dessus de lui :

« Espèce de sale face de rat ! »

Le croassement féroce du héron se mua en un hurlement de douleur furieux. Petite Balafre leva la tête. Poil de Loutre s'accrochait au dos de l'échassier et l'attirait vers le sol. Nuage de Scarabée bondit et lui atterrit sur le cou.

Du coin de l'œil, Petite Balafre vit Reflet d'Argent se dresser, les griffes sorties, prêt à l'attaque.

Poil de Loutre relâcha soudain le grand oiseau, qui battait des ailes dans la neige.

Reflet d'Argent se laissa retomber sur ses pattes.

« Lâche-le ! » ordonna Poil de Loutre à Nuage de Scarabée.

L'apprenti aux larges épaules se cramponna à l'oiseau, tel un morceau de charbon perdu dans la neige.

« Il nous nourrira toute une lune !

— Nous ne mangeons pas de héron ! »

Le novice obéit en grommelant et la bête s'éloigna sur ses pattes maigres avant de reprendre son envol.

« Et pourquoi on ne mange pas de héron ? s'enquit l'apprenti en regardant sa proie s'enfuir.

— Si tu en avais déjà goûté, tu le saurais », rétorqua Reflet d'Argent. Le guerrier se tourna vers Petite Balafre et ajouta : « Beau réflexe.

— Oui, bien vu, renchérit Poil de Loutre.

— Heureusement que tu l'as repéré ! » lança Ciel Clair, qui accourait vers eux.

Alors que, tout tremblant, Petite Balafre se relevait pour laisser sortir ses protégées, Plume Fauve surgit de la pouponnière. Les chatonnes éternuèrent en frémissant.

« Pourquoi t'as fait ça ? marmonna Petit Nénuphar.

— Que s'est-il passé ? paniqua Plume Fauve.

— Ne t'en fais pas, ils vont bien », la rassura Poil de Loutre.

Étoile de Grêle apparut sur le seuil de son antre.

« Petite Balafre vient de sauver les chatonnes, lui apprit Poil de Loutre. Un héron a voulu les prendre. Il les a protégées juste à temps.

— Il a failli nous étouffer, oui ! gémit Petit Lac.

— Il a risqué sa peau pour sauver la vôtre ! le rabroua Poil de Loutre.

— Merci de l'avoir chassé, miaula Petite Balafre en regardant Poil de Loutre et Nuage de Scarabée. J'ai cru que j'allais y laisser mes oreilles.

— Merci à toi, Petite Balafre, murmura Plume Fauve, la queue enroulée autour de ses filles.

— Le héron était gros comment ? voulut savoir Étoile de Grêle.

— Énorme ! hoqueta Poil de Loutre.

— Dire que je ne l'ai même pas vu, gémit Petit Lac.

— C'est parce que Petite Balafre était assis sur nous.

— N'importe qui peut s'asseoir sur un chaton, rétorqua Nuage de Scarabée. Moi, j'ai aidé à le chasser.

— Bien joué, Poil de Loutre, déclara Étoile de Grêle. Et toi aussi, Petite Balafre. Il y a une chose que j'aurais dû faire depuis longtemps, ajouta-t-il, l'œil luisant. Mais ton Clan avait besoin de voir ton courage et ta loyauté à l'œuvre. Aujourd'hui, tu as risqué ta vie pour tes camarades. » Il leva le museau et conclut : « Il est grand temps que je te donne ton nom d'apprenti. Que tous ceux qui sont en âge de pêcher se rassemblent devant moi pour entendre mes paroles ! »

Petite Balafre se sentit pousser des ailes. *Enfin !* Son destin allait s'accomplir ! Il jeta un coup d'œil à Nuage de Scarabée, qui ronchonnait près de lui. *Nuage de Chêne ne sera plus ton seul rival.*

Les anciens se pressaient déjà de quitter leur tanière, dérangés par tout ce tapage. Cœur de Nacre, qui venait de rentrer au camp, s'immobilisa.

« Que se passe-t-il ? »

Le lieutenant contempla ses camarades qui se rassemblaient dans la clairière. Petite Balafre soutint fièrement son regard et hocha la tête. Il savait que son père comprendrait.

Son frère devina en premier. Il se précipita vers lui dans la neige.

« Nous pourrons enfin nous entraîner ensemble ! s'écria-t-il en pressant son museau contre la mâchoire tordue de son frère. Nous serons bientôt des *guerriers* ! J'ai hâte d'y être. Je te promets que, dès que je serai chef, je te nommerai lieutenant. »

Merci ! songea Petite Balafre, amusé. *Mais j'ai l'intention de devenir chef avant toi !*

Étoile de Grêle balaya son Clan du regard. Ses prunelles s'arrêtèrent sur Pelage de Cèdre. Le cœur de Petite Balafre se serra. Est-ce que le guerrier brun tigré lui avait pardonné sa fugue ?

« Pelage de Cèdre ! héla le meneur. Tu ne faisais pas confiance à Petite Balafre, lorsqu'il nous est revenu. Tu te montreras plus exigeant que n'importe quel autre mentor. »

Plus encore qu'Ombre d'Érable ? Petite Balafre baissa les yeux vers ses pattes, honteux de penser à son mentor clandestin.

« Tu l'entraîneras pour qu'il devienne le guerrier redoutable que j'entrevois déjà en lui. Un jour, j'espère que son sens de l'honneur et son courage égaleront les tiens. » Son attention revint sur Petite Balafre. « À partir d'aujourd'hui, tu t'appelleras Nuage Balafré. »

Nuage Balafré ronronna si fort que la neige tomba de ses moustaches. Tout excité, Nuage de Chêne tournait autour de Cœur de Nacre pendant que ce dernier griffait le sol.

« Nuage Balafré ! Nuage Balafré ! » l'acclama Baie de Ronce, dont les yeux brillaient de fierté.

Nuage de Scarabée, Nuage de Ragondin et Nuage de Bourgeon se joignirent au chœur des vivats. Tandis que ses camarades répétaient son nouveau nom, le nouvel apprenti chercha Fleur de Pluie du regard. Avait-elle assisté à cette petite cérémonie ? Ce n'était que le début de sa destinée. *Où es-tu ?* Son regard glissait d'un museau réjoui à un autre, à la recherche de celui de sa mère.

Là ! À côté de Larme de Nuit.

« Nuage Balafré ! Nuage Balafré ! » répétaient Cœur de Nacre et Nuage de Chêne vers le ciel.

Le cœur de plus en plus affolé, Nuage Balafré dévisageait sa mère, qui restait silencieuse. Puis une vague de soulagement monta en lui lorsqu'il la vit lever le museau pour clamer son nouveau nom :

« Nuage Balafré ! »

CHAPITRE 11

« RENTRE TA QUEUE ! » lui ordonna Ombre d'Érable.

Nuage Balafré enroula sa queue autour de ses pattes arrière et se dressa. Dès qu'il frappa dans le vide avec ses pattes avant, il trébucha, déséquilibré.

« Oumpf ! »

Il tomba sur la terre sombre dans un bruit sourd.

« Alors que tu as deux mentors, tu n'es même pas capable de rester sur tes pattes, gronda la guerrière. Lève-toi.

— Quel est l'intérêt de rentrer ma queue ? s'enquit-il, fâché, en se redressant.

— Moins tu donnes de prise à l'ennemi, mieux cela vaut.

— Mais je perds l'équilibre.

— Tu devras t'entraîner jusqu'à ce que cela n'arrive plus, rétorqua-t-elle. Recommence. »

Concentré, Nuage Balafré se dressa de nouveau. Il enroula sa queue autour de ses pattes arrière et frappa en avant. Ses muscles le cuisaient. Il eut beau faire, il bascula, entraîné par son geste.

« Crotte de grenouille ! cracha-t-il avant de s'affaler sur le sol.

— Tu progresses, l'encouragea Ombre d'Érable.

— Pas assez vite », grommela l'apprenti, les dents serrées.

Il réessaya, encore et encore, restant chaque fois un peu plus longtemps en position, les membres douloureux, avant de relâcher sa queue.

« Continue !

— N'oublie pas que je m'entraîne aussi toute la journée avec Pelage de Cèdre, bougonna-t-il.

— Tu veux devenir le meilleur guerrier du Clan de la Rivière, pas vrai ? s'impatienta-t-elle.

— Bien sûr. Sauf que j'ai aussi besoin de repos. » Son regard dériva vers la forêt sombre. « Pourquoi ne me ferais-tu pas visiter le territoire du Clan des Étoiles ? suggéra-t-il. Pelage de Cèdre m'a montré celui du Clan de la Rivière le premier jour de mon apprentissage.

— Pas avant que tu aies compris cet enchaînement.

— Je peaufinerai demain, répondit-il en s'avançant. Il doit y avoir autre chose ici que cette vieille forêt puante. »

Ombre d'Érable vint se placer devant lui et son pelage roux et blanc lui boucha la vue.

Il jeta un coup d'œil par-dessus l'épaule de la chatte pour voir à travers la brume.

« Allez, supplia-t-il. Emmène-moi juste à la lisière de la forêt pour que je voie ce qu'il y a derrière.

— Non ! » La réponse d'Ombre d'Érable était incisive. Elle s'enroula autour de lui pour l'entraîner vers la clairière sombre. « Tu n'es pas prêt.

— Ce n'est pas juste ! » feula-t-il.

Les griffes de la guerrière lui cinglèrent l'oreille.

« Pourquoi tu as fait ça ? » s'indigna-t-il.

Elle l'avait blessé. Il sentait le sang perler à la pointe de son oreille. Il s'essuya d'un revers de patte.

« Souviens-toi de ton serment ! feula-t-elle en le foudroyant du regard. Tu dois être prêt à tout pour le bien de ton Clan.

— Quel est le rapport avec le fait d'explorer ou non le territoire du Clan des Étoiles ?

— Tu n'es pas là pour poser des questions. Mais pour apprendre. Sinon, je t'infligerai bien pire qu'une égratignure à l'oreille. »

« C'est du sang, sur ton oreille ? »

Nuage Balafré sentit une langue râpeuse lécher sa blessure. Il ouvrit les yeux.

« Laisse-moi tranquille, Nuage de Chêne. »

Il s'écarta de son frère, qui fixait toujours sa blessure.

« Tu t'es égratigné quelque part ? Il y a une épine dans ton nid ?

— J'ai dû me griffer dans mon sommeil, répondit-il en humant l'air de l'aube. En voulant déloger une puce, sans doute. »

Parfois, il regrettait de ne pas pouvoir parler à son frère de son mentor secret. Cependant, il avait promis d'obéir à Ombre d'Érable et il lui avait juré qu'il ne dirait rien. Comment pourrait-il s'opposer au Clan des Étoiles ?

La pluie crépitait sur la voûte de la tanière. Nuage

de Scarabée, Nuage de Ragondin et Nuage de Bourgeon étaient toujours lovés au creux de leur nid.

Nuage Balafré sortit du sien, les membres raides.

« Est-ce que la patrouille de l'aube est déjà partie ?

— Non, ils sont encore dans la clairière. »

Nuage Balafré dressa l'oreille. Il entendait le miaulement grave de Pelage de Cèdre derrière les murs du camp :

« Allons-nous poser notre marquage au pied des Rochers du Soleil ?

— J'espère que non, soupira Cristal d'Eau. Cela reviendrait à admettre le changement de frontière.

— Tant de querelles pour un morceau de caillou... grommela Patte de Pierre.

— C'est notre territoire ! protesta Pelage de Cèdre. Nous ne pouvons pas y renoncer. »

Nuage Balafré sortit ses griffes endolories et grimaça.

« Ça va ? s'inquiéta Nuage de Chêne. Et si tu allais voir Baie de Ronce ? Elle pourrait au moins appliquer un cataplasme sur ton oreille déchirée.

— Mais oui, ça va. »

Sa blessure le picotait à peine. De plus, les guerriers avaient toujours les oreilles déchiquetées. Il se lécha la patte et se la passa sur l'oreille pour nettoyer le sang séché. L'entaille était droite et peu profonde.

Nuage de Scarabée s'étira. Son pelage noir semblait une ombre dans la lumière poudrée de l'aube.

« Qui vient en patrouille ? lança-t-il en s'asseyant. C'est Étoile de Grêle qui la conduira.

— Moi ! s'écria Nuage de Bourgeon, qui surgit de sa tanière. Et toi ? demanda-t-elle à Nuage Balafré alors que Nuage de Scarabée se dirigeait vers la sortie. Tu viens aussi ? Pelage de Cèdre en fait partie.

— Je l'espère », avoua l'apprenti. Si Nuage de Scarabée y allait, il ne voulait pas rester seul au camp. « Et toi, Nuage de Chêne, quel est ton programme, aujourd'hui ?

— Cœur de Nacre m'emmène pêcher avec Nuage de Ragondin et Reflet d'Argent.

— S'il continue à pleuvoir comme ça, les poissons vont finir par tomber du ciel, ajouta Nuage de Ragondin.

— Tu peux toujours rêver ! » ronronna Nuage Balafré avant de sortir à son tour.

À travers la bruine, il vit que Cœur de Nacre organisait les patrouilles sous une branche de l'arbre mort. Écho de Brume, Pelage d'Écorce, Ciel Clair et Œil de Chouette étaient rassemblés autour de lui, des gouttes de pluie glissant sur leur pelage comme sur le plumage d'un canard.

« Je veux que tu commandes la patrouille de chasseurs, Écho de Brume. »

Pelage de Cèdre faisait les cent pas devant les joncs pendant que Cristal d'Eau et Patte de Pierre, blottis l'un contre l'autre, fixaient la tanière d'Étoile de Grêle. Le rideau de mousse qui en dissimulait l'entrée frémit lorsque le meneur du Clan de la Rivière apparut.

« Nuage de Bourgeon ! »

L'apprentie, qui fouillait le tas de gibier du bout du museau, releva aussitôt la tête.

« Ne nous fais pas attendre, ordonna le meneur.

— Il est mal placé pour parler, grommela Cristal

d'Eau tandis que Nuage de Bourgeon rejoignait Patte de Pierre. C'est lui qui traînait dans sa tanière pour garder ses oreilles au sec.

— Attendez-moi ! lança Nuage Balafré en se lançant à la poursuite de Pelage de Cèdre, qui se préparait à suivre Étoile de Grêle hors du camp.

— La prochaine fois, répondit son mentor.

— Pourquoi pas tout de suite ?

— Nous allons vérifier que personne n'a franchi les frontières. Nous risquons de tomber sur une patrouille rivale et je n'ai pas encore évalué tes compétences martiales.

— J'ai un bon niveau ! assura-t-il, voyant là une chance d'appliquer certaines des techniques enseignées par Ombre d'Érable.

— C'est à moi d'en décider ! le rabroua le matou.

— Tu viens ? appela Cristal d'Eau depuis le tunnel.

— Je t'évaluerai cet après-midi, je te le promets. »

Sur ces mots, le matou s'en fut dans les joncs.

La queue de Nuage Balafré retomba brusquement et claqua dans une flaque.

« Attention ! » couina quelqu'un derrière lui.

C'était Petit Nénuphar, qui essuyait sa truffe mouillée.

« Désolé ! Je t'ai éclaboussée ?

— Elle essayait de te pister, expliqua Petit Lac, qui était près de sa sœur.

— J'ai failli t'avoir ! renchérit la petite chatte grise en gonflant son pelage duveteux.

— Vous n'êtes pas censées rester au sec dans la pouponnière ? ronronna-t-il.

— Nous sommes des membres du Clan de la

Rivière, protesta Petit Lac. Nous sommes censées nous mouiller les pattes. »

Un miaulement sévère lui répondit :

« Il y a une différence entre se mouiller les pattes et se noyer ! »

Petit Lac sursauta. C'était Baie de Ronce, qui sortait de sa tanière.

« Je doute que Plume Fauve apprécie que vous rameniez de la boue dans la pouponnière. Nuage Balafré, si tu n'as rien de mieux à faire, tu pourrais aller me chercher du pas-d'âne.

— Près de la cascade ?

— Tu t'en souviens ! se réjouit la guérisseuse. Nous devons renouveler nos réserves. Si la pluie persiste, de mauvaises toux risquent d'apparaître et de se répandre dans toutes les tanières. Tu sauras reconnaître la plante ?

— Oui, sans problème.

— On peut venir aussi ? » demanda Petit Nénuphar.

Nuage Balafré secoua la tête avec sympathie. Il se rappelait trop bien ce qu'on ressentait quand on était un chaton coincé au camp.

« Non, désolé.

— On ne t'embêtera pas, promit Petit Lac.

— Et pour cause, vous serez au sec dans votre nid », coupa court Baie de Ronce en jetant un coup d'œil vers Plume Fauve qui, depuis le seuil de la pouponnière, couvait ses petites d'un regard inquiet. « Sois prudent près de la cascade, Nuage Balafré, lui recommanda-t-elle tout en poussant les chatonnes vers leur mère. Le chemin devient glissant quand il pleut et le niveau de la rivière a dû monter.

— Tu peux compter sur moi ! » lui assura-t-il en s'élançant vers la sortie.

Baie de Ronce lui avait confié une mission et il ne la décevrait pas.

La rive n'offrait guère d'abri à présent que les buissons si touffus à la saison des feuilles nouvelles commençaient à se déplumer. La pluie s'était un peu calmée lorsqu'il parvint au sentier longeant les gorges. Les griffes sorties pour avoir plus de prise, il escalada le chemin rocailleux, les oreilles rabattues pour atténuer le grondement des rapides. La truffe au vent, il flaira enfin une trace de pas-d'âne. Il s'ébroua en levant la tête vers le ciel qui pâlissait. Les nuages s'étiolaient et laissaient voir ici et là des coins de bleu. L'apprenti fit halte près d'un bouquet de tiges vertes odorantes accrochées au bord du sentier, là où le terrain se dérobait vers les eaux tumultueuses en contrebas.

La plante avait bruni à cause du gel, mais quelques feuilles près de la tige étaient encore parfumées. Nuage Balafré en arracha quelques-unes qu'il posa à terre avant de recommencer la manœuvre.

Un miaulement rauque le fit soudain sursauter :

« Es-tu l'apprenti de Baie de Ronce ? »

Il pivota et vit trois guerriers du Clan du Vent dressés au sommet des gorges. Il recula après avoir ramassé sa cueillette. Honteux de s'être laissé surprendre, il sentit son poil se dresser. La fragrance du pas-d'âne et le fracas des gorges l'avaient empêché de repérer les intrus.

La patrouille rivale descendit vers lui.

« Vous êtes sur le territoire du Clan de la Rivière ! » feula-t-il en faisant le gros dos.

Il tenta de se souvenir de l'entraînement d'Ombre d'Érable. Il était hors de question qu'il essaie d'enrouler sa queue autour de sa patte arrière, là, au bord du gouffre. Il devrait peut-être rentrer au camp pour donner l'alerte ? Il dévisagea les envahisseurs avec nervosité. Leur pelage n'était pas ébouriffé. Le plus costaud d'entre eux, un matou brun, le regardait placidement, tandis que ses camarades de Clan – une chatte tigrée et un petit matou pommelé – se tenaient tranquillement près de lui.

Le matou s'inclina avant de déclarer :

« Je m'appelle Plume de Roseau et je souhaite parler à Étoile de Grêle.

— Pourquoi ? »

Il se tourna vers ses camarades pour leur lancer :

« Rentrez au camp. Ça va aller. »

Les deux autres rebroussèrent aussitôt chemin et disparurent derrière les gorges.

« Quel est ton nom ?

— Nuage Balafré.

— L'apprenti de Baie de Ronce.

— Non, de Pelage de Cèdre.

— Un apprenti guerrier ? s'étonna le matou. Je ne t'ai jamais vu lors des Assemblées.

— Je viens juste de commencer mon apprentissage. »

Nuage Balafré se dandina sur place, gêné. Était-il censé conduire un guerrier ennemi jusqu'au camp simplement parce que celui-ci le demandait avec courtoisie ?

« Tu passes devant, lui indiqua son aîné comme s'il lisait dans ses pensées. Je te suis. »

Le novice hésita.

« Ne t'inquiète pas, je veux seulement parler à Étoile de Grêle, le rassura le guerrier. Comme tu le vois, je suis seul, à présent. »

Nuage Balafré jeta un coup d'œil à sa récolte.

« Prends-les, lui conseilla Plume de Roseau. Je suis certain qu'elles seront utiles à Baie de Ronce. »

L'apprenti les saisit vivement entre ses mâchoires. Les oreilles frémissantes, il entraîna Plume de Roseau dans la descente. *Est-ce que c'est un piège ?* Le chemin au pied des gorges longeait la rivière, paisible à ce niveau. Nuage Balafré se retourna. Plume de Roseau fixait la roselière au loin, qui abritait le camp de la Rivière. L'apprenti sauta sur les galets et progressa dans le cours d'eau. Le courant était mesuré et il serait facile de le traverser à la nage.

« Il n'y a pas un passage à gué ? lui lança Plume de Roseau.

— Si, plus loin en aval », marmonna-t-il à travers ses feuilles de pas-d'âne.

Comment un membre du Clan du Vent peut-il connaître l'existence du gué ?

« On pourrait l'emprunter ? Je ne sais pas nager. »

Nuage Balafré fit tant bien que mal demi-tour. Dans sa gueule, les feuilles avaient un goût amer. Il conduisit le guerrier jusqu'au gué et le laissa passer en premier. Gonflée par les eaux de pluie, la rivière filait à toute allure entre les pierres. Les poils de

Plume de Roseau se dressèrent sur son échine, mais il n'hésita pas à sauter de l'une à l'autre. Nuage Balafré le suivit jusqu'à la bande de sable et passa devant lui pour le conduire à travers les buissons jusqu'au sentier herbeux.

Lorsqu'ils arrivèrent en vue du camp, son ventre se noua. Il amenait un ennemi au cœur même du Clan. Et si tous les guerriers étaient partis chasser ou patrouiller ? Qui défendrait les anciens, ou Plume Fauve et ses petits ? Il se crispa. *Moi, je les défendrai !* La fourrure ébouriffée, il s'engouffra dans le tunnel de joncs.

« Nuage Balafré ! l'accueillit Nuage de Ragondin.

— Tu n'étais pas censé aller nager ? s'enquit Nuage Balafré après avoir lâché ses feuilles.

— Cœur de Nacre préférait attendre que la pluie cesse, expliqua le novice gris en traversant la clairière pour le rejoindre. Je ne vois pas pourquoi, il fait sans doute plus sec dans la riv... » Il écarquilla les yeux en découvrant Nuage Balafré : « Tu as capturé un guerrier du Clan du Vent !

— Euh, pas vraiment, marmonna-t-il, mal à l'aise. Je suis... tombé sur lui et il a demandé à voir Étoile de Grêle.

— Le Clan du Vent ! » feula Larme de Nuit en surgissant de sa tanière, la truffe frémissante. Elle s'immobilisa dès qu'elle vit Plume de Roseau. « Que fait-il ici ? »

L'intrus avança calmement jusqu'au centre de la clairière et regarda autour de lui. Cœur de Truite, Trille d'Oiseau et Moustache Emmêlée sortirent en même temps de leur tanière, le pelage hérissé. Poil de Loutre et Cristal d'Eau cessèrent de fourrer des feuilles pour colmater les fissures dans la tanière des apprentis. Croc de Brochet et Croc Blanc, qui étaient en train de manger, relevèrent la tête, la gueule ouverte. Nuage de Chêne grimpa sur l'arbre mort, une grenouille entre les mâchoires. Surpris, il lâcha sa proie et dévisagea l'intrus. Personne n'essaya de rattraper la grenouille qui traversa la clairière en bondissant pour aller se réfugier dans la rivière.

« Plume de Roseau ? » fit Cœur de Nacre, qui s'était abrité sous le vieux saule. Il se leva et s'approcha du visiteur. « Au nom du Clan des Étoiles, que fais-tu ici ? »

Le matou du Clan du Vent s'inclina devant le lieutenant du Clan de la Rivière avant de répéter :

« Je dois parler à Étoile de Grêle.

— Il est parti en patrouille.

— Dans ce cas, je l'attendrai, répondit Plume de Roseau en s'asseyant.

— Oh, non, pas question ! protesta Trille d'Oiseau en dévalant la pente. Tu vas rentrer chez toi, là où est ta place. »

Elle jeta un coup d'œil inquiet vers la pouponnière, où Plume Fauve apparut un instant, le regard noir.

Est-ce que la visite de Plume de Roseau est liée à la présence de Plume Fauve sur le territoire du Clan du Vent, quelques lunes plus tôt ? se demanda soudain Nuage Balafré. Il étudia Plume de Roseau de plus près. Était-ce lui qu'il avait vu avec sa camarade sur les rochers du territoire du Clan du Vent ?

Les joncs frémirent et Reflet d'Argent en émergea. Il s'arrêta net devant Plume de Roseau, les poils dressés sur l'échine, les crocs à nu.

« Je savais bien que j'avais senti le Clan du Vent ! feula-t-il tandis qu'Étoile de Grêle arrivait à son tour, suivi de Pelage de Cèdre, de Nuage de Bourgeon et de Nuage de Scarabée.

— Nuage Balafré l'a trouvé à la frontière, expliqua Cœur de Nacre au chef. Il veut te parler.

— Je suis venu réclamer ce qui m'appartient », annonça le visiteur en se relevant.

Petit Nénuphar et Petit Lac dégringolèrent de la pouponnière. Plume Fauve tendit la patte pour les retenir, mais elles lui échappèrent et coururent jusqu'au milieu de la clairière.

« Je n'avais jamais vu un membre du Clan du Vent ! hoqueta Petit Nénuphar.

— Il sent bizarre, ajouta Petit Lac, la truffe froncée.

— Chut ! » la gronda Trille d'Oiseau en enroulant sa queue autour d'elles pendant que Plume Fauve les rejoignait.

Pelage de Cèdre traversa la clairière et vint se placer à côté de la reine en grondant. Nuage Balafré releva le menton, fier de voir son mentor se montrer si protecteur vis-à-vis de sa sœur et de ses nièces.

« Je suis venu chercher mes chatons pour les ramener chez moi, expliqua Plume de Roseau en inclinant la tête.

— Ses chatons ? » s'exclama Pelage de Cèdre.

Nuage Balafré n'en croyait pas ses oreilles. Comment un guerrier du Clan du Vent pouvait-il avoir des chatons au sein du Clan de la Rivière ?

« Tu ne peux pas faire ça ! » gémit Plume Fauve.

Des hoquets stupéfaits fusèrent dans la clairière. Peu à peu, des images s'assemblèrent dans l'esprit de Nuage Balafré. Petit Nénuphar et Petit Lac n'avaient pas de père dans le Clan de la Rivière – du moins Plume Fauve n'en avait désigné aucun. Nuage Balafré avait surpris la reine sur le territoire du Clan du Vent avec un mâle, trois lunes avant la naissance des petits. *Est-il possible que Plume de Roseau soit leur père ?*

Reflet d'Argent foudroya Plume Fauve du regard. La reine semblait au désespoir.

« Tu ne nies même pas ? s'étrangla-t-il. As-tu oublié le sens du mot "loyauté" ? »

Plume Fauve écarta Trille d'Oiseau pour attirer ses petites contre elle.

« Je *suis* loyale ! protesta-t-elle, les yeux embués. Il y a des lunes que je ne vois plus Plume de Roseau. J'aime mes filles plus que ma propre vie et je comptais les élever comme de véritables guerrières du Clan de la Rivière. » Elle se tourna vers Plume de Roseau. « Comment peux-tu ne serait-ce qu'envisager de me les prendre ? »

Il soutint son regard.

« Elles sont autant à moi qu'à toi.

— Il ne peut pas être notre père, gémit Petit Nénuphar. Il ne sent pas comme nous. »

Étoile de Grêle vint se planter devant la reine.

« C'est vrai ? » voulut-il savoir.

La chatte baissa les yeux en étreignant ses petites.

« Dans ce cas, ces chatons ont le droit de suivre leur père », soupira Cœur de Nacre.

Nuage Balafré observait la scène, le cœur serré.

« Tu ne peux pas la forcer à abandonner ses chatons, protesta Larme de Nuit, venue se coller à Plume Fauve.

— Les chatonnes doivent rester avec leur mère ! protesta Croc de Brochet.

— On ne peut pas les laisser partir !

— Elles sont nées dans le Clan de la Rivière !

— Comment des étrangers pourraient-ils les élever correctement ? »

Un feulement coupa court aux murmures :

« Et comment pourrait-on leur faire confiance, sachant qu'elles viennent pour moitié du Clan du Vent ? lança Reflet d'Argent, les yeux brillants.

— Il a raison, renchérit Moustache Emmêlée. Nous ne saurions jamais à qui va leur loyauté.

— Nous appartenons au Clan de la Rivière ! s'écria Petit Lac en se libérant de l'étreinte de sa mère. Pour toujours.

— Vous appartenez aussi au Clan du Vent, insista Plume de Roseau. Nous nous occuperons bien de vous. Le gibier est abondant. » Il balaya la clairière du regard, s'arrêtant un instant sur les tanières qui flanquaient le tronc couché. « Vous avez assez de museaux à nourrir. Et s'il y a une autre inondation ? Ou si la rivière gèle ? C'est déjà arrivé. » Il se tourna de nouveau vers les chatonnes. « Elles deviendront plus fortes en mangeant notre gibier.

— Non, rétorqua Étoile de Grêle en s'interposant entre Plume de Roseau et Plume Fauve.

— S'il faut en arriver là, le Clan du Vent se battra pour elles, le prévint Plume de Roseau, le regard soudain plus dur.

— Le Clan de la Rivière ne craint pas les menaces ! rétorqua le meneur, les griffes sorties.

— Tu as tort ! Crois-tu que les autres Clans n'ont pas vu que vous aviez abandonné les Rochers du Soleil sans même livrer combat ? Le Clan de la Rivière est faible. Mes camarades se joindront à moi pour reprendre ce qui m'appartient. Tremble, vieux matou ! »

La tension était palpable. Puis le miaulement de Plume Fauve rompit le silence :

« J'ai causé suffisamment de problèmes. Je ne veux pas que le sang coule par ma faute. Rien ne justifie cela. »

Nuage Balafré eut la nausée. *N'abandonne pas ! Bats-toi pour tes petites !* Les yeux écarquillés, il vit Plume Fauve s'éloigner de ses filles.

« Plume Fauve ? miaula Petit Nénuphar, perdu.

— Que se passe-t-il ? geignit Petit Lac.

— C'est ton dernier mot ? demanda Étoile de Grêle à la reine.

— Oui. Plume de Roseau a raison. Nos chatonnes auront une vie meilleure dans le Clan du Vent. Et nous ne devons pas risquer une guerre par ma... faute. »

Petit Lac voulut se rapprocher de sa mère, mais Étoile de Grêle l'en empêcha du bout du museau.

« Vous irez donc vivre dans le Clan de votre père, annonça-t-il doucement.

— Comment pourrait-il être notre père ? protesta Petit Nénuphar. Je ne l'ai jamais vu !

— Il empeste ! se plaignit Petit Lac tandis que Plume de Roseau les reniflait doucement.

— Vous ne manquerez de rien, déclara-t-il. Le Clan du Vent a hâte de faire votre connaissance. »

Petit Nénuphar chercha désespérément à croiser le regard de sa mère, mais Plume Fauve fixait le sol. Nuage Balafré aurait voulu la supplier de ne pas les laisser partir. Pourtant, comme ses camarades, il ne protesta pas lorsque Étoile de Grêle poussa les petites chattes vers leur père.

« Non ! gémit Petit Lac, terrifiée, quand Plume de Roseau la prit par la peau du cou. Plume Fauve !

— Vous allez le laisser faire ? s'indigna Petit Nénuphar alors qu'il se dirigeait vers la sortie.

— Petit Nénuphar ! miaula Petit Lac en s'agitant. Ne m'abandonne pas !

— J'arrive, Petit Lac, j'arrive !

Alors qu'ils disparaissaient dans le tunnel, Étoile de Grêle regagna lentement sa tanière.

Trille d'Oiseau se colla à Plume Fauve et lui murmura :

« Elles ne t'oublieront pas. »

Du bout de la truffe, Larme de Nuit caressa la joue de la reine.

« Tu les reverras, lui promit-elle. Elles seront toujours tes filles. »

Plume Fauve s'éloigna de ses camarades pour regagner d'un pas trébuchant la pouponnière.

« Pourquoi elle y retourne ? Elle n'a plus rien à y faire », lança Reflet d'Argent d'un ton narquois.

Poil de Loutre cracha sur le guerrier argenté :

« Tais-toi ! Mais tais-toi donc ! »

Nuage Balafré se précipita à la suite de la reine éplorée et se glissa dans la pouponnière. Il la regarda s'effondrer dans son nid, cherchant des mots de réconfort.

Arracher ses petits à une mère… Comment pouvait-on laisser faire une chose pareille ? Il se tapit près de Plume Fauve et se colla à son flanc tremblant.

« Moi, si j'avais été chef, je ne l'aurais jamais laissé te les prendre », murmura-t-il.

CHAPITRE 12

« NON, NON, NON ! » pesta Pelage de Cèdre.

Nuage Balafré s'immobilisa et leva la tête vers son mentor.

« Qu'est-ce que je ne fais pas bien ? »

Un paquet de neige tomba d'une branche gelée et lui atterrit sur le dos. Il s'ébroua pour s'en débarrasser. À travers les arbres dénudés, il voyait par-delà la rivière jusqu'à la lande couverte de poudreuse. Derrière eux, les hêtres blanchis par le givre se découpaient sur le ciel gris, et les marécages, devenus plaine immaculée, scintillaient au soleil.

Pelage de Cèdre soupira.

« Combien de fois faudra-t-il que je te le répète ? Quand tu attaques, hérisse ta fourrure ! Le Clan des Étoiles nous a donné un pelage épais pour une bonne raison. Tu auras l'air deux fois plus gros que ton adversaire, et un ennemi effrayé est déjà à moitié vaincu.

— Les autres Clans connaissent aussi le truc ! » Ombre d'Érable lui disait sans cesse de lisser sa fourrure pour que son opposant le croie plus faible qu'il n'était. « Ce ne sont que des poils, et les poils n'ont jamais fait de mal à qui que ce soit.

— Au cœur du combat, on n'a pas le temps de réfléchir, insista Pelage de Cèdre, dont l'haleine formait des panaches blancs dans l'air. Si tu vois un guerrier massif, tu ne te demandes pas si c'est du muscle ou des poils. L'instinct prend le dessus.

— D'accord, d'accord ! Si tu veux de la fourrure gonflée, tu en auras. » Il hérissa ses poils au maximum. « Ça te va ? »

Il avait hâte de mener son premier combat pour découvrir lequel de ses deux mentors avait raison.

Pelage de Cèdre remua les moustaches, l'œil pétillant.

« Quoi ? grommela le novice.

— Tu ne fais jamais rien à moitié, ronronna le guerrier. Tu as l'air d'une pomme de pin !

— Il faudrait savoir... » répondit Nuage Balafré, qui ronronna à son tour.

Alors qu'il se secouait pour laisser ses poils retomber, un bruit lui fit dresser les oreilles.

« Qu'est-ce que c'est ? demanda Pelage de Cèdre en se précipitant vers lui, la fourrure hérissée sur son encolure, les yeux rivés aux marécages.

— Regarde. »

Nuage Balafré tendit la queue vers les silhouettes sombres qui avançaient vers eux à travers la neige. Il huma l'air glacial. *Des camarades du Clan de la Rivière.*

« Croc de Brochet ! » héla Pelage de Cèdre, tandis que l'autre entamait la montée.

Œil de Scarabée dépassa son camarade et atteignit en premier la hêtraie.

« Comment se passe l'entraînement, Nuage Balafré ? Tu prends tes marques ? »

Nuage Balafré grimaça. *Tu n'as qu'une lune de plus que moi !* Œil de Scarabée se comportait comme s'il venait d'être promu chef adjoint et non simple guerrier. Au moins, il avait quitté la tanière des apprentis. Ses vanteries ne lui manquaient pas, même s'il regrettait les blagues de cervelle de poisson de Poil de Ragondin et les encouragements discrets de Bourgeon Poudré. Heureusement, Nuage de Chêne était toujours là pour lui tenir compagnie.

Nuage Balafré s'assit. Que se passerait-il lorsque son frère deviendrait guerrier ? Il retrouverait sa solitude et, à présent que Petit Nénuphar et Petit Lac vivaient avec le Clan du Vent, il n'y avait même plus de futurs « nuages ». Il devrait s'entraîner seul.

« La pêche est bonne ? demanda Pelage de Cèdre à Croc de Brochet.

— La rivière est gelée... Il y a des oiseaux, par ici ? »

Pelage de Cèdre fit non de la tête.

« Nous revenons de la frontière du Clan du Vent, reprit Croc de Brochet. Nous avons vu Plume de Roseau. Il voulait nous donner des nouvelles des chatonnes.

— Comment vont-elles ? lança Nuage Balafré.

— Bien. Mais il nous a mis en garde contre le Clan du Tonnerre. Ils ont attaqué leur camp.

— Leur *camp* ? répéta Pelage de Cèdre.

— Ils ont été jusqu'à la pouponnière ? s'inquiéta Nuage Balafré.

— Non. Ils cherchaient à leur dérober des remèdes.

— Il y a des blessés ?

— Le Clan du Tonnerre a perdu un de ses membres – Fleur de Lune.

— Bien fait, gronda Œil de Scarabée.

— *Nul* guerrier ne mérite de mourir ! le réprimanda Pelage de Cèdre. Croc de Brochet, tu as prévenu Étoile de Grêle ?

— Il était avec nous. Il est rentré aussitôt au camp pour ordonner à Baie de Ronce de cacher ses réserves.

— Ils n'attaqueront pas notre camp, déclara Œil de Scarabée tout en allant et venant dans la neige. Ils n'oseront pas traverser la rivière gelée !

— Espérons… soupira Pelage de Cèdre avant de faire signe au jeune guerrier de s'approcher. Tu veux bien t'entraîner un peu avec Nuage Balafré ? Il connaît trop bien mes techniques.

— Et qu'est-ce qui te fait croire que je ne connais pas aussi bien celles d'Œil de Scarabée ? rétorqua Nuage Balafré.

— Nous ne nous sommes entraînés ensemble que deux fois, lui rappela son camarade, déjà prêt à se battre.

— Ça suffit, les coupa Croc de Brochet, qui se glissa entre les deux jeunes félins. Conduisez-vous en bons camarades. Toi, Nuage Balafré, arrête de te plaindre. Œil de Scarabée t'apprendra peut-être quelque chose.

— Nuage Balafré pense qu'il n'a plus rien à apprendre, confirma Pelage de Cèdre. Œil de Scarabée, est-ce qu'il peut tenter une attaque frontale sur toi ?

— Il peut toujours essayer », répondit l'intéressé, déjà en position défensive.

Quelle face de grenouille, un vrai crâneur ! Nuage Balafré se ramassa et hérissa sa fourrure, pris d'un regain d'énergie, il sortit les griffes, et, les pattes arrière enfoncées dans la neige, il se dressa. Aussi noir qu'un corbeau sur la neige blanche, Œil de Scarabée l'imita. Nuage Balafré, bien en équilibre, enroula sa queue autour de ses pattes arrière et tenta de le frapper. Il cligna des yeux, surpris de voir qu'Œil de Scarabée s'était laissé retomber pour filer dans son dos.

Nuage Balafré pivota et vit son adversaire refermer ses mâchoires à l'endroit où sa queue aurait dû se trouver.

« Raté ! »

Satisfait, il se laissa retomber de tout son poids sur le jeune guerrier, le clouant au sol.

« Aïe ! miaula Œil de Scarabée, qui rampa pour se libérer. Mon menton ! gémit-il.

— Nuage Balafré ! lança sèchement Pelage de Cèdre. Ce n'est qu'un entraînement !

— Mes griffes étaient rentrées ! protesta l'apprenti. Et on était censés s'entraîner aux attaques frontales ! Il a voulu s'en prendre à ma queue !

— Et alors ? fit Œil de Scarabée. Un guerrier doit s'attendre à tout !

— Alors pourquoi ne t'attendais-tu pas à ma contre-attaque ?

— Tu as caché ta queue ! Ce n'est pas juste ! Personne ne fait ça !

— Si, les membres du Clan du Tonnerre, le détrompa Pelage de Cèdre, la mine sombre. Où as-tu appris cette feinte ? »

C'est une ruse du Clan du Tonnerre ? songea Nuage Balafré, étonné. *Les guerriers du Clan des Étoiles doivent connaître les techniques de tous les Clans.*

« C'est génial, pas vrai ? s'écria-t-il en gonflant le poitrail. Tu as vu comme j'ai réussi à rester debout même sans ma queue ?

— Ce n'est pas juste, tu utilises des tours de passe-passe, le rabroua Pelage de Cèdre.

— Ce n'était pas un tour de passe-passe ! » Nuage Balafré jeta un regard à Croc de Brochet. « Du coup, c'est moi qui lui ai appris quelque chose...

— Un peu de respect ! maugréa son mentor. Œil de Scarabée est un guerrier. Quant à toi, il y a moins d'une lune que tu as commencé ton apprentissage. Tu n'as même jamais participé à une seule Assemblée.

— Il s'est toujours cru supérieur à tout le monde, renchérit Œil de Scarabée, dont les mouvements agités de la queue trahissaient la colère.

— Rentrons au camp, déclara Pelage de Cèdre en passant devant le jeune matou noir. Il gèle à pierre fendre. »

Nuage Balafré vit son mentor dévaler la pente. Il se sentait un peu coupable. Il n'avait pas eu l'intention de crâner. Œil de Scarabée était vraiment exaspérant. *Je connais des choses qu'ils ignorent. Pourquoi devrais-je le cacher ?*

Le retour se déroula dans le silence. Nuage Balafré gonfla son pelage pour se réchauffer. Ses coussinets étaient gelés et son souffle dessinait des nuages blancs dans l'air. Le tunnel de joncs était presque bouché par la neige, si bien que l'apprenti dut se baisser pour s'y faufiler. À l'intérieur, le soleil couchant baignait le camp d'une lumière pourpre. La neige, qui recouvrait tout, avait été dégagée dans la clairière et s'amoncelait sur la rive, où des roseaux gelés jaillissaient du cours d'eau figé.

Pelage de Cèdre se dirigea droit vers l'antre d'Étoile de Grêle. Le cœur de Nuage Balafré se serra. Son mentor allait sans doute signaler sa désobéissance au chef.

« Bien fait ! » cracha Œil de Scarabée en lui filant sous le nez pour gagner la réserve de gibier, où Bourgeon Poudré et Écho de Brume cherchaient déjà leur repas.

Le ventre de Nuage Balafré gargouilla. L'odeur de poisson était alléchante.

« Ne t'inquiète pas, le rassura Croc de Brochet, qui venait de s'arrêter près de lui. Tu ne seras pas le premier apprenti à avoir des ennuis… Ni le dernier. »

Le guerrier traversa la clairière en quelques bonds et, du bout de la truffe, toucha le nez de sa compagne, Larme de Nuit.

« Nuage Balafré ! héla Pelage de Cèdre sur le seuil de la tanière de leur chef. Étoile de Grêle veut te parler. »

L'apprenti le rejoignit d'un pas lourd.

« Je suis désolé. Mais…

— Nous recommencerons demain, le coupa-t-il. Il veut juste te parler. »

Étoile de Grêle sortit de son antre et Pelage de Cèdre s'éloigna.

« Je n'ai pas cherché à blesser Œil de Scarabée, se défendit l'apprenti.

— Je suis certain qu'il s'en remettra, répondit le meneur, dont les yeux ambrés luisaient dans la pénombre. Je comprends que tu sois pressé de finir ton entraînement...

— Je m'efforce de me montrer patient. Sincèrement ! Et ce n'est pas facile... »

Il se tut en se rendant compte qu'il venait d'interrompre son chef.

« Pardon.

— Pas de précipitation, reprit Étoile de Grêle. Prends ton temps. Apprends ce que tu as besoin d'apprendre, et fais-le bien. »

Le novice dut se retenir de lui répondre : *Mais j'en sais plus que tu ne le penses ! Un membre du Clan des Étoiles m'entraîne !*

« Tu deviendras un guerrier plus tôt que tu ne le crois. » Le vieux matou leva la tête vers le ciel. Les nuages s'étaient dissipés et la Toison Argentée apparaissait peu à peu. « Profite de ton apprentissage. Amuse-toi avant que les responsabilités... »

Nuage Balafré dressa l'oreille. Un bruit de cavalcade résonna devant le camp.

Cœur de Nacre.

Le lieutenant déboula dans le camp, l'œil brillant, la queue gonflée. Nuage de Chêne et Œil de Chouette arrivèrent ensuite, suivis par Plume Douce.

« Nuage de Chêne nous a sauvés ! » s'écria la jeune guerrière, tout excitée.

Elle s'arrêta devant ses camarades dans un dérapage qui projeta des gerbes de neige sur eux.

« Cœur de Nacre ? héla Étoile de Grêle.

— Nous avons été attaqués par un chien, expliqua

le lieutenant. Dans les marécages, près du territoire des Bipèdes. Il est passé sous une clôture pour se jeter sur nous.

— Il était gros comment ?

— Trois fois comme moi.

— Des blessés ? s'inquiéta Baie de Ronce.

— Aucun. Nuage de Chêne a été plus rapide que lui.

— Il a été si courageux ! miaula Plume Douce en tournant autour du héros.

— Tu es certain de ne pas être blessé ? demanda Fleur de Pluie, qui écarta Plume Douce pour lécher les oreilles de son fils.

— Oui, je vais bien », lui assura-t-il en esquivant ses coups de langue.

Baie de Ronce se faufila dans la patrouille pour les examiner les uns après les autres.

« Il a failli m'avoir ! gémit Plume Douce, les yeux ronds.

— C'est vrai, confirma Œil de Chouette en se frottant à la guerrière blanche. Il n'était qu'à un poil de sa queue !

— Et là, Nuage de Chêne l'a attaqué pour faire diversion, ajouta Cœur de Nacre en regardant son fils avec fierté.

— Il a couru droit vers lui... poursuivit Œil de Chouette.

— ... avant de se dresser sur ses pattes arrière pour lui griffer le museau, finit Plume Douce.

— Je ne sais pas si c'est à cause de la douleur ou de la surprise, mais le chien s'est mis à gémir, reprit Cœur de Nacre en donnant un coup de langue à

Nuage de Chêne. Et nous, nous avons eu le temps de grimper à un arbre.

— Je me suis dit que mes griffes étaient plus aiguisées que ses crocs, déclara l'apprenti héroïque, les yeux baissés.

— Tu as sauvé tes camarades, le félicita Fleur de Pluie.

— Ça aurait pu être Cœur de Nacre, répondit-il dans un haussement d'épaules. Ou Œil de Chouette, ou Plume Douce. J'ai juste été le plus rapide.

— Tu as très bien agi, Nuage de Chêne. » Le meneur se mit à arpenter la clairière d'un air inquiet. « Si un chien a décidé de s'attaquer aux guerriers, nous devons nous montrer très prudents. » Il leva le museau et clama : « Que tous ceux qui sont en âge de pêcher se rassemblent devant moi pour entendre mes paroles ! »

Il va mettre en garde tout le monde contre le chien, se dit Nuage Balafré en se frayant un passage entre Nuage de Chêne et Cœur de Nacre.

« Bravo, murmura-t-il à son frère.

— Tu aurais été fier de lui si tu l'avais vu, Nuage Balafré », ronronna Cœur de Nacre.

Je suis fier de lui même sans l'avoir vu ! Il jeta à son frère un regard chaleureux.

Baie de Ronce se frotta contre lui.

« Le courage, ça doit être de famille, chez vous, murmura-t-elle.

— Moi, je suis surtout contente que tu n'aies rien, soupira Fleur de Pluie.

— Est-ce que le chien les a suivis jusqu'au camp ? »

s'inquiéta Plume Fauve en sortant de la tanière des guerriers.

Depuis que, une lune plus tôt, Plume de Roseau lui avait pris ses petits, elle avait maigri et pris une allure négligée.

« Non, il est parti, la rassura Écho de Brume en se précipitant vers elle. Nous ne risquons rien. »

Tandis que le Clan se rassemblait et que le récit des exploits de Nuage de Chêne se répandait, Étoile de Grêle s'avança au milieu de la clairière.

« Nuage de Chêne a fait montre d'un courage exemplaire, ce soir, ce qui le rend digne de porter son nom de guerrier. »

Nuage de Chêne en resta bouche bée. Nuage Balafré le dévisagea, les yeux ronds. Son baptême de guerrier allait avoir lieu tout de suite ! *Et s'il devient chef avant moi, ensuite ?*

« Allez, Nuage de Chêne, l'encouragea Cœur de Nacre.

— Nuage de Chêne, répéta Étoile de Grêle en inclinant sa large tête grise. À partir d'aujourd'hui, tu t'appelleras Cœur de Chêne. Le Clan de la Rivière rend honneur à ton courage et à ta présence d'esprit, et nous t'accueillons dans nos rangs en tant que guerrier à part entière. » Il posa le museau sur le front du novice et conclut : « Puisses-tu bien servir ton Clan. »

Nuage Balafré sentit une bouffée de fierté monter en lui tandis que ses camarades élevaient la voix pour clamer le nouveau nom de son frère. Alors qu'il s'apprêtait à les imiter, les mots se coincèrent dans sa gorge. *Pourquoi cela a-t-il été si facile pour toi ?* Il repoussa cette idée. *Peu importe. Je serai bientôt guerrier à mon tour et nous chasserons et nous battrons côte à côte !*

« Cœur de Chêne ! Cœur de Chêne ! »

Son miaulement s'éleva vers la voûte nocturne.

Cœur de Chêne s'approcha de lui en ronronnant.

« Waouh ! s'écria-t-il. Je ne pensais pas que ça me ferait autant d'effet !

— Bravo, Cœur de Chêne. »

Du bout de la truffe, Cœur de Nacre lui effleura l'oreille.

« Je suis très fière de toi, ajouta Fleur de Pluie en se pressant contre son fils devenu guerrier.

— La prochaine fois, c'est ton tour, déclara le nouveau guerrier en regardant son frère.

— Peu importe, trancha Fleur de Pluie, les oreilles frémissantes. Il n'atteindra jamais ton niveau. »

Ses mots transpercèrent le cœur de Nuage Balafré comme des griffes acérées.

Cœur de Nacre foudroya du regard son ex-compagne.

« Tu ne pourrais pas garder tes pensées pour toi, pour une fois ? »

Pourquoi a-t-il fallu qu'elle gâche tout ? se demanda Nuage Balafré, la gorge nouée par la colère.

« Ignore-la, l'encouragea Cœur de Chêne en l'éloignant. Regarde la lune ! Tu sais ce qui se passe ce soir ?

— C'est la pleine lune ?

— C'est l'Assemblée ! »

Mais oui ! Nuage Balafré trépigna d'impatience. Il était apprenti, à présent. Il pouvait y aller ! Il jeta un coup d'œil vers Étoile de Grêle. L'y autoriserait-il ?

« Notre chef va forcément te laisser venir ! le rassura Cœur de Chêne. Tu es apprenti, et moi, guerrier. Il faudrait être une cervelle de grenouille pour nous empêcher d'y aller tous les deux ! »

CHAPITRE 13

LE SOUFFLE DE NUAGE BALAFRÉ formait des panaches blancs dans l'air et givrait sur ses moustaches. La neige crissait sous ses pattes tandis qu'il suivait ses camarades vers la rivière. Il peinait à contenir son impatience – sa première Assemblée !

« Est-ce qu'on va emprunter le Pont des Bipèdes ? » demanda-t-il à Cœur de Chêne.

Étoile de Grêle guidait sa patrouille vers la passerelle de bois. La rivière gelée scintillait en dessous, au pied des chutes.

« C'est l'itinéraire le plus sûr, ce soir », murmura son frère.

Les guerriers n'empruntaient jamais les chemins des Bipèdes quand ils pouvaient l'éviter, mais ce soir-là, la glace qui couvrait le cours d'eau était trop fine et le gué trop glissant. Étoile de Grêle sauta par-dessus la rambarde basse pour gagner le pont et atterrit dans la neige tassée par le passage des Bipèdes. Ciel Clair le suivit en dérapant. Bourgeon Poudré préféra se glisser sous la rambarde tandis qu'Œil de Scarabée la franchissait d'un bond.

« Dépêchez-vous, tous les deux ! » lança Pelage de Cèdre.

Nuage Balafré s'élança au côté de son frère. Devant eux, les silhouettes d'Œil de Chouette et Poil de Loutre se découpaient nettement dans la neige. Au contraire de Baie de Ronce qui, grâce à son pelage pâle, semblait les escorter comme un fantôme.

Cœur de Nacre s'arrêta près de Pelage de Cèdre et laissa passer Nuage Balafré et Cœur de Chêne.

« J'espère que l'Assemblée sera pacifique, miaula-t-il.

— J'imagine que même le Clan du Tonnerre n'osera pas briser la trêve, renifla Pelage de Cèdre.

— Le Clan du Vent, lui, en serait bien capable, rétorqua Nuage Balafré à son frère tandis que les guerriers s'attardaient en arrière.

— Oui, ils sont toujours furieux que le Clan du Tonnerre ait attaqué leur camp, confirma Cœur de Chêne.

— Et nous, nous sommes furieux qu'ils nous aient pris Petit Lac et Petit Nénuphar, répondit Cœur de Nacre, qui les avait rattrapés. Pourtant, nous ne les attaquerons pas ce soir pour les récupérer.

— Et quand le ferons-nous ? s'enquit Nuage Balafré.

— Jamais, sans doute », marmonna le lieutenant en jetant un coup d'œil vers son chef.

L'apprenti regarda en contrebas la rivière gelée qui brillait au clair de lune. Il releva la tête et vit ses camarades s'engager dans la côte menant au territoire du Clan du Tonnerre.

« On ne prend pas le sentier qui longe les chutes ? s'étonna-t-il.

— C'est la trêve, expliqua son frère. Ce soir, nous pouvons traverser les territoires ennemis en ligne droite jusqu'à la clairière. »

Lorsqu'il arriva au sommet du raidillon, Nuage Balafré était hors d'haleine. Son frère avait déjà disparu entre les arbres. Il leva la tête vers les troncs menaçants qui se dressaient devant lui, la truffe retroussée.

« Ça ne te plaît pas ? l'interrogea Baie de Ronce en arrivant à son niveau.

— L'odeur qui règne ici est horrible. »

Nuage Balafré frémit. Les sous-bois étaient imprégnés par le marquage du Clan du Tonnerre.

« Tu es impatient de connaître ta première Assemblée ?

— Bien sûr ! »

Quelle question !

« Je suis très fière de toi, murmura la guérisseuse. Après ton accident, je croyais que tu ne deviendrais jamais apprenti. Mais tu as grandi et tu es devenu très fort. Je te reconnais à peine. »

Il fut soulagé de sortir de la forêt et de sentir le vent débarrasser sa fourrure de la puanteur ennemie. Devant lui, ses camarades s'étaient arrêtés. Une vallée s'ouvrait à leurs pattes, où quatre arbres majestueux semblaient veiller sur une clairière.

Les Quatre Chênes !

« Nous sommes les derniers arrivés, remarqua Ciel Clair.

— Le Clan du Tonnerre nous a devancés de peu, répondit Patte de Pierre, la truffe en l'air.

— Tiens, la clairière est très silencieuse », murmura Bourgeon Poudré.

Nuage Balafré plissa les yeux. Tels des bancs de poissons dans la rivière, d'innombrables pelages différents circulaient entre les chênes, autour d'un gros bloc de pierre. *Ce doit être le Grand Rocher !*

Un grondement résonna dans la gorge d'Étoile de Grêle :

« Ils ont commencé sans nous. »

Le meneur s'élança dans la descente en projetant des panaches de neige dans son sillage. Œil de Chouette et Cœur de Nacre l'imitèrent, suivis d'Œil de Scarabée et de Patte de Pierre.

« Venez ! » cria Cœur de Chêne, qui se jeta à son tour dans la pente.

Nuage Balafré hésita.

« Tu es prêt ? » lui demanda Pelage de Cèdre en lui donnant un petit coup de museau.

À être présenté à tous comme un apprenti du Clan de la Rivière ? À rencontrer les membres des autres Clans comme leur égal ? Évidemment !

Des fourmillements d'impatience lui picotaient les pattes.

« Allons-y ! » feula-t-il en dévalant la pente derrière ses camarades. Il les rattrapa lorsqu'ils s'arrêtèrent en dérapant sous un chêne gigantesque. Il leva la tête vers la cime, les yeux écarquillés. Cet arbre était plus grand que tous ceux de son territoire. Plus grand encore que ceux du Clan du Tonnerre. La tête lui tourna. Est-ce que ses branches faîtières touchaient les étoiles ?

« Venez », ordonna Étoile de Grêle.

Nuage Balafré scruta la masse de fourrures, désorienté par tous ces parfums mélangés. Cœur de Chêne se mêla à la foule et disparut alors qu'Étoile de Grêle sautait sur le Grand Rocher, où trois autres félins attendaient, les yeux illuminés par la lumière des étoiles.

Nuage Balafré leva la tête vers son mentor.

« Je dois aller de quel côté ?

— Suis-moi », fit celui-ci en se faufilant entre deux matous tigrés, qui s'écartèrent pour les laisser passer.

Le novice garda la truffe collée à la queue de Pelage de Cèdre jusqu'à ce qu'ils atteignent le milieu de la clairière.

« Il fait plus chaud, ici », murmura le guerrier.

Nuage Balafré, que l'excitation avait déjà échauffé, s'en serait bien passé. Les yeux ronds, il scruta la foule. Il n'avait jamais vu autant de chats réunis. Où étaient ses camarades ? Son ventre se noua lorsqu'il repéra Plume de Roseau. Le matou du Clan du Vent était assis au milieu de ses camarades, la tête levée vers le Grand Rocher, les oreilles rabattues pour se protéger du froid. Nuage Balafré se dressa sur ses pattes arrière et tendit le cou pour mieux voir.

« Ne le dévisage pas comme ça », le rabroua Pelage de Cèdre, qui lui donna un coup de museau.

Nuage Balafré trébucha en avant, se cognant au passage à une jeune chatte grise du Clan du Tonnerre.

« Attention ! feula-t-elle en tournant brusquement la tête. Tu as failli me faire tomb… »

Elle s'interrompit et le considéra avec étonnement.

Pour la première fois depuis des lunes, Nuage Balafré se souvint de sa mâchoire tordue. Il aurait voulu disparaître sous terre. Pourquoi fallait-il qu'elle le fixe comme s'il était une grenouille parlante ? Il respira profondément pour retrouver une contenance.

« Salut. Je m'appelle Nuage Balafré.

— Nuage ? » répéta-t-elle.

Ses grands yeux bleus ne cachaient rien de ses pensées. *Elle se demande comment j'ai pu me blesser comme ça alors que je ne suis qu'un apprenti.*

« Oui. J'imagine que mon nom de guerrier sera Gueule Balafrée », plaisanta-t-il malgré lui.

Elle le dévisageait toujours.

Il ravala son irritation. Est-ce que tous les guerriers du Clan du Tonnerre étaient aussi mal élevés ?

« Sauf… reprit-il en lui agitant sa queue sous la truffe. Sauf si ma queue subit le même sort. Alors Étoile de Grêle devra trouver une autre idée. »

La chatte se dandina sur place. Nuage Balafré s'assombrit. *D'accord. Les membres du Clan du Tonnerre sont vraiment malpolis.*

« Je savais que les autres me dévisageraient…

— Excuse-moi ! miaula la chatte, visiblement honteuse. C'est la surprise, c'est tout.

— Je ferais mieux de m'y habituer. » Il releva la tête et ajouta : « Jusqu'à ce que tout le monde se soit habitué à moi. » Pourquoi s'en faire, alors qu'il n'y pouvait rien. « Au moins, personne n'oublie mon nom. Et toi, comment tu t'appelles ?

— Nuage Bleu. »

Nuage Balafré l'inspecta des pattes à la tête.

« Tu n'es pas très *bleue,* constata-t-il.

— Ça se voit mieux en plein jour, ronronna-t-elle.

— C'est ta première Assemblée ? Non ? Alors tu sais ce qui se passe ? De quoi parlent les chefs ?

— Si tu écoutais, tu le saurais peut-être ! » feula une guerrière du Clan de la Rivière à l'oreille du novice.

Ce dernier se pencha vers Nuage Bleu et poursuivit en murmurant :

« C'est lequel, Étoile de Sapin ? »

Du bout de la queue, elle lui montra un matou sur le Grand Rocher, au pelage brun-roux. *Ah, oui !* Nuage Balafré le reconnut pour l'avoir déjà vu aux Rochers du Soleil. Les yeux verts du chef du Clan du Tonnerre brillaient au clair de lune et les muscles de ses épaules roulèrent sous son pelage lorsqu'il s'écarta pour faire de la place à Étoile de Grêle.

« Pourquoi n'es-tu pas venu plus tôt ? lui demanda Nuage Bleu.

— J'ai commencé mon apprentissage assez tard, chuchota-t-il. Quand j'étais chaton, ma santé était mauvaise. » Pourquoi s'embêter à lui donner les détails ? « Mais ça va mieux, ajouta-t-il en bombant le poitrail. Je crois que j'ai surpris tous mes camarades en grandissant autant. »

Nuage Bleu agita les moustaches. Une lueur chaleureuse éclaira son regard.

« Chut ! » Cette fois-ci, c'était une jolie guerrière écaille qui les sermonnait. « Les meneurs s'expriment.

— Désolé. » Nuage Balafré attendit qu'elle reporte son attention vers le Grand Rocher puis ajouta en murmurant : « Et Étoile de Bruyère, c'est qui ? »

Il voulait savoir à quoi ressemblait le nouveau chef de Petit Nénuphar.

« La plus petite. Étoile de Cèdre est à côté d'elle. » D'un geste de la queue, elle lui montra ensuite un groupe de chats rassemblés près du roc. Comme Baie de Ronce était avec eux, il en déduisit qu'il s'agissait des guérisseurs de tous les Clans. « Lui, c'est Plume d'Oie, notre guérisseur… »

Nuage Balafré cligna des yeux. C'était le chat qui l'avait poursuivi sur les pierres de gué, lorsqu'il était tombé. *Si ce sac à puces ne m'avait pas coursé, je ne me serais pas cassé la mâchoire. Je m'appellerais Nuage de Tempête ! Je serais peut-être même déjà guerrier…*

Nuage Bleu le tira de ses pensées en poursuivant :

« … Et la chatte blanche, c'est Moustache de Sauge, du Clan de l'Ombre. Et ce guérisseur-là, c'est Cœur de Faucon », conclut-elle dans un miaulement rauque.

Elle frissonna.

« Tu ne l'aimes pas ?

— Il a tué ma mère. »

La gorge de Nuage Balafré se serra. *Au moins, Fleur de Pluie est encore en vie.* Sans réfléchir, du bout de la queue, il lui effleura la joue. Il s'interrompit aussitôt en se souvenant qu'elle appartenait à un autre Clan.

« Où sont les lieutenants ? » se hâta-t-il de demander.

Un matou au pelage roux clair lui jeta un coup d'œil réprobateur.

« Le lieutenant du Clan du Tonnerre est juste devant toi, et il t'arrachera les moustaches si tu ne te tais pas quand on te l'ordonne ! »

Nuage Balafré leva les yeux au ciel. Est-ce que tous les vétérans étaient si autoritaires ? Nuage Bleu réprima un ronron amusé et se tourna vers les chefs. Le novice suivit son regard vers le Grand Rocher, qui semblait profondément enfoncé dans la terre, comme si le Clan des Étoiles l'avait fait tomber de la Toison Argentée.

Étoile de Bruyère se tenait au bord du roc.

« Nous avons reconstitué nos réserves de remèdes, annonça-t-elle tout en foudroyant le Clan du Tonnerre du regard. Nos anciens et nos chatons se sont finalement remis de l'attaque.

— Nous n'avons affronté que des *guerriers* ! protesta Pelage de Soleil. Nul ancien ni chaton n'a été attaqué.

— Ni *volé.* »

C'était Poil de Loutre, qui s'était exprimée. La guerrière au pelage roux et blanc foudroyait Plume de Roseau du regard.

« Ils n'ont pas été volés, gronda ce dernier en se tournant vers elle. Mais ramenés chez eux. »

Un autre guerrier du Clan du Vent lui fit les gros yeux. Elle soutint son regard sans sourciller, le menton relevé. Œil de Chouette fendit la foule pour venir se placer à côté d'elle.

« Calmez-vous, ordonna Pelage de Cèdre à travers ses dents serrées. N'oubliez pas la trêve.

— Étoile de Grêle a bien oublié Petit Nénuphar et Petit Lac...

— Je suis content que Plume Fauve ne soit pas là aujourd'hui », feula Œil de Scarabée.

Plume de Roseau décocha un regard noir au jeune félin.

« Qu'elle vienne la prochaine fois, gronda-t-il. Comme ça, je pourrai lui dire à quel point nos petites préfèrent manger du lapin plutôt que du poisson ! »

Nuage Balafré sortit les griffes. Les pelages se hérissaient tout autour de lui. Des grondements inquiétants résonnaient dans la nuit. Nuage Bleu se crispa. Nuage Balafré sentit l'odeur de sa peur. Il fixa les meneurs sur le rocher. Ils évitaient de se regarder, comme si aucun d'eux ne souhaitait être le premier à appeler au calme.

« Par le Clan des Étoiles ! Ce qu'il fait froid ! » pesta Nuage Balafré en se frottant à Nuage Bleu pour tenter de la distraire.

Nuage Bleu eut un mouvement de recul avant de se détendre.

Étoile de Sapin vint à son tour au bord du rocher.

« Le Clan du Tonnerre se porte à merveille, malgré la neige », annonça-t-il.

Nuage Balafré n'entendit pas la suite car il vit Œil de Scarabée jouer des épaules pour rejoindre Plume de Roseau.

« Aucun chat possédant ne serait-ce qu'une goutte de sang du Clan de la Rivière ne pourrait aimer la viande de lapin ! » annonça le guerrier.

La fourrure de Plume de Roseau se dressa sur son échine, il montra les crocs.

« Œil de Scarabée ! souffla Cœur de Nacre en se faufilant dans l'assistance. Au nom du Clan des Étoiles, qu'est-ce que tu fais ? » Il poussa le jeune matou pour qu'il recule et sorte de la foule, et il lui cloua la queue au sol du bout de sa patte. « Tu restes ici ! »

Sur le rocher, Étoile de Sapin avait fini et Étoile de Grêle prit la parole :

« Les Bipèdes ne viennent plus sur notre territoire depuis l'arrivée de la neige.

— Sauf leurs petits ! rétorqua Poil de Loutre, depuis les derniers rangs.

— Ils ne reviendront pas de sitôt ! ironisa Œil de Chouette.

— Ça leur apprendra à glisser sur la glace ! ronronna Nuage Balafré à l'oreille de Nuage Bleu.

— Est-ce qu'ils sont tombés dans l'eau ?

— Ils se sont juste mouillé les pattes, la rassura-t-il. Les cervelles de *souris* ! » Il était content d'utiliser un terme du Clan du Tonnerre. « N'importe quel chaton du Clan de la Rivière sait qu'il faut rester à l'écart de la glace tant qu'un guerrier ne l'a pas testée. »

« La chasse est bonne malgré la glace », poursuivit le meneur avant de fouiller l'assemblée du regard. Nuage Balafré tendit le cou, surexcité, lorsque le chef fixa Cœur de Chêne. « Et nous comptons un nouveau guerrier. Bienvenue à toi, Cœur de Chêne ! »

Le Clan du Vent l'acclama et les guerriers de l'Ombre rejoignirent le chœur de vivats pour fêter le nouveau guerrier.

« C'est mon frère, miaula Nuage Balafré à Nuage Bleu.

— Qui ça ?

— Cœur de Chêne. Nous sommes de la même portée. »

Nuage Bleu se dressa sur ses pattes arriere pour mieux voir le matou.

« Il est formidable, poursuivit-il dans un ronron sonore. Il a attrapé un poisson le premier jour de son apprentissage. Il dit que, quand il sera chef, il fera de moi son lieutenant. »

« Moi, j'ai une sœur », annonça Nuage Bleu. D'un mouvement du museau, elle lui désigna une chatte au pelage blanc immaculé, assise à une longueur de queue d'eux. « Elle aussi, elle est très douée pour chasser.

— S'ils devenaient tous les deux chefs, nous serions peut-être leurs lieutenants, toi et moi...

— Non, moi je veux devenir meneuse ! »

Moi aussi !

Nuage Bleu sursauta lorsque la patte d'une de ses camarades s'abattit sur son oreille puis sur celle de Nuage Balafré.

« Taisez-vous ! Combien de fois faudra-t-il vous le répéter ?

— Pardon. »

Sur le Grand Rocher, Étoile de Cèdre avait pris la parole.

« C'est avec tristesse que je dois annoncer le départ de notre lieutenant Croc de Pierre pour la tanière des anciens. »

Assis au pied du roc, un matou gris tigré au corps maigre hocha la tête lorsque son Clan l'acclama.

« Il n'a pas l'air si vieux », s'étonna Nuage Bleu.

Les crocs recourbés du matou gris pointaient sur son menton comme des griffes.

« Mais il a les dents longues, répondit Nuage Balafré en réprimant un ronron moqueur.

— Il n'y peut rien, ronronna-t-elle aussi en donnant un petit coup d'épaule à son voisin.

— C'est Plume Brisée qui le remplacera », poursuivit le meneur du Clan de l'Ombre.

Un matou au pelage brun sombre sortit de la masse de ses camarades pour se placer sous un rayon de lune devant le Grand Rocher. Nuage Balafré remarqua que la fourrure de Nuage Bleu se hérissait tandis que les camarades de Plume Brisée clamaient son nom. Elle n'aimait pas l'allure de Plume Brisée. Elle regardait d'un œil torve les membres du Clan de l'Ombre assemblés au pied du rocher. *Elle se méfie d'eux !* Était-ce juste parce qu'ils appartenaient au Clan de l'Ombre ? Il aurait peut-être le temps de l'interroger plus tard sur la question.

Tandis que les chefs sautaient de leur perchoir, Nuage Balafré regardait les Clans se regrouper en vue du départ. Il leva la truffe pour mémoriser le plus d'odeurs et de pelages possible.

« Viens, lui dit Pelage de Cèdre en le poussant du museau. Rentrons. Il fait trop froid pour s'attarder. Tant pis pour le Partage. » Il décocha un coup d'œil oblique vers le Clan du Vent qui s'engageait déjà dans la montée vers les landes. « Et je crois que personne ne voudrait accomplir cette cérémonie avec les autres Clans, même en pleine saison des feuilles vertes.

— Est-ce que les Clans sont toujours aussi furieux les uns contre les autres ?

— La mauvaise saison creuse les ventres et exacerbe les tensions », soupira Pelage de Cèdre.

Le miaulement soudain de Cœur de Chêne fit sursauter l'apprenti :

« Alors ? Qu'est-ce que tu en as pensé ?

— C'était génial, ronronna-t-il. J'ai fait la connaissance d'une novice du Clan du Tonnerre. Elle est pareille que nous. Elle veut devenir chef un jour, ajouta-t-il à voix basse.

— N'est-ce pas le souhait de *tous* les apprentis ? répondit Cœur de Chêne.

— Tu veux dire que tu as changé d'avis ? Tu ne veux plus être chef, maintenant que tu es guerrier ? le taquina-t-il.

— Tu rêves ! » L'œil brillant, Cœur de Chêne pressa le pas pour suivre leurs camarades. « Viens, le premier arrivé au camp a gagné ! »

Nuage Balafré ouvrit les yeux, surpris de découvrir qu'il rêvait. Il était dans la forêt sombre. Après l'Assemblée, son excitation était telle qu'il avait eu du mal à trouver le sommeil. À travers une mince trouée dans la paroi de la tanière, il avait longuement contemplé la lune pleine dont les rayons faisaient scintiller la clairière enneigée. Des myriades d'odeurs, de fourrures et de possibilités tourbillonnaient dans son esprit.

« Alors comme ça, tu as côtoyé d'autres Clans... »

Le miaulement d'Ombre d'Érable résonna à travers la brume. Elle sortit de l'ombre pour se mettre face à lui.

« C'était formidable ! s'écria-t-il, encore excité. J'ai

parlé à une apprentie du Clan du Tonnerre et j'ai eu l'impression de m'adresser à l'une de mes camarades.

— Ne dis jamais une chose pareille ! le rabroua-t-elle.

— Mais elle était exactement comme moi ! Je me demande ce que ça fait, de vivre dans la forêt et de manger des souris... »

Le souffle de son mentor secret lui effleura le museau lorsqu'elle feula :

« Le Clan de la Rivière est le seul dont tu doives te soucier ! Les autres Clans ne sont que poussière et cancrelats ! As-tu donc oublié ton serment ? »

Nuage Balafré secoua vigoureusement la tête, ébranlé par sa colère.

« Bien sûr que non. Je ferai toujours passer mon Clan avant tout le reste.

— Alors commence à t'entraîner ! »

Elle recula pour l'observer tandis qu'il se dressait sur ses pattes arrière pour répéter son attaque frontale.

« Plus haut ! »

Nuage Balafré s'étirait un peu plus chaque fois.

« Reste en position ! » gronda-t-elle au moment où il vacillait, les pattes endolories par l'effort.

Nuage Balafré serra les dents et donna de nouveaux coups de patte dans l'air. À travers sa souffrance, il sentait qu'il devenait plus fort, parfaitement équilibré et plus puissant que jamais. C'était là l'entraînement qu'il lui fallait pour devenir chef ! Il se demanda si Nuage Bleu se faisait elle aussi entraîner par le Clan des Étoiles. Et Cœur de Chêne ? Le croiserait-il une nuit dans cette sombre forêt ? Ou était-ce son destin à lui, et à lui seul ? Le serment fait à Ombre d'Érable lui revint en tête :

Je serai avant tout loyal à mon Clan. Mes désirs personnels importent peu. Le Clan doit toujours passer en premier.

CHAPITRE 14

« QUE TOUS CEUX QUI SONT en âge de pêcher se rassemblent devant moi pour entendre mes paroles. »

Nuage Balafré se redressa en entendant l'appel d'Étoile de Grêle. Il sortit de l'eau ses pattes engourdies et laissa tomber le petit poisson qu'il venait d'attraper près de ses deux autres prises. Il avait dû creuser un trou dans la glace entre les roseaux pour pêcher. Le gibier se faisait rare depuis que la rivière avait gelé, et il avait promis à Pelage de Cèdre qu'il rapporterait quelques poissons avant d'aller s'installer parmi ses camarades pour la cérémonie du Partage. Laissant son butin sur la glace, il gagna la rive d'un pas glissant. De la neige tomba des joncs lorsqu'il se faufila entre les tiges.

Que voulait donc Étoile de Grêle ? Le soleil déclinant éclaboussait le ciel de traînées rose pâle. Nuage Balafré avait mal partout après s'être entraîné toute la nuit avec Ombre d'Érable et tout le jour à chasser des oiseaux parmi les saules en compagnie de Pelage de Cèdre. Au moins, le froid paraissait enfin desserrer son étreinte. Au cours des nuits écoulées depuis l'Assemblée, le vent avait perdu son mordant. La rivière serait bientôt libérée. L'apprenti sortit des roseaux et se pressa sur la neige ramollie pour gagner le camp.

« Te voilà ! s'écria Cœur de Chêne en trottinant à sa rencontre.

— Qu'est-ce qui se passe ? »

Étoile de Grêle allait et venait dans la clairière, les poils hérissés sur sa nuque, les yeux brillants. Cœur de Nacre se tenait près de lui ; sa queue s'agitait nerveusement.

« Je ne sais pas, lui murmura son frère à l'oreille. Étoile de Grêle, Cœur de Nacre, Reflet d'Argent et Pelage d'Écorce ont tenu conseil tout l'après-midi. »

Reflet d'Argent et Pelage d'Écorce étaient campés sur le côté tels des rochers immuables. Pelage d'Écorce clignait des yeux, la mine impénétrable. Reflet d'Argent observait froidement un merle voleter de buisson en buisson sur la rive opposée.

« Ils ont même appelé Baie de Ronce, ajouta Cœur de Chêne.

— Quelqu'un est malade ?

— Trille d'Oiseau tousse et Ciel Clair éternue depuis l'Assemblée, mais c'est tout. »

Œil de Scarabée arriva de l'arbre couché d'un pas nonchalant. Bourgeon Poudré le dépassa à toute allure et s'arrêta près de Nuage Balafré.

« Que se passe-t-il ?

— Peut-être qu'Étoile de Grêle va encore changer le nom de Nuage Balafré, suggéra Œil de Scarabée en la rattrapant. Pourquoi pas Nuage Déchiqueté ? On dirait que ses oreilles s'abîment un peu plus chaque jour.

— Je m'entraîne dur », rétorqua le novice dans un haussement d'épaules.

Les guerriers se rassemblaient peu à peu dans la clairière. Baie de Ronce était tapie devant la tanière de Plume Fauve.

« Allez, l'encouragea la guérisseuse. Le Clan de la Rivière a besoin de tous ses guerriers.

— Que se passe-t-il ? s'enquit l'ancienne reine en pointant le bout du museau dehors.

— Viens écouter Étoile de Grêle. »

Baie de Ronce l'entraîna jusqu'à la clairière et fit un signe de tête au chef.

« Nous avons vu les guerriers du Clan du Tonnerre, lors de l'Assemblée, déclara-t-il. Ils sont affamés, comme toujours à la mauvaise saison. » Des murmures satisfaits saluèrent son entrée en matière. « Ils paraissent faibles, alors que nous sommes forts. Au crépuscule, nous reprendrons les Rochers du Soleil !

— Comment ? voulut savoir Œil de Chouette. Est-ce qu'on va simplement déplacer notre marquage ?

— Nous ferons plus que ça ! Le marquage, nous le tracerons dans le sang du Clan du Tonnerre !

— Il est grand temps ! cria Poil de Loutre.

— J'arracherai la fourrure de tous ceux qui croiseront ma route ! feula Croc Blanc, presque invisible dans la neige.

— Le Clan du Tonnerre n'est pas près d'oublier ce jour ! acquiesça Étoile de Grêle.

— Quel est le plan ? s'enquit Cristal d'Eau.

— Une escouade occupera les Rochers du Soleil et attendra les membres du Clan du Tonnerre.

— Et s'ils ne viennent pas ? l'interrogea Larme de Nuit.

— Ils viendront ! affirma Reflet d'Argent en s'avançant. Le Clan du Tonnerre joue toujours aux durs quand ils sont trop faibles pour se battre.

— Ce sera une victoire facile, renchérit Pelage d'Écorce.

— Et amplement méritée ! conclut Étoile de Grêle, le regard embrasé. Il y a trop longtemps que nous supportons l'arrogance du Clan du Tonnerre. Les Rochers du Soleil sont à nous. »

Les miaulements enthousiastes firent s'envoler le merle sur la rive opposée.

— Cœur de Nacre, miaula Étoile de Grêle, appelle les guerriers choisis pour l'attaque.

— Pelage d'Écorce, Reflet d'Argent, Œil de Chouette, Poil de Loutre. »

Les guerriers cités se rassemblèrent sur le côté.

« Cœur de Chêne, Œil de Scarabée, Bourgeon Poudré, Croc Blanc, Larme de Nuit, Plume Douce. »

Nuage Balafré regarda son frère s'éloigner.

« Croc de Brochet, Fleur de Pluie, Poil de Ragondin, Pelage de Cèdre, Nuage Balafré. »

Le cœur de l'apprenti fit un bond dans sa poitrine.

« Attends ! le héla Baie de Ronce en lui bloquant le passage. S'il te plaît, n'y va pas ! le supplia-t-elle.

— Pourquoi ? Je suis robuste, à présent ! Tu l'as dit toi-même. Je suis plus grand qu'Œil de Scarabée ! Et ma mâchoire est aussi solide que celle d'un brochet !

— Je t'en prie, reste au camp...

— Pour que je rate ma première bataille ? »

Œil de Scarabée et Cœur de Chêne quittaient déjà le camp. Il devait les rattraper !

La guérisseuse détourna le regard, la fourrure ébouriffée. Nuage Balafré plissa les yeux.

« Ne te tracasse pas pour moi. Je suis prêt. Je ne demeurerai pas à l'écart. »

Il *devait* y aller. Il avait promis à Ombre d'Érable que, avant toute chose, il se battrait pour son Clan. C'était sa première occasion de lui prouver qu'il avait l'étoffe d'un chef. D'un pas martial, il dépassa Baie de Ronce et s'engouffra dans le tunnel de joncs.

La patrouille cavalait déjà sur la rive et s'apprêtait à descendre sur la glace. Il la rattrapa bientôt, ses griffes projetant des jets de cristaux scintillants, et s'arrêta avec eux au pied des Rochers du Soleil, où la neige s'était accumulée contre la pierre.

« Prêts ? lança Étoile de Grêle en passant ses guerriers en revue.

— Prêts », répondit Cœur de Nacre pour eux tous.

Le ventre de Nuage Balafré se noua. Il sortit ses griffes en regardant ses camarades commencer à escalader les rocs. Du bout de la queue, Pelage de Cèdre lui caressa le dos.

« Fais attention à toi et souviens-toi de ce que je t'ai appris. »

Et de tout ce qu'Ombre d'Érable m'a appris aussi ! Il espérait qu'elle l'observait. Il lui montrerait à quel point il deviendrait un meneur formidable.

« Bonne chance », lança son mentor avant de s'élancer à l'assaut de la paroi.

Nuage Balafré se dressa et coinça ses griffes dans une crevasse. Poussant sur ses pattes arrière, il se hissa et recommença la manœuvre jusqu'en haut. Le regard brûlant du soleil couchant embrasait la pierre. Au-delà des rochers s'étendait la forêt, noire et silencieuse. Arrivé au sommet, Nuage Balafré rejoignit ses camarades qui allaient et venaient nerveusement. Leurs grondements résonnaient dans la forêt.

Il croisa le regard de Fleur de Pluie.

« J'ai demandé à Cœur de Chêne de garder un œil sur toi.

— C'est inutile. »

Il se détourna de peur de ne trouver que de la froideur dans les prunelles de la guerrière. Puis il se raidit. Un buisson trembla entre les arbres. Avaient-ils été repérés ?

D'un mouvement du museau, Étoile de Grêle fit signe à Cœur de Nacre.

« Prépare la première ligne. » Son regard glissa sur Œil de Scarabée, Bourgeon Poudré et Poil de Ragondin. « Vous vous apprêtez à livrer votre première bataille. » Il jeta ensuite un coup d'œil à Cœur de Chêne et Nuage Balafré. « Vous aurez d'autres occasions de prouver que vous êtes de valeureux guerriers. Ne prenez pas de risques inutiles. Bonne chance. »

Au signal de Cœur de Nacre, la patrouille prit place le long des rochers. Nuage Balafré retourna entre Cœur de Chêne et Larme de Nuit. Voir ses camarades ainsi alignés le remplit de fierté. Ils avaient fière allure, campés ainsi, le pelage hérissé. Le soleil couchant embrasait leur fourrure et leur donnait des airs de guerriers du Clan des Étoiles. Étoile de Grêle longea le rang, qui se resserra un peu plus. Il prit place au milieu et scruta les arbres sombres. Nuage Balafré dressa l'oreille. Les rochers vibraient sous leurs pattes, signe que l'ennemi approchait à toute vitesse.

Cœur de Chêne griffa la roche.

« Bonne chance, Nuage Balafré, murmura-t-il.

— Ils arrivent », ajouta Larme de Nuit.

Le vacarme s'amplifia, tel le rugissement du vent dans les branches. La gorge du novice se serra lorsque la patrouille du Clan du Tonnerre jaillit de la forêt. Leurs yeux lançaient des éclairs, leurs pelages étaient dressés, leur fureur était palpable.

Au cœur du combat, on n'a pas le temps de réfléchir. Les paroles de Pelage de Cèdre lui revinrent en tête. *L'instinct prend le dessus.* Il comprenait, à présent. Ses poils se hérissèrent et il cracha sur les nouveaux venus.

Étoile de Grêle s'approcha d'eux.

« Une ancienne injustice vient d'être réparée ! feula-t-il. Ces rochers sont de nouveau à nous.

— Jamais, rétorqua Étoile de Sapin en gravissant les rocs. Clan du Tonnerre, à l'attaque ! »

Tandis que le Clan du Tonnerre leur fonçait droit dessus, Étoile de Sapin se jeta sur Étoile de Grêle et les deux chefs roulèrent sur les pierres. Cœur de Chêne plongea dans la masse de guerriers en furie et s'en prit à un matou noir et blanc en poussant un cri de guerre assourdissant. Nuage Balafré rabattit les oreilles, choqué par les hurlements qui accompagnaient la montée de peur et de hargne parmi les guerriers. Dérouté, il regarda ses camarades aller au combat sans savoir par où commencer.

Tout à coup, deux pattes s'abattirent sur lui et il roula au sol. Ses griffes crissèrent sur la pierre lorsqu'il se cambra pour freiner sa chute. Il se remit sur ses pattes, pour un instant seulement. Un coup puissant porté à la joue l'envoya valser. La colère embrasa ses entrailles. Le miaulement d'Ombre d'Érable résonna soudain au creux de son oreille.

Bats-toi !

Il se tourna et se dressa sur ses pattes arrière. Un matou roux lui cracha dessus, une patte levée, prêt à réitérer son attaque. Nuage Balafré parvint à l'esquiver et lui frappa le museau si fort qu'ils furent tous deux projetés en arrière. Toujours dressé sur deux pattes, il sentit le sol se dérober sous lui. Il tomba à la renverse en poussant un cri de détresse et sentit les pierres l'écorcher tandis qu'il dévalait les Rochers du Soleil et atterrissait dans la neige. Les membres raidis par le choc, il s'efforça de retrouver son souffle.

Crotte de grenouille !

La fureur irriguait ses veines. Il leva la tête vers la paroi verticale. Un ciel rose, étrangement silencieux, s'étendait au-dessus de la mêlée assourdissante. Il devait aider ses camarades ! Il cavala le long des rochers, jusqu'au coin où, il le savait, il trouverait suffisamment de prises pour remonter. Un pelage gris-bleu lui bloqua soudain le passage.

Un ennemi ! Il s'arrêta net tandis que l'autre faisait volte-face. *Nuage Bleu !* Il crut deviner du soulagement dans le regard de l'apprentie.

« Que le Clan des Étoiles soit loué, c'est toi ! » s'écria-t-elle.

Que dirait Ombre d'Érable ? *Les autres Clans ne sont que poussière et cancrelats !* C'était l'occasion ou jamais de prouver que sa loyauté pour son Clan primait tout le reste. Il avait parlé à cette chatte lors de l'Assemblée, et alors ? Il n'y avait plus de trêve.

« Vous êtes sur notre territoire ! lança-t-il en se ramassant sur lui-même, prêt à bondir. Nous sommes ennemis, à présent. »

Nuage Bleu cligna des yeux. Elle était surprise ! *Quelle idiote !*

Il fondit sur elle et la fit tomber dans la neige si violemment qu'elle en eut le souffle coupé. Sans attendre, il lui laboura le dos. Elle poussa un cri de douleur, puis parvint à tourner la tête pour lui mordre une patte. Nuage Balafré la repoussa en hurlant, si fort qu'elle roula vers la rivière gelée. Nuage Balafré lécha sa blessure – sa souffrance était telle qu'il avait la nausée. Puis il entendit un crissement dans la neige et un éclair de fourrure bleue surgit devant lui.

L'apprentie revenait à la charge. Elle se jeta sur Nuage Balafré dans un cri de fureur. Sous le choc, il tituba et son adversaire en profita pour bondir derrière lui et lui mordre la patte. Elle sauta encore pour lui mordre une patte avant, et se dressa pour planter ses crocs dans son cou.

Espèce de cœur de renard ! Dans un regain d'énergie, Nuage Balafré banda ses muscles. Elle essayait de le faire tomber en arrière. *Stupide boule de poils !* Il planta ses griffes dans le sol et secoua la tête dans tous les sens jusqu'à ce qu'elle lâche prise.

« Je serai sans pitié avec toi ! » cracha-t-il une fois libéré.

Visiblement paniquée, Nuage Bleu se dressa sur ses pattes arrière pour lui marteler le museau, mais Nuage Balafré rendait coup pour coup. Elle faillit perdre l'équilibre, dépassée par ses attaques répétées – il s'était tant entraîné à maîtriser ce mouvement que cela lui paraissait aussi naturel que pêcher. Lorsqu'elle le toucha au museau, il riposta en visant son oreille, qu'il sentit se déchirer entre ses griffes.

Enfuis-toi !

Il savait qu'il pouvait la battre et la repousser jusqu'au territoire du Clan du Tonnerre s'il le voulait. Soudain, un feulement retentit derrière eux.

« Nuage de Neige ! » s'écria Nuage Bleu tandis qu'une chatte au pelage blanc immaculée se précipitait à son secours.

Nuage Balafré gronda en la voyant se dresser sur ses pattes arrière. Face à elles deux, il dut se battre plus fort encore pour parer leurs attaques et riposter. Les coups pleuvaient et il sentit ses pattes arrière faiblir. Ses muscles le mettaient au supplice. Elles lui griffèrent le museau, les oreilles, la joue. Elles étaient trop rapides pour lui. Il commença à perdre l'équilibre. Tout à coup, Nuage de Neige plongea pour lui mordre la cuisse.

« Crotte de Grenouille ! » pesta-t-il.

Il retomba à quatre pattes en feulant et tenta de les repousser. Nuage de Neige roula sur le sol pour lui labourer le ventre. La douleur arracha un cri au novice, qui sentit Nuage Bleu lui sauter sur le dos. Pris de panique, il s'écarta de Nuage de Neige tout en s'ébrouant pour faire tomber Nuage Bleu. Mais l'apprentie blanche le déséquilibra d'un croche-patte et il fit un roulé-boulé vers la rive en poussant un cri de rage. Nuage Bleu, cramponnée à lui comme une boule de bardane, lui lacéra les épaules. Le sang lui battait aux tempes, la douleur lui faisait tourner la tête. Dans un cri de détresse, Nuage Balafré s'arracha aux griffes de Nuage Bleu et détala sur le cours d'eau gelé. Il courut jusqu'à la rive opposée, soulagé de sentir l'odeur du Clan de la Rivière.

Un feulement couvrit les bruits de la bataille :

« Clan du Tonnerre, à l'attaque ! »

Nuage Bleu et Nuage Blanc levèrent la tête vers les Rochers du Soleil, les oreilles dressées. Elles se tapirent derrière les pierres lorsque les guerriers de la rivière dévalèrent le massif pour traverser le cours d'eau. Stupéfait, Nuage Balafré vit Étoile de Grêle lui passer devant en laissant derrière lui un sillon sanglant, talonné par Poil de Loutre et Larme de Nuit. Suivait le reste de la patrouille.

Le Clan de la Rivière bat en retraite ?

Cœur de Nacre, Reflet d'Argent et Pelage d'Écorce s'attardèrent un instant sur la glace pour en marteler la surface. Un canal d'eau noire et tumultueuse séparait à présent les deux rives. Les trois guerriers le traversèrent à la nage alors que la patrouille du Clan du Tonnerre s'arrêta bêtement devant l'eau. Ils ne pouvaient plus les suivre.

« Bande de cœurs de souris ! lança un guerrier pommelé tandis que Cœur de Nacre plongeait dans les buissons.

— Nuage Balafré ? miaula le lieutenant en s'arrêtant brusquement devant son fils. Tout va bien ?

— Oui, répondit-il en relevant la tête.

— Tu as dû te battre comme un guerrier », devina le matou avant de lécher la joue ensanglantée du novice.

Nuage Balafré recula en grimaçant.

« Viens, murmura Cœur de Nacre en le poussant du bout du museau. Il faut soigner ces égratignures. »

« Tu as ordonné le repli ! s'étrangla Reflet d'Argent en dévisageant Cœur de Nacre. Comment as-tu pu faire une chose pareille ? »

Cœur de Nacre allait et venait entre ses camarades, inspectant les blessures et distribuant louages et encouragements à ses guerriers vaincus. L'aube colorait le ciel et les oiseaux commençaient à chanter autour du camp. Nuage Balafré était tapi près de Cœur de Chêne. Les cataplasmes de Baie de Ronce faisaient effet, il souffrait déjà moins.

« Nous n'avions pas le choix.

— Mais Étoile de Grêle nous avait dit que le Clan du Tonnerre était affaibli, protesta Pelage d'Écorce.

— Nous avions le dessus ! renchérit Cristal d'Eau, qui s'arrêta un instant de lisser ses longs poils blanc et gris souillés de sang et de brins d'herbe.

— Si seulement Plume de Tempête n'avait pas amené des renforts… se lamenta Croc Blanc.

— Pourquoi Étoile de Grêle n'avait-il pas envisagé cette possibilité ? le coupa Reflet d'Argent.

— Il ne lit pas dans les esprits, la rabroua Cœur de Nacre.

— C'est le chef, insista Pelage d'Écorce. Les chefs devraient savoir comment on gagne les batailles. »

Il jeta un regard noir vers la tanière de la guérisseuse.

Étoile de Grêle avait été gravement blessé. Baie de Ronce n'avait pas réussi à arrêter l'hémorragie dans la clairière, si bien que Cœur de Nacre et Œil de Chouette avaient dû porter leur meneur à moitié inconscient jusqu'à sa tanière.

« Taisez-vous ! » s'emporta Bourgeon Poudré. Une estafilade zigzaguait sur son visage, du front au museau, et son pelage écaille était tout poisseux de sang. « Étoile de Grêle est peut-être en train de perdre une vie ! »

Nuage Balafré se leva aussitôt. Ses blessures le brûlèrent atrocement.

« Où vas-tu ? lui demanda son frère.

— Je vais chercher à manger pour Baie de Ronce », répondit-il en regardant ses pattes. En vérité, il était davantage intéressé par l'état de santé d'Étoile de Grêle. Il voulait rassurer Bourgeon Poudré et Poil de Ragondin, qui s'inquiétaient visiblement pour leur père. Même Œil de Scarabée semblait préoccupé – il ne fanfaronnait pas, pour une fois. « Elle a travaillé dur toute la nuit. Elle doit avoir faim.

— La réserve est vide, lui rappela Cœur de Chêne.

— Je sais où trouver des poissons. »

Lorsqu'il s'avança entre les roseaux, la glace grinça sous ses pattes. Dans un jour ou deux, elle aurait fondu. Il récupéra les poissons pêchés juste avant la bataille et regagna la clairière.

Fleur de Pluie nettoyait ses blessures. Elle leva la tête.

« Tu t'es bien battu, Nuage Balafré », miaula-t-elle avant de retourner à sa toilette.

Nuage Balafré en resta interdit. Fleur de Pluie lui avait fait un compliment ! Cela lui mit du baume au cœur. Il se glissa dans le tunnel de joncs menant à la tanière de la guérisseuse et déposa les poissons devant elle.

« Comment va-t-il ? » s'enquit le novice.

Étoile de Grêle était roulé en boule dans un coin. Assise près de lui, Écho de Brume lui faisait sa toilette. La fourrure du chef du Clan de la Rivière était terne et emmêlée. Son flanc se soulevait à peine lorsqu'il respirait.

« L'hémorragie a cessé, murmura Baie de Ronce. Mais il a perdu beaucoup de sang.

— Il ne respire plus ! » s'écria soudain Écho de Brume.

La guérisseuse se précipita vers le blessé et colla son oreille à son pelage. Elle se redressa doucement. Nuage Balafré frémit tandis que le silence s'abattait dans la tanière. Baie de Ronce le brisa en soupirant lorsqu'Étoile de Grêle eut un hoquet tremblotant.

« Il a perdu une vie, miaula-t-elle à voix basse.

— Il entame donc sa neuvième, murmura Écho de Brume.

— J'en ai bien peur, confirma la guérisseuse en lui effleurant la joue du bout de la truffe. Nuage Balafré, tu ferais mieux de partir. »

L'apprenti hocha la tête et se dirigea vers la sortie.

« Merci pour le poisson », lui lança-t-elle.

Le novice rejoignit ses camarades. Fleur de Pluie se dirigeait d'un pas raide vers sa tanière. Cœur de

Chêne, le museau posé sur les pattes, avait fermé les yeux. Moustache Emmêlée portait une boule de neige dans la gueule. Il la laissa tomber près de Larme de Nuit, qui commença aussitôt à la lécher avidement. Aucun d'entre eux ne savait que leur chef avait – tout comme Bourgeon Poudré le craignait – perdu une vie au cours de leur vain combat pour récupérer les Rochers du Soleil. Ce n'était pas à lui de le leur annoncer. Baie de Ronce s'en chargerait, ou Étoile de Grêle lui-même, une fois guéri.

Si seulement je m'étais mieux battu ! Ombre d'Érable ne croira jamais que je suis digne de devenir un jour le chef de mon Clan, maintenant. Nuage Balafré bouillonnait d'irritation. *La prochaine fois, je me battrai comme un guerrier du Clan des Étoiles. La prochaine fois, je ne décevrai pas mon Clan !*

CHAPITRE 15

« ARRÊTE-TOI ! feula Ombre d'Érable.

— Mais je ne maîtrise pas encore parfaitement le mouvement ! »

Nuage Balafré plongea en avant, se tourna et, une fois sur le dos, frappa de ses pattes arrière un ennemi imaginaire. Au cours des jours qui avaient suivi la bataille, il s'était entraîné plus dur que jamais.

— Arrête ! répéta son mentor secret.

— Je dois y arriver ! répondit-il en se relevant. Je ne me laisserai plus jamais battre !

— Tu dois te réveiller, Nuage Balafré ! feula la guerrière. Il se passe quelque chose.

— Le Clan a des ennuis ?

— *Réveille-toi !* »

Le cœur battant, le novice ouvrit les yeux et se leva. Il faisait si sombre dans la tanière des apprentis qu'il en distinguait à peine les parois. Des fourmillements lui picotaient les pattes. Il se glissa dehors et regarda la voûte céleste. La lune était fine comme une griffure blanche sur le noir du ciel. Au loin, l'aube éclairait l'horizon. Le dégel, qui avait suivi leur défaite aux

Rochers du Soleil, avait rendu le camp boueux. Les roseaux dodelinaient de la tête, comme morts. En fondant, la neige avait laissé place à un tapis de mousse où Nuage Balafré s'enfonçait à chaque pas. Il jeta un coup d'œil à travers les roseaux, la truffe en l'air. L'odeur d'Étoile de Grêle s'y attardait, ainsi que celle de Pelage d'Écorce. Nuage Balafré suivit la piste et repéra les odeurs fraîches de Poil de Loutre, Œil de Chouette et Reflet d'Argent près d'une trouée dans les joncs. Ils étaient partis du camp récemment.

Nuage Balafré allait continuer à les pister lorsqu'un cri aigu déchira le silence nocturne. Nuage Balafré fit volte-face, le poil hérissé. Le cri venait de la rive opposée. Un feulement lui répondit.

Poil de Loutre !

Nuage Balafré traversa la clairière à toute allure et sauta sur l'arbre couché. Il se faufila entre les tanières, et courut sur la branche qui surplombait les roseaux. Son regard remonta le cours de la rivière jusqu'à la rive opposée, loin en amont. Poil de Loutre et Œil de Chouette dévalaient la pente menant au territoire du Vent, Reflet d'Argent et Pelage d'Écorce sur leurs talons. De gros paquets sombres semblaient pendre de leurs mâchoires. Le cœur de Nuage Balafré fit un bond dans sa poitrine lorsqu'il entendit de petits miaulements.

Les chatonnes ! Ils avaient ramené les chatonnes !

Étoile de Grêle cavalait derrière eux, un guerrier du Clan du Vent furieux sur ses talons. *Plume de Roseau !* Nuage Balafré reconnut son pelage ébouriffé. Quatre de ses camarades le suivaient en feulant. Pelage d'Écorce et Reflet d'Argent approchaient de la rivière. Nuage Balafré planta nerveusement ses griffes dans l'arbre. Autour de lui, le camp s'éveillait peu à peu.

« Que se passe-t-il ?

— Qui a crié ? »

Les tanières frémissaient et la mousse crissait sous les pas des guerriers. Cœur de Chêne se hâta de le rejoindre et s'assit derrière lui.

« Que se passe-t-il ?

— Regarde !

— Plongez dans la rivière ! » ordonna Étoile de Grêle.

Pelage d'Écorce et Reflet d'Argent obéirent aussitôt.

« C'est froid ! gémit Petit Nénuphar.

— À l'aide ! » implora Petit Lac.

Étoile de Grêle ralentit pour faire face à Plume de Roseau. Le guerrier du Clan du Vent s'arrêta à un poil du museau du meneur. Ses camarades le dépassèrent pour gagner la rive.

« Vous n'avez pas le droit de me voler mes petits ! » gronda le matou.

Étoile de Grêle jeta un coup d'œil en arrière. Les deux guerriers avaient déjà de l'eau jusqu'au ventre.

« Pourtant, c'est ce qu'on vient de faire ! »

Plume de Roseau cracha et frappa si fort le chef du Clan de la Rivière qu'il le projeta contre un rocher. Nuage Balafré retint son souffle. Étoile de Grêle ne bougeait plus. *Lève-toi ! Lève-toi !* Le meneur avait-il sacrifié sa dernière vie pour sauver les petits ?

Plume de Roseau se précipita sur la berge pour rejoindre ses camarades. Il fit halte au bord de l'eau, tandis que les autres osaient quelques pas dans la rivière, les crocs découverts. Poil de Loutre et Œil de Chouette pivotèrent pour arrêter leurs poursuivants avec une pluie de coups féroces. Œil de Chouette en fit tomber un en arrière avant d'en repousser un autre. Poil de Loutre plongea sous le ventre d'un guerrier tigré au poil sombre et le fit basculer d'un mouvement des épaules. Pendant qu'ils retenaient la patrouille du Clan du Vent, Reflet d'Argent et Pelage d'Écorce nageaient à toute vitesse vers l'autre rive, le cou tendu pour maintenir les chatonnes au-dessus de l'eau.

Les yeux écarquillés, Plume de Roseau les regarda déposer celles-ci sur la rive marécageuse. Ses camarades rebroussèrent chemin et le rejoignirent sur la berge, côté Clan du Vent. Plume de Roseau se tourna vers eux, désespéré :

« Nous ne pouvons pas les abandonner ! Ce sont mes filles ! » Sans attendre de réponse, il se jeta à l'eau. « Rendez-les-moi ! » hurla-t-il.

Derrière lui, Étoile de Grêle remua. Il se mit debout à grand-peine et se précipita vers le guerrier du Clan du Vent. Grognant sous l'effort, il lui sauta sur le dos et le poussa au milieu du courant.

Plume de Roseau disparut un instant avant de remonter à la surface en crachotant. Étoile de Grêle fondit sur lui, les pattes écartées, et l'enfonça sous l'eau. Les autres guerriers du Clan du Vent grimpèrent sur le coteau à reculons, avec des yeux ronds de chouette.

Des bulles crevèrent autour des pattes d'Étoile de Grêle. Plume de Roseau allait se noyer.

Relâche-le ! songea Nuage Balafré en plantant les griffes un peu plus profondément dans l'écorce. *Ne le tue pas ! Les chatonnes sont saines et sauves !*

« Étoile de Grêle ? Étoile de Grêle ! Arrête ! s'écria Œil de Chouette en sortant de la rivière dans des gerbes d'éclaboussures. Tu vas le tuer ! »

Étoile de Grêle tourna la tête vers ses camarades, comme ébahi. Il relâcha sa prise et recula d'un pas chancelant.

« Aide-moi à le tirer de là ! » cria Œil de Chouette avant de saisir le lieutenant du Clan du Vent par la fourrure.

Étoile de Grêle prit son ennemi par la peau du cou. Ensemble, ils le halèrent jusqu'à la rive, côté Clan du Vent. Nuage Balafré soupira de soulagement et se précipita vers les chatonnes.

Reflet d'Argent se frottait à Petit Nénuphar pendant que Pelage d'Écorce léchait la fourrure trempée de Petit Lac. Les petites chattes fixaient la rive opposée, où Étoile de Grêle et Œil de Chouette se penchaient sur le corps inerte de leur père.

« Est-ce qu'il est mort ? » gémit Petit Nénuphar.

Œil de Chouette se mit à frotter le poitrail du noyé.

« Je vais chercher Baie de Ronce ? proposa Nuage Balafré.

— Il serait trop tard », répondit Reflet d'Argent, la mine sombre.

Tout à coup, Plume de Roseau toussa et se mit à vomir de l'eau.

« Il est vivant ! se réjouit Petit Nénuphar avant de se tourner vers Nuage Balafré. Il va nous ramener chez nous, maintenant ?

— C'est ici, chez vous ! » s'écria Plume Fauve en jaillissant des roseaux. Elle s'arrêta net pour dévisager ses filles. « Comme vous avez grandi, miaula-t-elle d'une voix tremblante.

— Plume Fauve ! »

Petit Lac s'élança vers sa mère et frotta son museau contre sa mâchoire en ronronnant si fort qu'elle aurait pu réveiller les oiseaux. Petit Nénuphar courut se blottir sous le ventre de la guerrière. Sur la rive opposée, les guerriers du Clan du Vent aidèrent Plume de Roseau à gravir la pente. Sa fourrure trempée lui collait aux os et il boitait bas.

Œil de Chouette se glissa dans l'eau et nagea jusqu'au camp. Étoile de Grêle le suivit. Nuage Balafré frémit. L'espace d'un instant, son chef avait voulu tuer Plume de Roseau. Non par vengeance personnelle – Plume de Roseau ne lui avait rien fait – mais pour le bien de son Clan, parce que Étoile de Grêle pensait sincèrement que les chatonnes appartenaient au Clan de la Rivière. *Est-ce que je me battrai un jour comme ça ?*

Une voix lui murmura au creux de l'oreille.

Ombre d'Érable !

Son ton était fougueux : *Un jour, ce sera ton tour de montrer à ton Clan que tu es digne d'être son chef, Nuage Balafré. J'ai foi en toi, jeune guerrier.*

CHAPITRE 16

« NUAGE DE NÉNUPHAR ! Nuage de Lac ! »

Les vivats du Clan résonnaient dans le petit matin tandis qu'ils accueillaient les nouvelles apprenties. Plume Fauve, les yeux embués, les acclama plus fort que tous ses camarades. Nuage Balafré ronronna. Enfin, il allait avoir des camarades de tanière !

Nuage de Nénuphar se dressait au milieu de la clairière. Ses yeux ambrés brillaient et son pelage tigré pâle reflétait la lumière dorée du soleil levant. Son mentor, Œil de Chouette, posa son museau tacheté de blanc sur la tête de la novice tandis que Ciel Clair tournait fièrement autour de Nuage de Lac, sa première apprentie.

Étoile de Grêle recula, le menton levé.

« Les rangs du Clan du Vent sont affaiblis, tandis que les nôtres se renforcent ! »

Au cours des deux lunes qui avaient suivi le sauvetage des deux chatonnes, la saison des feuilles nouvelles avait orné les branches nues de tendres bourgeons verts. Les roseaux, qui avaient relevé la tête, naguère courbée par la neige, étaient couverts de jeunes pousses. Et l'eau de la rivière n'était plus aussi glaciale.

« Qu'allons-nous faire, pour notre premier jour ? » s'enquit Nuage de Nénuphar auprès de son mentor tandis que les guerriers vaquaient à leurs occupations.

Œil de Chouette jeta un regard de connivence à Pelage de Cèdre.

« Quoi ? » fit Nuage Balafré, qui savait quand son mentor lui dissimulait quelque chose.

Le guerrier brun s'approcha d'Œil de Chouette.

« Vous avez prévu une sortie spéciale? insista le novice en le suivant.

— Nous allons à la Pierre de Lune partager les rêves du Clan des Étoiles, lui apprit Pelage de Cèdre. Je voulais t'y emmener avant, mais je me suis dit que tu préférerais partager cette expérience avec d'autres apprentis. »

Je ne suis plus seul ! J'ai des camarades de tanière !

« Nous y allons aussi ? s'enquit Nuage de Lac.

— Oui, confirma Pelage de Cèdre.

— Vraiment ? fit Nuage de Nénuphar, inquiète. Il faudra qu'on traverse le territoire du Clan du Vent. Et s'ils essaient de nous reprendre ?

— Tu les laisserais faire ? s'étonna Nuage Balafré.

— Bien sûr que non !

— Le Clan du Vent respecte le code du guerrier, d'accord ? s'emporta Nuage de Lac. Ils ne nous empêcheraient jamais de nous rendre à la Pierre de Lune. »

Les deux sœurs échangèrent un regard entendu et Nuage Balafré se demanda à quoi elles pouvaient penser. Si elles avaient semblé contentes de retrouver leur Clan maternel, elles n'avaient jamais critiqué le Clan du Vent, qui s'était occupé d'elles pendant une lune entière.

« Ce devait être dégoûtant, de manger du lapin », les avait tourmentées plus d'une fois Œil de Scarabée.

Même Poil de Ragondin s'y était mis :

« Vous n'aviez pas froid ? Comment une tanière en *bruyère* pouvait bien vous protéger ? Surtout dans la lande. Il y a *toujours* du vent, là-haut. »

Nuage de Lac et Nuage de Nénuphar s'étaient contentées de hausser les épaules.

« Même s'ils nous ont bien traitées, nous sommes heureuses d'être rentrées chez nous », disaient-elles toujours.

Nuage Balafré respectait leur silence prudent.

« Ignorez-les, leur disait-il. Œil de Scarabée aime bien embêter les autres. »

Un soir, il s'était installé près de Nuage de Nénuphar pendant que les félins faisaient leur toilette après manger. Œil de Scarabée l'avait traitée d'« haleine de lapin » tout l'après-midi, et elle était si contrariée que son pelage était encore hérissé.

« Quand j'étais à la ferme, je chassais des souris, lui avait-il confié à voix basse. Je m'étais tellement habitué à leur goût que j'ai eu du mal à remanger du poisson. » Il voulait lui signifier qu'il comprenait ce que l'on ressentait lorsqu'on revenait après une longue absence, lorsque notre loyauté était remise en question. « Même Cœur de Chêne me taquinait en prétendant que je ressemblais plus à un chat du Clan du Tonnerre qu'à un membre du Clan de la Rivière.

— C'est vrai ?

— Oui, confirma-t-il en ronronnant avant de lui effleurer l'oreille du bout de la truffe. Ne t'inquiète pas. Ça leur passera. »

Depuis, une lune s'était écoulée. À présent, il était bien content qu'elles soient des « nuages » – non seulement il ne dormait plus seul, mais en plus elles pourraient prouver qu'elles étaient loyales à leur Clan véritable.

« Quand partons-nous ? demanda-t-il à Pelage de Cèdre.

— Allez voir Baie de Ronce. Elle vous donnera des herbes fortifiantes. »

Nuage de Lac fronça la truffe.

« À midi, tu seras bien contente de les avoir mangées, lui dit Œil de Chouette. La route est longue. »

Nuage Balafré courut vers la tanière de la guérisseuse. Nuage de Nénuphar, plus rapide, lui brûla la politesse. Trois petits tas de plantes avaient été disposés par terre.

Baie de Ronce retirait des remèdes secs d'un trou dans les roseaux.

« Heureusement que la saison des feuilles nouvelles est là, marmonna-t-elle. Ce pas-d'âne n'est plus bon, et nous serons bientôt à court de graines de pavot. »

Nuage Balafré renifla l'un des tas. L'odeur était âcre.

« On doit les mâcher ou bien on peut les avaler tout rond ? »

La guérisseuse laissa tomber des feuilles d'hibiscus ratatinées sur le sol.

« Avalez-les tout rond, conseilla-t-elle. Leur effet

sera différé jusqu'au moment où vous en aurez vraiment besoin. »

Les yeux clos, l'apprenti engloutit les remèdes d'un seul coup. Il frémit. Même sans les mâcher, ils laissèrent un goût amer sur sa langue.

« Berk ! » éructa Nuage de Lac en les avalant à son tour.

Nuage de Nénuphar prit les siennes en faisant la grimace mais sans se plaindre.

« Elle est très loin, la Pierre de Lune ? s'enquit-elle ensuite.

— Vous y serez à la tombée de la nuit si vous ne traînez pas en route, répondit Baie de Ronce. Le voyage n'est plus aussi éprouvant quand on prend l'habitude. » Elle s'y rendait à chaque demi-lune avec les autres guérisseurs pour communier avec le Clan des Étoiles. « Le pire, c'est la Grotte de la Vie. » Un frisson courut sur son pelage. « Il y fait très sombre et tu dois faire confiance au Clan des Étoiles pour qu'il guide tes pas. Vous devrez rester tout près de vos mentors. »

Nuage de Nénuphar enroula sa queue autour de ses pattes.

« À quoi ressemble la Pierre de Lune ? s'enquit-elle.

— Est-ce que les guerriers de jadis sont gentils ? ajouta Nuage de Lac. Même ceux des autres Clans ?

— La Pierre de Lune est magnifique, soupira Baie de Ronce. Et le Clan des Étoiles est sage. » Elle poursuivit en regardant Nuage Balafré dans les yeux. « Écoute bien ce que te diront nos ancêtres. Laisse-les guider tes pattes sur le bon chemin. »

Nuage Balafré avala sa salive avec difficulté. Pourquoi le mettre en garde ainsi ? Pensait-elle qu'il ne suivait pas le droit chemin ?

« Dépêchez-vous, les pressa la guérisseuse en les poussant vers la sortie. Vous devez y arriver avant minuit.

— Pourquoi ? s'étonna Nuage de Lac.

— Tu verras », répondit Baie de Ronce en retournant à ses remèdes.

Pelage de Cèdre, Ciel Clair et Œil de Chouette attendaient près du tunnel de joncs. Nuage Balafré se hâta de les rejoindre.

« Vous n'avez pas besoin d'herbes pour le voyage ?

— Nous les avons prises tout à l'heure, expliqua Ciel Clair.

— Tu es prête ? demanda Œil de Chouette à Nuage de Nénuphar.

— Oui », fit-elle d'une toute petite voix.

Nuage Balafré était surexcité. S'il avait déjà accompli une partie de ce voyage, il ne serait pas seul, cette fois. Et s'il avait la chance de rêver près de la Pierre de Lune, il rencontrerait peut-être tout le Clan des Étoiles, et pas seulement Ombre d'Érable.

Les félins restèrent à la limite du territoire du Clan du Vent, guettant la moindre patrouille.

« Je sais que les membres du Clan du Vent sont des guerriers honorables, dit Pelage de Cèdre à Nuage de Lac. Toutefois, il est inutile de remuer le passé en traversant la lande juste à côté de leur camp. »

Nuage Balafré se demanda malgré lui si c'était les souvenirs du Clan du Vent ou ceux des deux jeunes chattes qu'il craignait de raviver. Il fut soulagé lorsqu'ils atteignirent le marquage du Clan du Vent. Au-delà, le monde semblait s'ouvrir tel un nymphéa. La grande vallée entre la lande et les Hautes Pierres était verdoyante. Le soleil réchauffa le dos de Nuage Balafré lorsqu'ils longèrent les haies qui bordaient les prairies des Bipèdes. De temps en temps, il reconnaissait sur sa langue une senteur familière et, pour la première fois depuis des lunes, il eut envie de manger de la souris.

« Nuage Balafré ! »

L'appel de Pelage de Cèdre le fit sursauter.

Il se rendit alors compte qu'il avait quitté le sentier pour aller jeter un coup d'œil dans une haie de hêtres vers un champ boueux où étaient creusés de profonds sillons.

« Reste avec nous ! » ordonna son mentor.

Nuage Balafré les rejoignit à toute vitesse. Est-ce qu'il venait de voir le champ de Mitzi ? Alors qu'il avait rattrapé Nuage de Nénuphar, il lança un dernier regard en arrière. Où était passé le maïs doré ? Puis il se souvint du monstre géant dévoreur d'épis et frémit.

« Tout va bien ? s'inquiéta Nuage de Nénuphar. Ça doit te faire bizarre de revenir ici après tout ce temps.

— Ça va. »

Elle ralentit jusqu'à ce que les autres les aient dépassés de quelques longueurs de queue.

« Tu penses à Flocon, pas vrai ?

— Et toi, tu ne pensais pas au Clan du Vent en traversant la lande ?

— Et alors, c'est mal ? »

Il soupira avant de répondre :

« Il est possible d'éprouver de l'amitié pour des chats en dehors de notre Clan tout en restant loyal.

— C'est vrai ?

— Petite Balafre ! »

Le miaulement sonore les fit sursauter. Ils se tournèrent d'un même mouvement.

« *Suie ?* » hoqueta-t-il.

La jeune chatte accourut. Elle était aussi grande que Nuage de Nénuphar, à présent.

« Je croyais que tu ne reviendrais jamais !

— Nous nous rendons à la Pierre de Lune, expliqua-t-il.

— Que se passe-t-il ? » lança Pelage de Cèdre.

Nuage Balafré fit volte-face, le ventre noué. Son mentor allait-il chasser Suie ?

« C'est... c'est juste quelqu'un que j'ai connu quand... balbutia-t-il avant de se taire, intimidé par le regard courroucé du matou.

— Waouh ! s'écria Suie. Un vrai guerrier ! Tu es drôlement costaud ! » ajouta-t-elle, les yeux ronds, en dévisageant Pelage de Cèdre, qui gronda doucement.

Nuage Balafré vint se placer entre eux et soutint le regard de son mentor.

« Elle est à peine plus grande qu'un chaton ! déclara-t-il, comme pour mettre en garde son aîné. Elle ne fait rien de mal.

— Ne traîne pas trop », marmonna-t-il. Il rejoignit à grands pas les autres qui les attendaient un peu plus loin. « Laisse-les seuls, Nuage de Nénuphar ! Un apprenti qui traîne avec des solitaires, c'est largement assez. »

Nuage Balafré ignora sa pique et se tourna vers la petite chatte :

« Comment vas-tu ? ronronna-t-il. Et Flocon et Mitzi ? Et Colombe et Brume et Pie ?

— Flocon va bien ! déclara-t-elle gaiement en se frottant à lui. Mitzi et Colombe aussi. » Elle marqua une pause avant de poursuivre. « Je pense que Brume et Pie vont bien aussi. Des Bipèdes sont venus les prendre. Flocon nous a dit qu'ils allaient chasser les souris dans une autre ferme. Et toi ? Tu es un guerrier, maintenant ?

— Non, un apprenti ! Je m'appelle *Nuage* Balafré.

— Et... c'est une bonne chose ?

— La meilleure qui soit !

— Dépêche-toi ! l'appela Pelage de Cèdre.

— Je dois y aller, déclara le novice à regret.

— Je dirai à Flocon et Mitzi que je t'ai vu. Ils seront contents de savoir que tu vas bien.

— Dis-leur... »

Il chercha ses mots pour leur faire comprendre qu'ils lui avaient manqué et qu'il leur était reconnaissant pour tout, mais qu'il était aussi content d'avoir retrouvé son Clan.

« Je sais, miaula-t-elle, les yeux brillants. Je leur dirai.

— Tu viens, oui ou non ? s'énerva Pelage de Cèdre.

— Je suis vraiment content de t'avoir revue, miaula-t-il en s'éloignant à reculons.

— Moi aussi ! »

D'un mouvement de la queue, la jeune chatte salua Nuage Balafré, qui se tourna et partit à toute allure pour rattraper ses camarades.

« Tout va bien ? » lui demanda Nuage de Nénuphar lorsqu'il vint se placer près d'elle.

Il hocha la tête, un œil sur la queue de son mentor qui allait et venait, signe de son irritation.

Les Hautes Pierres se dressaient devant eux, éclaboussées par la lumière rouge du couchant. Le dernier Chemin du Tonnerre avait été le plus dur à traverser. Les monstres se succédaient si vite que Nuage de Nénuphar tremblait encore après leur course folle sur la pierre glissante. Même si son cœur battait toujours la chamade, Nuage Balafré força sa fourrure à retomber en place. Ciel Clair les avait entraînés en vitesse loin de la puanteur âcre des monstres, vers le pied des Hautes Pierres. La terre y était plus sombre, l'herbe plus drue, et ils foulèrent bientôt la roche où poussaient çà et là des touffes de bruyère.

« Regardez ! » s'écria Nuage de Nénuphar en levant le menton.

Nuage Balafré plissa les yeux, aveuglé par le soleil qui glissait lentement derrière les pics. Lorsque l'astre disparut, le versant de la montagne devint plus clair et il aperçut une ouverture noire semblable à une gueule béante sous une arche de pierre.

« C'est la Grotte de la Vie ? hoqueta Nuage de Lac.

— Oui. » Œil de Chouette grimpa sur un large rocher plat et s'assit. « Mais nous devons attendre qu'il soit presque minuit pour y pénétrer.

— J'ai faim, gémit Nuage de Nénuphar.

— Ici, il n'y a ni poisson ni oiseau, répondit Ciel Clair d'un ton compatissant.

— Il y a peut-être des souris », coupa Nuage Balafré en dressant l'oreille et en fronçant la truffe.

Une odeur musquée familière flottait dans l'air, cela valait la peine d'essayer.

« Des souris ? répéta Pelage de Cèdre.

— Elles sont faciles à attraper, répondit l'apprenti avec entrain.

— Mais moins bonnes que du poisson, gémit Ciel Clair. Enfin, j'imagine que ça cale toujours l'estomac.

— À condition d'arriver à en attraper », renifla Pelage de Cèdre

C'est un défi ? Nuage Balafré s'élança sur la pente gravillonnée, à l'affût du moindre frétillement. Il se tapit derrière une touffe de bruyère et attendit. Le ciel s'assombrit et les étoiles commencèrent à scintiller. La truffe de l'apprenti remua.

Souris ?

Il scruta les ombres. Une petite créature se mouvait parmi les cailloux un peu plus haut. Son odeur était musquée, mais elle faisait un peu trop de bruit, pour n'être qu'une souris. Soudain, une silhouette à la fourrure pâle et tigrée le dépassa et bondit en déclenchant une petite avalanche de graviers. Nuage Balafré quitta sa cachette à toute vitesse et, les yeux ronds, il vit Nuage de Nénuphar se tourner vers lui, un lapin mort dans la gueule. Elle le rapporta à leurs camarades.

L'apprenti se crispa. Qu'allait dire Œil de Chouette ? Les membres du Clan de la Rivière ne mangeaient pas de lapin ! Il suivit Nuage de Nénuphar et grimpa sur le rocher où ses camarades avaient pris place. Ils contemplaient nerveusement la dépouille.

« Du gibier, c'est du gibier », déclara Nuage de Nénuphar dans un haussement d'épaules.

Les narines de Nuage de Lac se dilatèrent lorsqu'elle huma son chaud parfum.

« Sans doute, miaula Ciel Clair.

— Si nous comptons le manger, mieux vaut le faire tout de suite, ajouta Œil de Chouette en levant la tête vers le grand disque blanc de la lune qui se levait. Il est presque temps. »

Ils se partagèrent le lapin et personne ne fit de commentaires sur le goût qu'il avait. Même si Nuage Balafré apprécia la saveur riche de la viande, jamais il ne l'aurait admis. Nuage de Lac finit son repas la première.

« Tu devais avoir faim, miaula Ciel Clair en poussant sa part vers son apprentie. Tiens, autant que tu manges ça aussi. »

La novice prit le morceau tout entier dans sa gueule et Pelage de Cèdre se leva.

« Allons-y », ordonna-t-il après s'être étiré.

Il entreprit de gravir la pente menant à la Grotte de la Vie. Œil de Chouette lui emboîta aussitôt le pas.

« On y va », fit Ciel Clair en se mettant sur ses pattes. Elle donna un coup de museau à Nuage de Lac, qui la suivit en mâchant bruyamment sa dernière bouchée. « Il n'y a donc rien qui puisse te couper l'appétit ? ronronna la guerrière. Es-tu bien consciente que nous allons rencontrer le Clan des Étoiles ? »

Son apprentie hocha la tête, le regard pétillant, et s'élança dans la montée. Le cœur battant, Nuage Balafré la suivit et il frémit lorsqu'ils s'approchèrent de l'ouverture sombre. Un courant d'air glacial à la senteur minérale s'en échappait.

Pelage de Cèdre s'était arrêté. Les autres se rassemblèrent autour de lui.

« Prêts ? » fit-il à ses camarades. Ils hochèrent la tête en silence. « Restez groupés. »

Il se coula dans les ténèbres et Nuage Balafré l'y suivit sans attendre. Le froid le transperçait jusqu'aux os. Jamais le soleil n'avait réchauffé cet endroit. Nuage Balafré renonça à plisser les yeux pour apercevoir quelque chose, c'était inutile. Il entendait le bruit des pas de Ciel Clair derrière lui et sentait son souffle sur sa queue. Ses moustaches frôlèrent une paroi rocheuse si bien qu'il s'écarta juste à temps avant de percuter un mur. Sous ses pattes, la pente s'accentuait.

Tout à coup, l'air vicié se rafraîchit. Nuage Balafré leva la truffe, rassuré de sentir les parfums familiers du monde d'au-dessus – la terre, l'herbe, la bruyère. Il devait y avoir une ouverture dans la voûte. Il leva la tête, guettant un rayon de lumière dans l'obscurité.

« Où sommes-nous ? s'enquit-il.

— Dans la caverne de la Pierre de Lune. »

Pelage de Cèdre s'était arrêté quelques pas devant lui et il le guida du bout de sa queue. Au loin, de l'eau tombait goutte à goutte : plic plic. Les respirations de ses camarades résonnaient étrangement. Nuage de Nénuphar et Nuage de Lac s'étaient immobilisées près de lui pour attendre.

« Où est la Pierre de Lune ? » s'interrogea Nuage de Nénuphar.

Tout à coup, dans un éclair plus aveuglant que le soleil couchant, la caverne fut illuminée. Surpris, Nuage Balafré dut fermer les yeux. Nuage de Nénuphar se blottit contre lui.

« Waouh ! » souffla Nuage de Lac.

Nuage Balafré rouvrit doucement les paupières. Une énorme pierre scintillait devant lui. On l'aurait crue constituée de milliers de perles de rosée.

La Pierre de Lune !

Grâce à la lumière froide qui se réfléchissait dessus, il devinait les parois sombres d'une caverne au plafond voûté. La Pierre de Lune s'élevait au milieu de l'antichambre, haute de trois longueurs de queue. Très loin au-dessus, une ouverture laissait voir un triangle de ciel étoilé. En y plongeant ses rayons, la lune faisait briller la pierre comme une étoile.

Pelage de Cèdre s'approcha, sa fourrure blanchie par l'éclat de la pierre. Il se tapit à son pied et y posa la truffe. Ciel Clair l'imita.

« Venez », les encouragea Œil de Chouette.

Nuage Balafré fut le premier à les rejoindre. Derrière lui, il entendit le souffle tremblant de Nuage de Nénuphar.

« Ça va bien se passer », lui murmura-t-il avant de se coucher près de son mentor et de coller sa truffe à la pierre.

Le monde bascula sous ses pattes. Il poussa un cri lorsqu'il découvrit autour de lui la forêt obscure où il s'entraînait avec Ombre d'Érable. Ce n'était pas leur lieu de rendez-vous habituel. Le terrain boueux était plus pentu et les bois, plus denses, mais la même lumière étrange y régnait, qu'aucune étoile, aucune lune ne dispensait. Nuage Balafré plissa les yeux pour tenter de percer les ténèbres.

« Bienvenue, le salua Ombre d'Érable en émergeant des arbres.

— Où sont les autres guerriers de jadis ? demanda-t-il avec espoir.

— Pourquoi n'irais-tu pas à leur recherche ? lui répondit-elle d'un ton suave.

— Tu veux dire que j'ai le droit, maintenant ?

— Oui, si tu restes près de moi. »

Nuage Balafré suivit la guerrière au pelage roux et blanc, les yeux écarquillés.

« Nous sommes réellement sur le terrain de chasse du Clan des Étoiles ? » s'étonna-t-il.

Que chassaient-ils ? Il ne repérait aucun fumet de gibier dans l'air.

« C'est ici que viennent les plus grands guerriers après leur mort, expliqua la chatte en gravissant la montée. Et si tu tiens ta promesse, tu y viendras un jour.

— Une fois que je serai chef du Clan de la Rivière ?

— Non seulement le chef du Clan de la Rivière, mais le plus grand chef de tous les temps. Et seulement si tu honores ton serment. »

Du coin de l'œil, il aperçut une ombre se glisser entre les arbres. Il tourna la tête et devina une autre silhouette dans le clair-obscur. Puis une autre, et une autre encore. Peu à peu, il comprit que la forêt grouillait de chats qui avançaient en silence dans la pénombre. Nuage Balafré scruta les alentours. Ce n'était pas tout à fait ainsi qu'il avait imaginé le Clan des Étoiles.

Puis il reconnut une fourrure épaisse qui s'avançait vers eux.

« Laisse-nous seuls. »

C'est Plume d'Oie ! Nuage Balafré resta interdit en reconnaissant les moustaches crépues et les oreilles déchiquetées du guérisseur du Clan du Tonnerre. *Que fait-il ici ? Il est encore en vie !*

« C'est lui, la nouvelle recrue ? demanda le vieux matou d'une voix rauque.

— Est-ce que Plume d'Oie est mort ? s'enquit l'apprenti auprès d'Ombre d'Érable.

— Pourquoi ? Tu es mort, toi ?

— Euh... non... je ne crois pas. »

Quand il releva la tête, le vieux guérisseur avait disparu.

« Tu dois retourner auprès de tes camarades, à présent. Ils doivent se réveiller.

— C'est tout ? » N'était-il pas censé rencontrer ses ancêtres ? Recevoir des tas de conseils emplis de sagesse pour devenir un valeureux guerrier et accomplir son destin ? « Je ne suis pas prêt ! » Il planta les griffes dans le sol pour s'accrocher à son rêve tandis que la forêt se dissipait peu à peu autour de lui. « Non ! »

Malgré lui, il se réveilla, si contrarié que ses poils s'étaient hérissés. La caverne était de nouveau plongée dans le noir. La lune avait décliné et la pierre avait retrouvé son aspect terne.

Nuage Balafré se leva, surpris de sentir ses muscles si engourdis. Avait-il passé la nuit dans la caverne ? Est-ce que c'était déjà la lumière de l'aube qui filtrait par l'ouverture ? Nuage de Lac et Ciel Clair se relevaient lentement tandis que Pelage de Cèdre s'étirait. Œil de Chouette faisait les cent pas comme s'il était impatient de repartir.

« Nuage de Nénuphar ? » miaula Nuage Balafré.

La jeune novice ronflait, le museau contre la Pierre de Lune. Il la poussa doucement du bout d'une patte. Le long trajet avait dû l'épuiser. Alors que Nuage de Nénuphar ouvrait les yeux, Nuage Balafré se demanda quelle vision elle avait eue. Avait-elle vu ses ancêtres du Clan du Vent ?

CHAPITRE 17

« COMMENT S'EST PASSÉE ton expédition à la Pierre de Lune ? »

Nuage Balafré s'interrompit un instant de manger pour regarder Étoile de Grêle, qui s'était arrêté près de lui. Après une bonne nuit de sommeil, l'apprenti se sentait reposé, mais ses coussinets lui faisaient encore mal.

« C'était chouette. »

Si seulement il savait ! Un jour, je serai...

« Viens, on va marcher un peu, lui ordonna son chef avant de l'entraîner dans le bosquet de saules.

— Qu'y a-t-il ? s'enquit le novice, se demandant si le meneur voulait savoir ce qu'il avait vu dans la Grotte de la Vie.

— Je veux juste que nous nous promenions », répondit son aîné en marquant une pause devant une souche couverte de mousse.

La douce lumière du crépuscule filtrait entre les feuilles frémissantes. Les abeilles bourdonnaient paresseusement au milieu des fleurs sauvages et un merle s'égosillait dans les branches.

« Es-tu content de ton apprentissage ?

— Oui, c'est génial ! »

Étoile de Grêle avait sans doute interrogé Cœur de Chêne, Œil de Scarabée, Poil de Ragondin et Bourgeon Poudré de la même façon lorsqu'ils étaient encore des « nuages ».

« Ton chemin sur la voie du guerrier a été plus long que celui des autres.

— Quatre saisons.

— Oui, confirma le meneur en se remettant en route. Cela doit sembler bien long pour un jeune chat.

— En effet, soupira le novice.

— Es-tu jaloux que ton frère soit déjà un guerrier ?

— Jaloux ? Non. Cœur de Chêne est un guerrier hors pair. Et je deviendrai comme lui... Un jour.

— Est-ce là tout ce que tu souhaites ? Devenir un grand guerrier ?

— Que pourrais-je souhaiter d'autre ? » répondit Nuage Balafré, perplexe. Est-ce qu'Étoile de Grêle allait organiser son baptême de guerrier tout de suite ? Cette idée le fit frémir d'excitation. « Je désire veiller sur mon Clan. Il n'y a rien de plus important au monde.

— Vraiment ? fit Étoile de Grêle, qui s'arrêta de nouveau pour le dévisager.

— Bien sûr ! »

Étoile de Grêle doutait-il donc de lui ? Il s'était entraîné plus dur que n'importe quel autre apprenti !

« Baie de Ronce est inquiète, avoua enfin le chef en détournant les yeux.

— Pourquoi ? »

De quoi se mêlait la guérisseuse ? Elle, elle s'occupait des remèdes. Elle n'entraînait pas de futurs guerriers ! Nuage Balafré ravala sa colère.

« Je ferai tout ce que tu veux, j'accomplirai n'importe quelle mission, j'affronterai n'importe quelle bataille pour te montrer que je peux être un grand guerrier !

— Je n'en doute pas. » Étoile de Grêle plissa les yeux. « Pas un instant. Cependant, être un guerrier ne requiert pas seulement courage et talent… »

Le novice attendit la suite, mais le vieux matou gris s'éloigna.

« Que puis-je faire pour te prouver ma valeur ? »

Étoile de Grêle ne répondit pas. Il secoua lentement la tête, perdu dans ses pensées.

Que lui a donc dit Baie de Ronce ? se demanda Nuage Balafré en filant à toute vitesse jusqu'au camp.

« Houla ! »

Cœur de Nacre s'écarta de son passage lorsqu'il déboula du tunnel de joncs.

« Qu'est-ce qui t'arrive ?

— Rien, grogna-t-il en fonçant dans la tanière de la guérisseuse.

— Nuage Balafré ? fit celle-ci. Quelque chose ne va pas ?

— À cause de toi, Étoile de Grêle doute que je puisse devenir guerrier ! Qu'est-ce que tu lui as dit ? C'est à cause de ma mâchoire ?

— Non, cela n'a rien à voir, lui assura-t-elle en se frottant les pattes pour en faire tomber des brins de remèdes.

— Alors pourquoi lui avoir dit que tu t'inquiétais pour moi ?

— Je m'inquiète pour tous les apprentis, marmonna-t-elle, les yeux baissés.

— Ah oui ? Est-ce qu'Étoile de Grêle va aussi demander à Nuage de Nénuphar si elle est jalouse de Nuage de Lac ou si elle pense qu'être un guerrier, c'est se battre avant tout ? »

La chatte demeura silencieuse.

« C'est bien ce que je me disais. Alors quel est le problème ? En quoi suis-je différent ? Je t'ai toujours fait confiance ! Je pensais que nous étions amis ! » Son ventre se noua. « Qu'est-ce que je fais de travers ? Tu as voulu m'empêcher de me battre et tu m'as dit d'écouter le Clan des Étoiles avant que je parte pour la Pierre de Lune. Tu crois que j'ai quelque chose qui cloche, c'est ça ? » Il se redressa, abasourdi. « Nos ancêtres t'ont envoyé un signe à propos de moi ? »

La lueur apeurée qui s'alluma dans le regard de la guérisseuse lui fit craindre le pire.

« Quoi ? feula-t-il. Qu'as-tu vu ?

— Tu ne comprendrais pas. T-tu… tu as le potentiel pour devenir un guerrier formidable… Comme tous les membres du Clan de la Rivière. Il faut juste que tu restes sur le droit chemin.

— Et ce n'est pas le cas ? » s'étrangla-t-il. *Je m'entraîne tous les jours ! Et toutes les nuits ! Le Clan des Étoiles lui-même s'occupe de ma formation !* « Tu ne sais pas de quoi tu parles ! s'emporta-t-il. Si tu as eu une vision, tu l'as mal interprétée ! Je deviendrai bel et bien un guerrier hors pair ! »

Il lui tourna le dos et sortit de la tanière ventre à terre. Il fila vers le tunnel de joncs, manquant percuter Nuage de Lac au passage, et longea la rive à toute allure. Pourquoi se donnait-il tant de mal pour son Clan alors que ses camarades n'avaient pas confiance en lui ? Il leur prouverait qu'ils se trompaient !

Une lune passa. Les journées étaient devenues plus longues et plus chaudes, et la rivière grouillait de poissons. Ce soir-là, le Clan festoyait dans la lumière dorée du couchant. Larme de Nuit et Croc de Brochet faisaient leur toilette près des roseaux tandis que Croc Blanc dévorait une grosse carpe près d'eux. Pelage de Cèdre était couché près de Cristal d'Eau, la queue posée sur le ventre arrondi de la chatte en un geste protecteur. La guerrière avait depuis peu emménagé dans la pouponnière.

Trille d'Oiseau s'étira en regardant de l'autre côté de la rivière avec nostalgie.

« Ce serait une soirée idéale pour aller réchauffer mes vieux os sur les Rochers du Soleil, déclara-t-elle.

— Tu peux finir, dit Cœur de Chêne, qui roula sur le dos tout en poussant de la patte les restes de son poisson vers Nuage Balafré.

— Je n'ai pas faim », rétorqua celui-ci.

Recroquevillé dans son coin, il observait ses camarades accomplir la cérémonie du Partage. Plume Douce déchiquetait une truite pleine d'arêtes.

« Tu en veux ? demanda-t-elle à Baie de Ronce, qui venait de sortir de sa tanière dans une bouffée de parfum végétal.

— Oui, merci, dit-elle en venant s'installer près de la guerrière. Laisse-moi un instant, que j'enlève les traces de menthe aquatique de mes pattes. »

Elle mordilla sa fourrure, verdie par les remèdes, entre ses griffes.

Nuage Balafré se renfrogna. Étoile de Grêle était installé près d'Écho de Brume, les yeux à demi clos. Ni lui ni Baie de Ronce ne lui avaient reparlé de la vision de la guérisseuse, mais Nuage Balafré devinait sans mal qu'ils le gardaient à l'œil. Il devait se débrouiller pour qu'ils lui fassent confiance. Il devait prouver sa loyauté.

Un chien aboya au loin. C'était un bruit de plus en plus familier. Le chien vivait dans la ferme près de la prairie où, à la saison des feuilles vertes, des Bipèdes venaient vivre dans de petits nids couverts de pelages colorés. L'animal semblait savoir que des chats vivaient presque à portée de ses mâchoires claquantes.

Nuage Balafré remua les moustaches.

« Est-ce que Nuage de Nénuphar et Nuage de Lac sont revenues de l'entraînement ?

— Pas encore, répondit Plume Fauve, qui alla jeter un coup d'œil dans le tunnel de joncs. Vous pensez qu'elles vont bien ? »

Assis à côté de sa tanière, Cœur de Nacre retourna sa carpe d'un coup de museau.

« Elles s'entraînent près de la hêtraie, déclara-t-il.

— Le chien n'ira pas si loin du nid de ses Bipèdes, promit Cœur de Chêne en se levant.

— Ciel Clair et Œil de Chouette sont avec elles, ajouta Pelage d'Écorce, qui partageait son repas avec Reflet d'Argent sous le saule. Elles ne risquent rien.

— Et si nous chassions ce chien ? » suggéra Nuage Balafré en se mettant sur ses pattes.

Étoile de Grêle se redressa, tout ouïe.

« Nous pourrions lui faire peur. » Sa queue s'agitait follement. « Larme de Nuit est rapide ! s'emporta-t-il, l'esprit en ébullition. Comme Plume Douce. Elles pourraient l'attirer jusqu'aux marécages, où nous l'attendrions. Nous lui donnerions une leçon qu'il n'oublierait pas de sitôt. »

Le tunnel secondaire qui menait à la clairière où ils allaient faire leurs besoins frémit et Œil de Scarabée en sortit.

« Tu sauves le Clan à toi tout seul ? marmonna-t-il en passant devant Nuage Balafré.

— Parfaitement. Et toi, qu'as-tu fait pour le Clan ? » Ignorant le grognement de son camarade, il ajouta : « Je crois que ce plan peut fonctionner.

— Moi aussi, l'encouragea Croc Blanc en se levant d'un bond.

— Allons-y, renchérit Étoile de Grêle en écartant son poisson pour se lever.

— Maintenant ? s'affola Pelage de Cèdre, dont la fourrure venait de se dresser sur l'encolure.

— Oui. » Le meneur leva la truffe. « Avant la nuit. Larme de Nuit, es-tu assez rapide pour attirer le chien dans l'embuscade sans te faire prendre ? »

La guerrière acquiesça.

« Moi aussi ! s'écria Plume Douce, prête à partir.

— Bien. Je conduirai l'attaque. Cœur de Nacre, tu couvriras Larme de Nuit et Plume Douce.

— Si le chien s'approche trop d'elles, je lui arrache les yeux ! feula le guerrier.

— Pelage de Cèdre, Croc Blanc, Reflet d'Argent, Œil de Scarabée, Cœur de Chêne, Poil de Loutre,

Fleur de Pluie et Croc de Brochet, vous accompagnerez Nuage Balafré dans ma patrouille.

— Je veux venir aussi ! protesta Plume Fauve.

— Entendu. »

Les guerriers se rassemblèrent devant l'entrée, puis leur chef donna le signal et fila hors du camp.

Le cœur battant, Nuage Balafré courait à toutes pattes entre les roseaux. Étoile de Grêle leur fit contourner le camp avant de reprendre la direction des marais. Ils firent le tour de la hêtraie, qui couronnait une butte dominant les marécages. Là, Ciel Clair lançait des instructions à Nuage de Lac, et Nuage Balafré aperçut juste les oreilles de Nuage de Nénuphar lorsqu'elle jeta un coup d'œil vers eux.

« Où allez-vous ? »

Son appel se perdit tandis qu'ils traversaient la prairie, slalomant entre les touffes d'herbes et les joncs.

« Bravo, ton plan est parfait, le complimenta Cœur de Chêne, venu à son côté.

— J'espère qu'il marchera. »

Étoile de Grêle s'arrêta à quelques longueurs de queue d'une barrière de Bipèdes qui séparait deux prairies. Au-delà, le pelage du chien se détachait sur l'herbe vert clair tandis qu'il courait de-ci de-là en aboyant follement.

Étoile de Grêle se glissa entre Larme de Nuit et Plume Douce.

« Vous êtes certaines d'en être capables ?

— Bien sûr! » s'écria Plume Douce.

Larme de Nuit hocha la tête.

« Je serai derrière vous, promit Cœur de Nacre.

— Nuage Balafré, fit Étoile de Grêle. Tu as réfléchi à l'endroit où tendre l'embuscade ?

— Pourquoi laisses-tu un apprenti dire à des *guerriers* ce qu'ils doivent faire ? rouspéta le lieutenant.

— C'est *son* plan », le tança Étoile de Grêle dans un grondement.

Et s'il fonctionne, je ne resterai pas apprenti très longtemps. Du bout de la queue, Nuage Balafré lui désigna un bosquet de jeunes saules derrière eux.

« Nous pourrions grimper là. Les feuilles nous cacheront.

— Nous cacher dans des *arbres* ? hoqueta Œil de Scarabée. Tu nous prends pour des écureuils ?

— Ce ne sera pas long, insista Nuage Balafré. Et l'écorce des saules est assez tendre pour qu'on puisse y planter les griffes. »

Croc de Brochet se dirigeait déjà vers les arbres. Il escalada sans mal un tronc mince et s'agrippa à une branche. Elle ploya un peu sous son poids mais il tint bon. Le feuillage fourni dissimulait son pelage sombre et tigré.

« Ça marchera ! » lança-t-il.

Plume Fauve et Pelage de Cèdre filèrent le rejoindre.

« Laissez-nous le temps de nous préparer, ordonna Étoile de Grêle aux deux guerrières rapides. Puis attirez le chien vers nous. »

Nuage Balafré gagna le bosquet et se cacha à son tour dans un saule. À travers les feuilles, il apercevait tout juste la clôture. Tandis qu'Étoile de Grêle prenait place dans un arbre voisin, Cœur de Chêne s'avança sur une branche branlante et, d'un bond, rejoignit l'arbre de son frère.

« J'espère que ça va marcher, marmonna-t-il.

— Ça va marcher », affirma Nuage Balafré, ses griffes plantées dans l'écorce.

La gorge nouée, il fixa la clôture en attendant que Larme de Nuit et Plume Douce se lancent.

La première partit tout à coup et se faufila sous la barrière. La fourrure blanche de Plume Douce brilla aussitôt à côté d'elle. Les deux guerrières s'avancèrent en rampant dans le champ. Plus loin, le chien allait et venait toujours. Larme de Nuit s'immobilisa, posa sa queue sur le dos de sa camarade et poussa un cri retentissant.

Nuage Balafré se pencha en avant, prêt à bondir, lorsque le chien s'arrêta pour fixer le bout du champ. Son aboiement faiblit, puis se mua en grognement menaçant.

Courez !

Le molosse fonça vers les chattes. Larme de Nuit fit volte-face et détala, Plume Douce sur ses talons, si vite que leurs pattes touchaient à peine l'herbe. Elles baissèrent la tête pour se glisser sous la clôture et se précipitèrent vers les saules.

Allez !

Les arbres frémirent sous le poids des guerriers qui se préparaient à l'attaque. Le chien se coula sous la clôture à son tour et déboula dans la prairie. Larme de Nuit et Plume Douce couraient devant lui tels des lapins apeurés.

Nuage Balafré aperçut le pelage de son frère qui avançait telle une ombre dans l'herbe haute derrière elles. Un grondement résonna dans la gorge de Reflet d'Argent.

« Chut ! » lui ordonna Étoile de Grêle.

Larme de Nuit et Plume Douce se rapprochèrent du bosquet, leurs pattes martelant le sol.

« À vous de jouer ! » hurla Plume Douce lorsque les deux chattes passèrent sous la patrouille perchée.

« Préparez-vous ! feula Étoile de Grêle à l'approche du chien. À l'attaque ! »

Nuage Balafré se laissa tomber et atterrit sur ses coussinets, le dos cambré, le pelage ébouriffé, les crocs découverts. Ses camarades vinrent se placer à côté de lui, crachant de rage. Le chien déguerpit en s'arrêtant gauchement. Il contempla les félins un instant puis, poussant un cri apeuré, il déguerpit à toute vitesse.

« Il va vers la hêtraie ! » hurla Plume Fauve.

Nuage de Nénuphar !

Laissant ses camarades derrière lui, Nuage Balafré s'élança aussi à la poursuite du molosse. Il fonçait droit vers les hêtres où s'entraînaient les apprenties. Pourquoi n'aboyait-il pas ? Nuage Balafré aurait voulu, par la simple force de son esprit, le forcer à signaler sa présence aux deux novices. Et si elles ne l'entendaient pas arriver ? Il redoubla l'allure, gagnant peu à peu du terrain.

« Nuage de Nénuphar ! cria-t-il en entamant la montée.

— Gare au chien ! »

Le feulement paniqué d'Œil de Chouette résonna au sommet de la butte. Nuage Balafré entendit des bruits de pattes dérapant sur les feuilles, puis des hurlements et des feulements désespérés.

Nuage Balafré arriva enfin au sommet. Nuage de Lac, Œil de Chouette et Ciel Clair avaient réussi à grimper à mi-hauteur des hêtres et regardaient en bas, impuissants. Nuage Balafré vit avec horreur que le chien avait acculé Nuage de Nénuphar contre les racines d'un arbre. Les yeux écarquillés, dressée sur ses pattes arrière, elle battait l'air de ses pattes en feulant de panique.

Nuage Balafré se jeta sur le chien et, une fois sur son dos, planta ses griffes dans sa fourrure. Tandis que le molosse ruait en hurlant, l'apprenti sauta au sol dans un feulement rageur. Le chien fondit sur lui, les yeux fous. Nuage Balafré recula d'un pas, les poils en bataille. *Allez, cervelle de poisson, suis-moi !* Il lui griffa le museau et tourna les talons.

Le chien le prit en chasse en aboyant de rage. Nuage Balafré dévala la pente. Lorsqu'il plongea dans les herbes hautes, il vit Pelage de Cèdre et Croc de Brochet se ruer vers lui. Le sol tremblait sous les pas lourds du chien ; Nuage Balafré entendit un claquement de mâchoires derrière lui et sentit sur ses talons l'haleine chaude de son poursuivant. Plantant ses griffes dans le sol pour se donner plus d'élan, le novice força l'allure. Il ne voyait plus rien, ne pensait plus à rien. Tout à coup, il fut submergé par les odeurs apeurées de ses camarades. Il avait réussi à les rejoindre !

« Continue à courir ! » hurla Étoile de Grêle.

Dès que Nuage Balafré les eut dépassés, la patrouille referma le rang derrière lui et affronta le chien dans une furie de griffes et de crocs. Nuage Balafré s'arrêta, les poumons en feu, pour reprendre haleine. En se tournant, il vit le molosse s'enfuir. Cœur de Chêne prit la tête de la patrouille qui, en lui collant au train, le força à regagner la clôture. Dans un gémissement apeuré, le chien rampa péniblement dessous et disparut en gémissant à l'autre bout du champ.

« Tu m'as sauvé la vie ! »

Nuage Balafré se retourna en entendant le miaulement de Nuage de Nénuphar.

La chatte tigrée au pelage clair trottait vers lui, suivie par Nuage de Lac. Elle s'arrêta devant lui en ronronnant bruyamment.

« J'ai cru que ce chien allait me tuer ! »

Les yeux brillants, elle frotta son museau contre sa mâchoire tordue.

Nuage Balafré était si gêné qu'il eut soudain très chaud aux oreilles.

« Ce... ce n'est rien », bégaya-t-il.

Tout à coup, Cœur de Chêne, Étoile de Grêle et les autres se pressèrent autour de lui.

« Il m'a sauvée ! » répéta Nuage de Nénuphar.

Œil de Chouette, le mentor de l'apprentie, n'en revenait toujours pas.

« Tout s'est passé si vite, expliqua-t-il. Je croyais que Nuage de Nénuphar avait réussi à atteindre un arbre et, ensuite, je l'ai vue en bas... »

Il laissa sa phrase en suspens, abîmé dans ses pensées.

« Je n'ai jamais vu un tel acte de courage, ajouta Ciel Clair. Nuage Balafré lui a carrément sauté sur le dos ! »

Plume Fauve se fraya un passage entre ses camarades et se frotta contre le novice.

« Merci, murmura la mère des deux apprenties. Je serais morte de chagrin si j'avais dû la perdre à nouveau. »

Ému, il baissa les yeux.

« N'importe quel guerrier aurait agi comme moi », insista-t-il en jetant un coup d'œil vers Étoile de Grêle.

Il avait sans doute réussi à impressionner son chef, cette fois-ci, non ?

Bien évidemment, murmura Ombre d'Érable à son oreille. *Regarde ce qui arrive quand tu fais passer ton Clan avant tout le reste.*

« Tu es sûr que tu n'as pas besoin d'un onguent pour tes coussinets ? susurra Cœur de Chêne en imitant le miaulement de Nuage de Nénuphar.

— Ferme-la ! »

Nuage Balafré hérissa son pelage dans l'espoir d'avoir un peu moins chaud. Le soleil de la saison des feuilles nouvelles était brûlant.

« Ils doivent être *horriblement* meurtris après ta course folle pour venir me sauver », poursuivit Cœur de Chêne de la même voix aiguë.

Nuage Balafré avança dans l'eau en silence.

« Nuage de Lac dit que Nuage de Nénuphar compte déplacer son nid près du tien », insista Cœur de Chêne en retrouvant son ton normal.

Nuage Balafré plongea et l'eau fraîche lui emplit les oreilles. Il nagea vaillamment, suivant le creux du lit de la rivière, se servant de sa queue pour s'équilibrer malgré le fort courant. Les yeux ouverts, il vit une grosse truite au fond. Il battit des pattes arrière pour se propulser vers elle et la saisit entre ses mâchoires avant de remonter à la surface. La truite s'agita dans sa gueule. D'un mouvement de la tête, il lui brisa la colonne vertébrale.

« Belle prise », commenta de la rive Cœur de Chêne tout en se nettoyant le museau.

Nuage Balafré se hissa près de lui et laissa tomber le poisson.

« Tu ne pêches pas ?

— Je comptais te laisser la meilleure proie », le taquina son frère.

D'un coup de museau amical, Nuage Balafré le fit tomber sur le côté.

« Ce n'est pas vraiment sérieux, entre Nuage de Nénuphar et toi, pas vrai ? ronronna-t-il.

— Qui t'a dit le contraire ? s'étonna-t-il.

— Tout le Clan ne parle que de ça depuis midi.

— Pff... On dirait un ramassis d'ancêtres. » Il s'ébroua avant de poursuivre : « Nuage de Nénuphar n'est que ma camarade de tanière.

— Rien de plus ?

— Évidemment ! »

Nuage de Nénuphar était gentille. Et elle possédait un petit quelque chose d'unique. Mais parler d'elle l'embarrassait.

« Je l'apprécie en tant qu'amie, voilà tout ! Ce n'est pas interdit, que je sache ?

— Non, sans doute pas », répondit Cœur de Chêne en plongeant à son tour.

Nuage Balafré le regarda disparaître sous l'eau. Il fit grise mine. Même s'il appréciait Nuage de Nénuphar, pourquoi serait-ce réciproque ? Il était si repoussant avec sa mâchoire tordue que les autres le dévisageaient sans cesse. Il poussa un grognement contrarié et replongea dans la rivière. *Peu importe !* Apprendre à devenir un guerrier redoutable comptait infiniment plus que tout le reste.

CHAPITRE 18

« HÉ, VOUS DEUX ! lança Pelage de Cèdre à Nuage Balafré et à Nuage de Nénuphar, qui cheminaient sur la rive ensoleillée. Ralentissez !

— Vous n'êtes pas obligés de nous suivre, rétorqua le novice. Nous savons où nous allons et nous savons pêcher !

— Pourquoi fallait-il qu'on me donne un apprenti matou je-sais-tout ? grommela Pelage de Cèdre suffisamment fort pour que Nuage Balafré l'entende malgré le gazouillis de la rivière.

— Ignore-les », lui conseilla Nuage de Nénuphar en frôlant le novice.

Mais Nuage Balafré en avait assez d'être traité comme un chaton pénible. Il s'entraînait plus dur que les autres et, s'il contredisait parfois Pelage de Cèdre lorsque son mentor lui montrait des attaques, c'était seulement parce que Ombre d'Érable lui avait enseigné une meilleure approche. Et elle, après tout, était un membre du Clan des Étoiles.

« Et pourquoi fallait-il que mon mentor me prenne pour une cervelle de souris ? rétorqua-t-il.

Il pressa le pas.

« On ne peut pas les semer, s'inquiéta Nuage de Nénuphar.

— Et pourquoi pas ?

— C'est bon, miaula-t-elle en jetant un coup d'œil en arrière. Ils se sont assis. Pêchons ici, suggéra-t-elle en entrant dans l'eau.

— Il y a un bassin profond juste derrière le gué, qui grouille de carpes. Elles s'y réfugient pour s'abriter du soleil.

— J'en salive d'avance. »

Ils longèrent la rive côte à côte.

« Tu as entendu la nouvelle ? demanda la novice.

— Quoi donc ?

— Larme de Nuit s'est installée dans la pouponnière.

— Larme de Nuit ? répéta Nuage Balafré, qui faillit trébucher sur une pierre. Mais elle avait donné son accord pour attirer le chien dans l'embuscade !

— Je sais ! Imagine s'il l'avait attrapée... Elle jure qu'elle ne savait pas qu'elle attendait des petits. Baie de Ronce est folle de rage.

— Croc de Brochet aussi, j'imagine.

— Lui, il n'en voudrait jamais à Larme de Nuit, ronronna-t-elle. Il n'arrive toujours pas à croire qu'une chatte comme elle puisse s'intéresser à un vieux matou comme lui, aux dents si proéminentes. » Elle frotta son museau contre la mâchoire de Nuage Balafré. « Tu as déjà été voir les chatons de Cristal d'Eau ? »

La reine au pelage gris et blanc avait mis bas dans la nuit.

« Quoi ? fit-il, perdu dans le parfum de la novice.

— Les chatons de Cristal d'Eau, répéta-t-elle en lui donnant un petit coup de museau amical. Tu les as vus ?

— Non. Est-ce qu'elle les a déjà baptisés ?

— Petite Grenouille et Petite Carpe. Ils sont trop mignons. Elle m'a laissée faire la toilette de l'un d'eux. »

D'un bond, Nuage Balafré franchit une flaque peu profonde parmi les graviers.

« C'est une bonne nouvelle pour nous tous. Le Clan de la Rivière a toujours besoin de nouveaux guerriers.

— Ce ne sont que des chatons !

— Et très vite, ils deviendront des guerriers. Tout comme nous.

— Tu ne penses donc qu'à ça ? » le rabroua-t-elle en levant les yeux au ciel.

Elle le doubla et fila le long de la rive, soulevant sur son passage des gerbes d'eau lorsqu'elle devait contourner des pierres couvertes de mousse ou des bouquets de menthe.

Nuage Balafré s'élança à sa poursuite.

« C'est là, le bassin ? s'enquit-elle en sautant par-dessus la première pierre du gué pour lui montrer un creux dans le lit de la rivière où le courant était plus fort.

— Oui. Fais attention. Le courant risque de t'entraîner vers le fond.

— Je suis une bonne nageuse.

— Je sais. » Il examina les épaules lisses et puissantes de la chatte et ronronna. « Mais si tu te fais attraper, ne lutte pas. Laisse-toi aller. La rivière t'entraînera en aval, où il y a moins de fond. »

Nuage de Nénuphar inspira à fond et plongea. Nuage Balafré regarda l'eau se refermer derrière elle et attendit. Même s'il avait confiance en elle, il ne pouvait s'empêcher de s'inquiéter. L'idée qu'il pourrait arriver quelque chose à la novice lui noua le ventre. Il fut soulagé de voir ses oreilles fendre la surface, puis sa tête tout entière. Elle tenait une carpe dodue dans la gueule.

« Il y en a des quantités ! miaula-t-elle joyeusement. Et elles sont trop stupides pour s'enfuir ! »

L'apprenti plongea à son tour et sentit l'eau l'aspirer vers le bas, droit sur le banc de carpes. Il en attrapa une, remonta, la lança sur la rive et replongea.

« La prochaine est pour moi ! lança Nuage de Nénuphar lorsqu'il reparut avec sa troisième prise.

— On y va ensemble ! » répondit-il.

Elle plongea et descendit vers le fond à ses côtés. Sa fourrure ondoyait autour d'elle. Elle saisit une carpe au bout de ses griffes et lui donna le coup de grâce, puis elle commença à remonter. Nuage Balafré l'observa, impressionné par sa grâce, avant de se rendre compte que ses poumons le brûlaient. Vite, il s'empara d'un poisson et regagna la surface.

Des miaulements moqueurs l'accueillirent lorsqu'il sortit de l'eau. Une patrouille du Clan du Tonnerre paradait au sommet des Rochers du Soleil.

« Quelle est la différence entre un guerrier du Clan de la Rivière et un poisson ? lança l'un d'eux.

— Un poisson, c'est dur à attraper ! » s'esclaffa son camarade.

Un autre guerrier, au pelage blanc épais, se pencha vers eux.

« Profitez de la rivière tant qu'elle vous appartient encore. »

Les yeux de Nuage de Nénuphar lançaient des éclairs et sa fourrure avait doublé de volume.

« Comment osent-ils ? »

Nuage Balafré lança son poisson sur la rive et bondit sur les pierres du gué. Il s'arrêta au milieu de la rivière, crachant de rage.

« Descendez de là et répétez-moi ça, si vous l'osez, sales cervelles de poisson pourri !

— On en serait capables, feula le guerrier blanc. Tu ferais mieux de filer en vitesse avant qu'on arrive !

— Venez, je vous attends ! rétorqua le novice, les griffes sorties. Je vais vous arracher les oreilles !

— L'escalade, c'est trop compliqué pour vous ! renchérit Nuage de Nénuphar, venue le rejoindre sur la pierre. La seule façon pour un guerrier du Clan du Tonnerre de descendre des Rochers du Soleil, c'est en tombant dans l'eau ! Allez-y ! Essayez un peu, pour voir ! Si vous et quelques-uns de vos semblables pouviez vous briser la nuque au passage, je ne dirais pas non ! »

Le miaulement de Cœur de Chêne les fit sursauter tous les deux :

« Nuage Balafré ! Viens ici ! »

Nuage Balafré obéit à contrecœur et regagna la rive.

Les patrouilleurs du Clan du Tonnerre poussèrent des cris amusés :

« C'est ça, retourne à la pouponnière, Petite Trempette ! »

Nuage Balafré gronda.

Cœur de Chêne allait et venait sur la berge d'un pas nerveux.

« Garde ton énergie pour ta prochaine bataille. Étoile de Grêle veut que tout le monde rentre au camp.

— Pourquoi ?

— Viens ! se contenta de répondre son frère en fonçant vers les roseaux.

— Que se passe-t-il ? voulut savoir Nuage de Nénuphar.

— Allons le découvrir ! »

Ils prirent chacun une carpe dans la gueule et détalèrent.

Leurs camarades étaient déjà rassemblés dans la clairière. Cœur de Chêne, haletant, s'assit à côté de Cœur de Nacre. Étoile de Grêle allait et venait au milieu des guerriers, la queue battant l'air.

Nuage Balafré laissa tomber sa proie sur le tas de gibier près de celle de Nuage de Nénuphar. Celle-ci s'était déjà faufilée jusqu'à Nuage de Lac. Le novice alla se placer entre son père et son frère.

« Qu'y a-t-il ?

— Écoute ! » le rabroua Cœur de Nacre.

Étoile de Grêle était en plein discours :

« … j'ai donc décidé que nous profiterions de la nouvelle lune pour aller récupérer les Rochers du Soleil ! »

Enfin ! Cœur de Chêne agita sa queue et Cœur de Nacre griffa le sol. Le Clan tout entier se réjouissait à cette annonce.

« Et si nous perdons de nouveau ? » La question de Reflet d'Argent fut presque engloutie par le brouhaha mais il la répéta plus fort : « Et si nous perdons de nouveau ? »

Les vivats diminuèrent et cessèrent tout à fait.

« Il n'y aura pas de combat, cette fois-ci, annonça Étoile de Grêle avant de lever la tête vers le ciel. Lorsque le croissant de lune ne sera pas plus gros qu'une griffure dans le ciel, nous rétablirons le marquage.

— Et si le Clan du Tonnerre le change aussitôt ? » s'enquit Pelage d'Écorce.

Une vague de murmures parcourut l'assemblée.

« Nous le rétablirons encore et encore jusqu'à ce que le Clan du Tonnerre comprenne le message. Et si l'affrontement devient inévitable... » Le chef du Clan de la Rivière jeta un coup d'œil vers Nuage Balafré. « Nous livrerons bataille et, cette fois-ci, nous vaincrons ! »

Tandis que le Clan poussait de nouvelles acclamations, Nuage Balafré pencha la tête de côté. Pourquoi le meneur l'avait-il regardé ? Ne lui faisait-il donc pas assez confiance pour le laisser se battre ?

« Hier, un apprenti a sauvé la vie de l'une de nos camarades », déclara Étoile de Grêle, ce qui mit fin aux miaulements.

Nuage Balafré se redressa.

— Approche, Nuage Balafré, reprit le chef, les yeux brillants. Cet apprenti n'a pas encore terminé ses six lunes d'entraînement. »

Le cœur battant, le novice s'avança dans la clairière. Baie de Ronce l'observait, la mine sombre. Fleur de

Pluie enroula sa queue autour de ses pattes. Œil de Scarabée souffla quelques mots à l'oreille de Poil de Ragondin.

Étoile de Grêle vint à sa rencontre.

« Mais je ne vois aucune raison d'attendre encore pour organiser son baptême de guerrier. »

Mon baptême !

« Je veux que Nuage Balafré soit dans la patrouille qui rétablira le marquage sur les Rochers du Soleil. » Il s'interrompit un instant avant de reprendre : « Non, je veux que *Gueule Balafrée* y aille ! »

Le Clan tout entier répéta après lui :

« Gueule Balafrée ! Gueule Balafrée ! »

Gueule Balafrée dévisagea son meneur, fou de joie.

« Bravo ! » le félicita Pelage de Cèdre, qui vint poser son museau sur la tête de son ancien apprenti.

Gueule Balafrée perçut une pointe de soulagement dans sa voix.

« Content d'être débarrassé de moi ? plaisanta-t-il à moitié.

— Former un chat qui connaît déjà tout n'est pas de tout repos.

— Désolé, fit le jeune guerrier en regardant ses pattes.

— J'aime à croire que je t'ai quand même appris quelque chose.

— Beaucoup de choses, oui !

— Et je suis sûr qu'il t'en reste encore plein à apprendre », déclara Cœur de Nacre.

Gueule Balafrée se tourna vers son père, qui le contemplait avec fierté. Cœur de Chêne vint se frotter à son frère.

« Nous sommes tous les deux des guerriers, à présent ! Tu veux bien venir dans ma tanière ? Ça ne dérangera pas Croc Blanc, il y a de la place pour un autre nid.

— Félicitations, murmura à son tour Œil de Scarabée. Tu y es *enfin* arrivé.

— Maintenant, Cœur de Chêne ne sera plus ton seul rival », rétorqua Gueule Balafrée en soutenant son regard.

Du coin de l'œil, il repéra une silhouette familière près des roseaux. Ombre d'Érable l'observait, les yeux plissés.

Un museau tout doux lui effleura l'épaule. Nuage de Nénuphar ronronna dans son oreille :

« Dormir près de toi va me manquer.

— Alors dépêche-toi de devenir une guerrière ! » répondit-il en entrelaçant sa queue à la sienne.

Fleur de Pluie n'avait pas bougé. Elle restait assise au fond de la clairière, immobile comme une pierre. Gueule Balafrée releva le menton et s'approcha d'elle. Elle ne bougeait toujours pas. Seul son regard s'était aiguisé.

« Je suis désolé de ne pas réussir à te rendre fière de moi, miaula-t-il. Mais je ne vais pas m'arrêter là. Je ferai tout pour que tu sois un jour contente de m'avoir pour fils. »

Fleur de Pluie le contempla sans répondre. Gueule Balafrée ravala la boule qui lui obstruait la gorge. Il redressa le menton, refusant de cacher sa mâchoire tordue.

« Tu auras beau faire, jamais je n'aurai honte de ce que je suis, ni de mon apparence. »

Il lui tourna le dos et vit que Cœur de Chêne et Nuage de Nénuphar l'étudiaient.

Cœur de Chêne se précipita vers lui et fit courir le bout de sa queue sur le dos de son frère.

« Tu as raison, Gueule Balafrée, miaula-t-il en jetant un regard dur vers leur mère. Si elle est incapable d'être fière de toi, tant pis pour elle.

— Nous avons foi en toi », ajouta Nuage de Nénuphar, les yeux brillants comme deux étoiles.

Gueule Balafrée pressa son museau contre celui de la jeune chatte, le cœur débordant de joie.

CHAPITRE 19

UN HÉRON S'ENVOLA sur la rive opposée en poussant un cri strident. Gueule Balafrée aperçut le ventre blanc de l'échassier lorsqu'il survola les roseaux. Comme le voulait la tradition, il passait sa première nuit à monter la garde et se sentait responsable de la sécurité de ses camarades endormis. Il jeta un coup d'œil vers la Toison Argentée. *Merci de m'avoir aidé à devenir guerrier. Merci de m'aider à veiller sur mon Clan.*

« Gueule Balafrée.

— Qui va là ? » fit-il en tournant la tête.

Une silhouette pâle vint se frotter à lui. Il sentit à peine la fourrure fantomatique contre la sienne.

« Tu m'as déjà oubliée ?

— Ombre d'Érable ! s'étonna-t-il. Que veux-tu ?

— J'attendais que tu viennes t'entraîner, feula-t-elle. Mais puisque tu ne viens pas à moi, je viens à toi.

— Je ne peux pas m'exercer ce soir ! Je veille sur mon Clan !

— Penses-tu donc avoir appris tout ce qu'il était possible d'apprendre ?

— Non ! Je veille ! » Sa fourrure se dressa sur son échine. Il était un guerrier, à présent. Tout comme Ombre d'Érable. Elle devait le respecter. Elle ne pouvait plus lui donner d'ordres comme à un apprenti. « Je ne peux pas te parler. Je viendrai te voir quand je le pourrai. »

Il se retrouva soudain seul.

Quand vint l'aurore, Gueule Balafrée était transi. La tanière des apprentis frémit et Nuage de Nénuphar en sortit. Elle traversa la clairière brumeuse et s'assit près de son ami.

« Tu es gelé », constata-t-elle en pressant contre lui son corps encore tout chaud.

Gueule Balafrée sentit ses yeux se fermer.

« Hé ! fit-elle en le secouant gentiment. Le Clan va se réveiller d'un moment à l'autre. »

Gueule Balafrée sursauta et s'écarta de la novice. La fraîcheur de l'aube l'aiderait à rester éveillé.

« Salut, Gueule Balafrée ! lança Croc Blanc en sortant de son antre, suivi de Cœur de Chêne. Comment s'est passée ta nuit ?

— Elle a été longue ! » Il se leva et secoua tour à tour chacune de ses pattes engourdies. « Et froide !

— Imagine ce que ça doit être pendant la mauvaise saison, plaisanta son frère.

— Comment va notre nouveau guerrier ? s'enquit Étoile de Grêle en émergeant à son tour de son repaire.

— En pleine forme ! lança l'intéressé avant d'étirer ses muscles raides.

— Œil de Chouette ! Ciel Clair ! Vous êtes prêts ? demanda Cœur de Nacre, qui était apparu lui aussi.

— Oh, j'avais oublié ! s'écria Nuage de Nénuphar en tournant joyeusement autour de Gueule Balafrée. Nous partons pour la patrouille de l'aube ! Puis Œil de Chouette va me montrer une nouvelle attaque et ensuite on essaiera de reconstituer une bataille. » Sur ces mots, elle s'élança vers la tanière des apprentis. « Nuage de Lac ! Réveille-toi ! On s'en va !

— Déjà ? » bâilla sa sœur en passant la tête dehors.

Gueule Balafrée les regarda partir avec un léger pincement au cœur avant de se ressaisir. Il n'avait plus besoin de s'entraîner ! Il était un guerrier, à présent. Il jeta un coup d'œil vers la réserve de gibier et constata qu'elle était vide. Il pêcherait donc et, à la fin de la journée, il comptait bien avoir reconstitué le tas de poissons.

« Belle prise, Gueule Balafrée ! » lança Larme de Nuit depuis l'autre bout de la clairière, la bouche pleine.

Sa fourrure brillait dans la lumière du soleil couchant tandis qu'elle mordait de nouveau dans la grosse truite qui scintillait devant elle.

« Je ne sais pas s'il a laissé des poissons pour demain », ronronna Cœur de Nacre, qui partageait un brochet avec Pelage d'Écorce et Croc Blanc.

Gueule Balafrée regarda fièrement le tas de poissons. C'était lui qui les avait presque tous attrapés.

« Maintenant que Gueule Balafrée est un guerrier, nous autres pouvons rejoindre la tanière des anciens, plaisanta Ciel Clair en se roulant sur le dos.

— La pêche à la saison des feuilles nouvelles, c'est rigolo, répliqua Gueule Balafrée en étirant ses muscles endoloris.

— Même sans moi ? lui murmura Nuage de Nénuphar.

— C'est mieux, la taquina-t-il. Tu prends toujours les plus gros ».

Elle le poussa d'un coup de tête.

« Espèce de cœur de serpent ! » s'indigna-t-elle.

Elle lui sauta dessus et ils roulèrent sur le sol couvert de mousse. Du bout des griffes, Nuage de Nénuphar lui chatouilla les côtes.

Ciel Clair descendit la pente vers la réserve. Elle remua les moustaches en apercevant les deux jeunes félins.

« Ils s'y mettent de plus en plus tôt. » Elle fouilla parmi les poissons et en tira une perche dodue. « Moustache Emmêlée ! lança-t-elle en direction de la tanière des anciens. Tu descends ou tu passes ta soirée à t'enlever tes tiques ? » Elle secoua la tête et marmonna : « Il est incapable d'en trouver la moitié, de toute façon.

— Je vais l'aider », annonça Nuage de Nénuphar, qui effleura l'oreille de Gueule Balafrée et s'élança dans la montée.

Gueule Balafrée se redressa en bâillant. Le soleil avait disparu derrière le saule et le camp devenait bleu dans le crépuscule.

« Ton nid est prêt, lui annonça Cœur de Chêne.

— Merci. » Gueule Balafrée était impatient de passer une bonne nuit de sommeil. Il se glissa dans sa tanière. Le cocon de roseaux tressés adossé à l'arbre couché était juste assez grand pour contenir trois nids. Il remercia silencieusement Cœur de Chêne de l'avoir garni de mousse fraîche. Il avait dû y passer la journée. Gueule Balafrée éprouva une bouffée d'affection pour son frère, qui n'avait jamais cessé de croire en lui. Il se roula en boule et ferma les yeux en ronronnant.

« Réveille-toi ! »

Un feulement le tira tout à coup du sommeil.

Gueule Balafrée se leva d'un bond. Il se trouvait dans la forêt sombre. Les yeux d'Ombre d'Érable flamboyaient dans l'obscurité.

« Tu as oublié ton serment ?

— Quoi ? fit-il, encore un peu endormi.

— Ton serment !

— Tu es fâchée parce que je ne suis pas venu m'entraîner hier soir ? s'enquit-il en luttant contre la brume qui enveloppait son esprit.

— Non, espèce de cervelle de souris ! Je t'ai entendu parler à Nuage de Nénuphar. Et je t'ai *vu* ! Vous vous comportez comme si vous étiez destinés à devenir des compagnons jusqu'à la mort. Qu'est-ce que je t'ai demandé ?

— De veiller sur mon Clan ? » hasarda Gueule Balafrée, qui recula d'un pas devant l'haleine pestilentielle d'Ombre d'Érable.

Elle se jeta sur lui et le frappa si violemment à la mâchoire que la douleur le fit chanceler. Il se recroquevilla sur le sol.

« Je t'ai demandé de faire passer ton Clan avant *tout*

le reste ! Cela veut aussi dire avant les sentiments que tu pourrais éprouver pour cette pathétique boule de poils dont tu t'es visiblement épris !

— Tu parles de Nuage de Nénuphar ?

— Tu veux devenir un guerrier redoutable, n'est-ce pas ?

— Bien sûr ! » répondit-il.

La colère de la chatte était presque palpable.

« Alors oublie l'amour, l'amitié et tout ce que *toi*, tu souhaites, sale petit égoïste, et fais passer ton Clan avant tout le reste comme tu l'as promis !

— C'est ce que j'ai fait ! protesta-t-il, furieux à son tour. Ne dis pas le contraire ! »

Il se redressa pour la regarder en face. Ombre d'Érable soutint son regard avec une expression de renarde. Pourquoi se montrait-elle si méchante, tout à coup ? Les membres du Clan des Étoiles étaient censés se montrer magnanimes ! Gueule Balafrée était devenu guerrier. Elle devrait être fière de lui. Dérouté, il lui tourna le dos et s'enfuit.

Filant entre les troncs noirs, il s'enfonça dans les taillis touffus. Des volutes de brume s'enroulaient autour de lui et il ne cessait de trébucher, luttant pour garder l'équilibre, tandis que des arbres surgissaient soudain du brouillard et que les sous-bois semblaient semés d'embûches. Le cœur battant, il ralentit. Il était fatigué. Il voulait dormir. Il voulait retrouver son nid. Il s'arrêta soudain, tête basse, pour reprendre son souffle.

« Tu es revenu. »

Le miaulement rauque le fit sursauter. En plissant

les yeux, Gueule Balafrée distingua une silhouette dans les ombres devant lui. Elle s'approcha d'un pas traînant et il reconnut la fourrure.

« Plume d'Oie ? » s'étonna-t-il.

Le guérisseur du Clan du Tonnerre était de retour. Il devait souvent partager les rêves du Clan des Étoiles.

Plume d'Oie hocha la tête.

« L'apprenti d'Ombre d'Érable… marmonna-t-il en venant le renifler. J'ai entendu des rumeurs sur ton compte.

— De la part de qui ? l'interrogea-t-il en reculant.

— N'oublie pas que je communie avec le Clan des Étoiles.

— C'est pour ça que tu es ici ? »

Des fourmillements lui picotèrent les pattes. Il crut voir le chat remuer les moustaches d'un air amusé.

« J'imagine qu'on peut dire ça comme ça. »

Que voulait-il dire ?

« Et qu'est-ce que le Clan des Étoiles dit de moi ?

— Que tu pourrais devenir un guerrier formidable, répondit le guérisseur en lui tournant doucement autour.

— Vraiment ? fit-il, plein d'espoir.

— Ne fais pas attention à ce vieux fou. »

Il pivota en entendant le miaulement d'Ombre d'Érable. Elle l'avait rattrapé. Elle devait avoir couru vite, pourtant elle semblait aussi flegmatique qu'à l'accoutumée et son souffle était lent et régulier.

Plume d'Oie lança un regard sarcastique à la guerrière.

« Je suis peut-être un vieux fou mais, au moins, mon cœur est pur. » Il passa devant Gueule Balafrée pour aller se planter devant Ombre d'Érable. « Mon cœur à moi n'est pas souillé par l'amertume, ni guidé par la soif de vengeance.

— Qu'est-ce que tu veux dire ? demanda Gueule Balafrée.

— Ombre d'Érable, méfie-toi du sentier que tu as choisi de suivre, poursuivit le guérisseur sans lui prêter attention. Il ne faut pas jouer avec une destinée comme on joue avec une proie. »

Ombre d'Érable contourna brusquement le matou. « Ne l'écoute pas, Gueule Balafrée. À force d'avoir des visions, son esprit est perturbé.

— Au moins, il s'adresse à moi comme à un égal, lui, rétorqua le jeune guerrier en soutenant son regard.

— Tu n'es tout de même pas fâché parce que je t'ai rappelé ton serment, n'est-ce pas ? ronronna-t-elle avant de se presser contre lui pour l'éloigner du guérisseur. Je me suis peut-être montrée un peu dure... je craignais que tu aies oublié ta destinée. Je veux que tu deviennes le meilleur guerrier que le Clan de la Rivière ait jamais connu – que *tous* les Clans aient jamais connu. Nuage de Nénuphar est une jolie et gentille chatte, et je ne suis guère surprise que tu l'aimes bien. Mais les pièges les plus attrayants sont souvent les plus dangereux. Elle te rendra vulnérable et te fera dévier de ton chemin... Tu veux toujours devenir un guerrier formidable, n'est-ce pas ?

— Oui ! s'écria Gueule Balafrée.

— Très bien. » D'un mouvement de la queue, elle le fit s'arrêter. « C'est tout ce que je demande. » Elle continua son chemin seule dans la brume et lança sans se retourner : « Gueule Balafrée, rappelle-toi que, quoi que je fasse, je le fais pour ton bien. »

CHAPITRE 20

UN VENT TIÈDE DÉCLENCHA les murmures des quatre grands chênes au-dessus des Clans. Avec leur feuillage touffu, ils avaient perdu leur air austère de la mauvaise saison. À force de se rendre aux Assemblées, Gueule Balafrée avait appris les noms et les fourrures de la plupart des membres des autres Clans et, grâce à la trêve, il pouvait se glisser parmi eux sans crainte. De plus, le temps clément avait adouci les rancœurs. Il suivit ses camarades jusqu'à la clairière où ils se fondirent dans la masse des félins bavards. Œil de Chouette et Ciel Clair rejoignirent un groupe de guerriers qui comparaient bruyamment les qualités des novices.

« Le Clan du Tonnerre a eu une bonne fournée d'apprentis, cette année », se vantait Croc de Serpent.

Gueule Balafrée vit Baie de Ronce faire signe aux guérisseurs rassemblés sous le Grand Rocher.

« Longues Moustaches ! » s'écria-t-elle en allant saluer en premier l'apprenti de Plume d'Oie.

Poil de Loutre fila droit vers Pomme de Pin, un guerrier du Clan du Tonnerre.

« Est-ce que Patte de Léopard, ta sœur, a mis bas ? » voulut-elle savoir.

Vu le ventre arrondi de la guerrière, Gueule Balafrée se demanda si elle n'aurait pas ses petits avant la reine du Clan du Tonnerre. Elle ne s'était pas encore installée dans la pouponnière, mais il était évident qu'elle attendait des petits. Même lors de la saison des feuilles nouvelles, aucun membre du Clan de la Rivière ne grossissait autant. Il s'arrêta près de Cœur de Chêne et demanda à son frère :

« Pourquoi les chattes repoussent-elles au maximum le moment d'aller dans la pouponnière ? »

Larme de Nuit et Cristal d'Eau avaient attendu toute une lune.

Cœur de Chêne haussa les épaules.

« Pourtant, ça devrait leur plaire, non, de rester couchées toute la journée pendant qu'on leur apporte à manger ? »

Des bruits de pas retentirent derrière eux et Gueule Balafrée reconnut l'odeur de Fleur de Pluie.

« Vous ne vous êtes jamais dit que ça nous plaisait, d'aider le Clan ? Et vous, renonceriez-vous de gaieté de cœur à vos tâches de guerrier ?

— Moi, je suis bien content de ne pas être obligé de dormir dans la pouponnière, miaula Cœur de Chêne. J'ai dû m'enfoncer les pattes dans les oreilles hier. Petite Carpe et Petite Grenouille geignaient à qui mieux mieux.

Fleur de Pluie fit signe à Cœur de Chêne de s'approcher et déclara :

« Est-ce que tu sais qui est Plume Filante ? Il sera

un jour le chef du Clan du Vent. Tu devrais faire sa connaissance. »

Tandis qu'elle entraînait son frère vers le matou, Gueule Balafrée repéra Nuage Bleu. Il ne l'avait pas revue depuis la bataille. Sa truffe le picota lorsqu'il repensa aux blessures qu'elle lui avait infligées. Pas mal pour un membre du Clan du Tonnerre. Il s'approcha d'elle.

« Tu t'es bien battue, miaula-t-il.

— Et je me bats encore mieux depuis que je suis une *guerrière*, rétorqua-t-elle, les oreilles rabattues. Je m'appelle Lune Bleue.

— Moi aussi, j'ai eu mon baptême de guerrier !

— Gueule Balafrée ?

— Comment as-tu deviné ? ronronna-t-il.

— Parce que ta *queue* est intacte. »

Il se sentit un peu coupable de plaisanter avec elle. Elle ne se doutait pas que le Clan de la Rivière comptait récupérer les Rochers du Soleil dès que la lune aurait décru. Il écarta ce sentiment. C'était une rivale, point.

« Que l'Assemblée commence ! » lança Étoile de Sapin, qui se tenait sur le bord du Grand Rocher.

Sa fourrure brillait au clair de lune. Les silhouettes d'Étoile de Grêle, Étoile de Bruyère et Étoile de Cèdre se découpaient derrière lui. Le chef du Clan du Tonnerre recula pendant que les guerriers de tous les Clans se rapprochaient du roc. Étoile de Cèdre prit sa place.

« Depuis le début de la saison des feuilles nouvelles, le gibier et la chaleur reviennent, mais les chats domestiques aussi », annonça le chef du Clan de l'Ombre.

Poil de Loutre réagit :

« Pendant la mauvaise saison, ils se terrent dans leurs nids chauds et oublient que la forêt nous appartient ! »

Comme les Bipèdes, songea Gueule Balafrée. Le champ en aval de la rivière se remplissait déjà de leurs nids colorés.

Le chef du Clan du Tonnerre s'avança à son tour.

« Nous allons nous aussi doubler les patrouilles, déclara Étoile de Sapin. Pour dissuader *tous* les intrus potentiels ! »

Connaissait-il les projets du Clan de la Rivière ? Les camarades de Gueule Balafrée grommelèrent entre leurs dents.

Patte Grise, le lieutenant du Clan de l'Ombre, fut le premier à réagir :

« Aucun guerrier du Clan de l'Ombre n'a pénétré sur votre territoire depuis des lunes ! »

Assis près des autres guérisseurs, Cœur de Faucon lança :

« Le Clan du Vent est resté de son côté des Quatre Chênes !

— Es-tu en train d'accuser le Clan de la Rivière d'avoir franchi votre marquage ? » feula Étoile de Grêle.

Gueule Balafrée agita la queue ; dans moins d'une lune, ce marquage serait redevenu le leur !

« Je n'accuse personne, répondit Étoile de Sapin en haussant les épaules. Mais le Clan du Tonnerre multipliera les patrouilles. Mieux vaut prévenir que guérir ».

Pourquoi Étoile de Sapin semait-il la discorde alors que l'Assemblée était paisible ? Près de lui, Lune Bleue se crispa.

« Pourquoi s'en prendre aux Clans ? s'indigna Gueule Balafrée. Nous évoquions les chats domestiques !

— Les guerriers du Clan du Tonnerre ont toujours été les amis des chats domestiques ! rétorqua Cœur de Chêne.

— Qui insultes-tu comme ça ? feula Croc de Vipère en le foudroyant du regard.

— Vous vivez près de la ville des Bipèdes ! insista le guerrier brun-roux. Vous êtes presque des camarades de tanière !

— Comment oses-tu, haleine de poisson ? se récria Poil de Coquelicot.

— Au nom du Clan des Étoiles, arrêtez ! » ordonna Étoile de Bruyère.

La meneuse leva la tête vers la Toison Argentée, qui scintillait à travers les feuilles. Des traînes de nuages voilaient quelques étoiles.

Les Clans marmonnèrent et finirent par se taire.

« Les chats domestiques atteignent rarement nos frontières, expliqua-t-elle.

— Ils sont trop lents pour chasser le lapin, de toute façon, ajouta Plume Filante.

— Et l'écureuil aussi », enchérit Petite Oreille.

Tous les Clans semblaient d'accord sur ces points, cependant l'atmosphère restait tendue. Gueule Balafrée sentit Lune Bleue se dandiner sur place. *Le Clan du Tonnerre doit se douter de nos plans.*

Il fut soulagé lorsque Étoile de Grêle s'approcha à son tour du bord du Grand Rocher.

« Assez parlé des chats domestiques ! feula-t-il. Le Clan de la Rivière compte un nouveau guerrier. Gueule Balafrée ! »

Le jeune guerrier leva la tête. Il avait oublié qu'il devait être présenté officiellement. Il bomba le poitrail tandis que les Clans répétaient son nom et se joignit au chœur lorsque vint le tour d'accueillir Lune Bleue. Mais les acclamations lui semblaient peu convaincues. L'atmosphère chaleureuse de l'Assemblée s'était évaporée et la réunion s'acheva dans un silence glacial.

Gueule Balafrée rejoignit ses camarades regroupés au pied de la montée et interrogea son frère :

« Tu crois qu'Étoile de Sapin nous a percés à jour?

— Je ne sais pas. Son comportement était étrange. Comment pourrait-il le savoir ?

— Plume d'Oie a peut-être reçu un signe ?

— Étoile de Sapin est un vieux roublard, murmura Cœur de Nacre. Il mijote quelque chose, alors que personne n'a franchi leurs frontières. Il a ses raisons de semer la discorde.

— Et qu'a dit Lune Bleue ? s'enquit Cœur de Chêne.

— Lune Bleue ? répéta Gueule Balafrée, étonné que son frère s'intéresse à elle.

— Je t'ai vu lui parler. Je me demandais si elle avait laissé échapper quoi que ce soit.

— Non, rien du tout.

— Tu n'étais pas mal à l'aise de lui parler, sachant que nous projetons de les attaquer ?

— Ma loyauté va à mon Clan, pas à Lune Bleue.

— Oui, j'imagine... Moi, j'ai un peu pitié d'elle.

— Tu ne dois éprouver *aucune* pitié pour l'ennemi ! » rétorqua-t-il, les poils hérissés, fier de sa réplique.

Pourvu qu'Ombre d'Érable m'écoute.

Lorsqu'ils approchèrent du camp, Gueule Balafrée devina que quelque chose n'allait pas. Alors que, d'habitude, leurs camarades dormaient à leur retour de l'Assemblée, des miaulements inquiets leur parvinrent depuis l'autre côté des roseaux.

Une ombre glissa sur le sentier.

« Avez-vous vu Œil de Scarabée et Poil de Ragondin ? demanda Bourgeon Poudré devant le camp.

— Pourquoi ? Que se passe-t-il ? voulut savoir Étoile de Grêle, qui s'arrêta brutalement au milieu de ses guerriers.

— Ils étaient partis à votre rencontre !

— Nous sommes rentrés par les Gorges. Cœur de Nacre, Œil de Chouette, partez à leur recherche avant qu'ils ne croisent une patrouille du Clan du Tonnerre.

Baie de Ronce pénétra dans le camp.

« Ce sont les chatons ? » s'inquiéta-t-elle.

Gueule Balafrée s'élança derrière elle. Patte de Pierre allait et venait devant la pouponnière. Écho de Brume et Plume Douce étaient blotties près de lui et échangeaient des murmures anxieux.

« Vous êtes rentrés ! se réjouit Écho de Brume en se levant d'un bond.

— Les petits de Larme de Nuit arrivent déjà ? s'étonna la guérisseuse.

— Le travail a commencé juste avant minuit, expliqua Écho de Brume. Cristal d'Eau et Croc de Brochet sont avec elle. C'est trop tôt, n'est-ce pas ?

— Y a-t-il eu des saignements ? l'interrogea-t-elle sans perdre son sang-froid.

— Non.

— Tant mieux, soupira Baie de Ronce en s'approchant de la pouponnière.

— Tu as besoin de remèdes ?

— Seul le Clan des Étoiles peut l'aider, j'en ai bien peur. »

D'un bond, elle entra dans la tanière ronde en roseaux.

« J'espère qu'elle va bien, murmura Nuage de Nénuphar, qui tournait autour de Plume Douce.

— Elle a besoin d'eau, annonça Cristal d'Eau en sortant la tête.

— Je m'en occupe ! »

Nuage de Nénuphar fila jusqu'aux roseaux. Ciel Clair courut l'aider et, ensemble, elles arrachèrent une plaque de mousse imbibée d'eau du bord de la rivière et allèrent la donner à Cristal d'Eau qui attendait à l'entrée de la pouponnière.

« Il me faut du miel ! lança Baie de Ronce.

— OK ! » fit Trille d'Oiseau en s'élançant vers la tanière de la guérisseuse.

Gueule Balafrée et Cœur de Chêne se regardèrent lorsque Nuage de Nénuphar passa devant lui, portant une nouvelle cargaison de mousse.

« Du miel ? répéta le jeune guerrier.

— Pour lui donner des forces. »

Le miaulement de la jeune chatte était si étouffé par la mousse qu'il la comprit à peine. Il se tourna vers son frère avec l'impression d'être impuissant.

« On pourrait commencer à ramasser des têtes de roseaux pour fabriquer un mur d'entraînement pour les petits ? suggéra-t-il.

— Il est un peu tôt pour ça, ronronna Cœur de Chêne.

— Il doit bien y avoir quelque chose qu'on puisse faire !

— Rien dans le code du guerrier ne concerne la mise bas, intervint Pelage d'Écorce. Nous ne pouvons qu'attendre.

— Sauf si tu veux entrer pour proposer ton aide, marmonna Reflet d'Argent.

— Non, merci », fit Gueule Balafrée en frémissant.

Un bruit de cavalcade retentit devant l'entrée du camp, puis Cœur de Nacre apparut dans le tunnel, suivi par Œil de Chouette, Œil de Scarabée et Poil de Ragondin.

« Ils ont fait l'aller-retour d'ici aux Quatre Chênes sans croiser personne.

— Tu devrais développer tes talents de traqueur, Œil de Scarabée, se moqua Gueule Balafrée.

— Retrouver des chats et débusquer une proie sont deux choses différentes renifla l'intéressé. Les chats sont plus intelligents que les proies – enfin, la *plupart*.

— Comment va-t-elle ? » s'enquit Écho de Brume en passant la tête dans la pouponnière.

Un long gémissement lui répondit.

« Ça va aller, lança Baie de Ronce. Et ce miel, où est-il ?

— J'arrive ! »

Trille d'Oiseau traversait la clairière d'un pas raide avec, entre les mâchoires, des rayons dégoulinant de miel.

« Hé, Gueule Balafrée, s'écria Œil de Scarabée. Et si t'allais aider Baie de Ronce à mettre les petits au monde ? Toi qui aimes tant être le centre de l'attention !

— Et pourquoi tu n'irais pas toi-même ?

— Je suis un guerrier, pas un guérisseur.

— Pourquoi est-ce que vous avez l'air si dégoûtés ? les rabroua Nuage de Nénuphar en se glissant entre eux. Tout le monde a des petits, un jour ou l'autre.

— Moi, jamais de la vie ! protesta Poil de Ragondin en la dévisageant.

— Toi, tu veux déjà avoir des petits avec Gueule Balafrée, lança Œil de Scarabée à Nuage de Nénuphar.

— C'est pas vrai ! » s'indigna Gueule Balafrée en repoussant son camarade.

Un couinement leur parvint de la pouponnière.

« Ils sont deux ! annonça Cristal d'Eau en sortant un instant, l'œil brillant. Un mâle et une femelle.

— Allez, viens, Gueule Balafrée ! » fit Nuage de Nénuphar en courant vers l'entrée.

Il la suivit à contrecœur, sentant sur lui le regard moqueur d'Œil de Scarabée. Baie de Ronce apparut dans l'ouverture.

« Est-ce qu'on peut les voir ? supplia Nuage de Nénuphar.

— D'accord, mais pas longtemps. Ne les léchez pas. Ils doivent d'abord s'habituer à leur mère. »

L'apprentie se glissa à l'intérieur.

« Viens, fit Baie de Ronce pour encourager Gueule Balafrée.

— Euh...

— Ah, ces mâles ! soupira-t-elle, les yeux au ciel. Ce n'est pas plus effrayant qu'une bataille, je te le promets. »

Lorsque Gueule Balafrée se coula tant bien que mal dans la pouponnière, il comprit à quel point il avait grandi. Il avait du mal à croire qu'il avait un jour été si petit qu'il y entrait et en sortait d'un bond, sans difficulté. Dedans, l'atmosphère était étouffante. Une drôle d'odeur flottait dans l'air. Dans la pénombre, il voyait à peine le pelage noir de Larme de Nuit, mais les pleurs des chatons minuscules lui vrillaient les oreilles.

« Regardez ! miaula Croc de Brochet, qui contemplait sa progéniture d'un œil brillant.

— Ce sont nos nouveaux camarades de tanière ! fanfaronna Petite Grenouille.

— Oui, nous serons les premiers à jouer avec eux ! » renchérit Petite Carpe.

Nuage de Nénuphar ne quittait pas des yeux le nid de Larme de Nuit. Gueule Balafrée y jeta un coup d'œil nerveux. Deux chatons minuscules se tortillaient contre le ventre de la reine. La première était marron comme son père. L'autre avait le pelage noir de sa mère.

« Voilà Petite Griffe et Petit Ciel », murmura Larme de Nuit.

Petit Ciel leva le museau, les yeux clos, la gueule ouverte, prête à gémir. Elle semblait si petite et vulnérable que Gueule Balafrée eut envie d'enrouler sa queue autour d'elle.

Nuage de Nénuphar se pressa contre lui en ronronnant.

« Bienvenue dans le Clan de la Rivière, les chatons.

— Ils sont plutôt mignons », reconnut le jeune guerrier.

Est-ce que j'aurai des chatons, un jour, moi aussi ? Est-ce que cela fait partie de mon destin ? Non. Il soupira. *Ombre d'Érable me dirait que je fais passer mes désirs avant mon Clan.*

Las, Gueule Balafrée se roula en boule dans son nid. Croc Blanc ronflait déjà. Cœur de Chêne se donnait un dernier coup de langue entre les griffes. Gueule Balafrée posa le museau sur ses pattes et ferma les yeux. Il avait beau tomber de sommeil, il n'arrivait pas à se détendre. Et si Ombre d'Érable l'avait vu fondre devant les petits de Larme de Nuit ? Elle lui arracherait la fourrure. Il l'imaginait tout à fait feulant qu'il était un guerrier, non une reine ; qu'il devait partir chasser pour son Clan, au lieu de rester au chaud dans la pouponnière à rêver du jour où il regarderait avec la même émotion Nuage de Nénuphar allaiter leurs petits.

Il écarta cette idée. *Je recommence à m'égarer ! Le Clan passe avant tout ! Le Clan prime tout !* Mais pourquoi ne pouvait-il rêver d'avoir une compagne et des petits ? Le Clan avait besoin de chatons. Les chatons devenaient des guerriers, et les siens seraient forts et courageux. Pourquoi n'avait-il pas le droit d'apprécier Nuage de Nénuphar ? *J'ai le droit d'être ami avec mes camarades. Plus qu'ami, même, si je le souhaite ! Cela ne peut nuire au Clan !* Un frisson d'indignation secoua son pelage. Comment Ombre d'Érable osait-elle se mêler de ses sentiments ?

« Tout va bien ? s'enquit Cœur de Chêne en le poussant du bout de la patte.

— Oui, grommela Gueule Balafrée sans relever la tête.

— Alors arrête de gigoter… Y en a qui veulent dormir, ici. »

Le guerrier beige tigré sentit la course de ses pensées ralentir, puis il sombra dans le sommeil.

Lorsqu'il rouvrit les yeux, les rayons du soleil s'infiltraient par l'entrée de la tanière. Il n'avait pas vu Ombre d'Érable ! Il s'assit en ronronnant.

« Qu'est-ce qui te met de si bonne humeur ? s'enquit Cœur de Chêne en s'étirant dans son nid. Tu as rêvé de Nuage de Nénuphar ? »

D'un bond, le jeune guerrier sortit de son nid et fouetta du bout de la queue l'oreille de son frère.

« En fait, je n'ai pas fait le moindre rêve. »

Il avait peut-être effrayé Ombre d'Érable en se rebiffant contre elle avant de s'endormir. Comme il était agréable de se réveiller sans égratignures, sans courbatures ! Il ne s'était pas senti aussi reposé depuis des lunes.

Cœur de Nacre était déjà en train d'organiser les patrouilles sous le saule lorsque Gueule Balafrée sortit de sa tanière. D'un signe de tête, le lieutenant l'invita à s'approcher. Le jeune félin traversa la clairière ensoleillée et se fraya un passage entre Pelage d'Écorce et Ciel Clair. Il balaya le camp du regard, à la recherche de Nuage de Nénuphar. En dressant les oreilles, il entendit de doux ronflements venant de la tanière des apprentis. Nuage de Lac et Nuage de Nénuphar étaient sans doute épuisées après l'Assemblée et la mise bas de Larme de Nuit.

« Poil de Loutre s'est installée dans la pouponnière ce matin, annonça Cœur de Nacre. Ce qui signifie que nous comptons un autre combattant de moins. Mais la rivière regorge de poissons et est encore assez profonde pour dissuader les autres Clans de nous attaquer.

— Sauf s'ils ont appris à voler, plaisanta Poil de Ragondin.

— Effectivement, le Clan du Vent a plus de chances d'apprendre à voler qu'à nager, renchérit Bourgeon Poudré. Ils détestent l'eau encore plus que le Clan du Tonnerre.

— Gueule Balafrée, reprit le lieutenant, emmène Cœur de Chêne, Patte de Pierre, Ciel Clair et Poil de Ragondin en amont et vérifie que le Clan du Vent n'est pas venu traîner vers le pont des Bipèdes. Pelage d'Écorce conduira une autre patrouille pour guetter sur les pierres du gué des traces du Clan du Tonnerre. »

Je vais diriger une patrouille !

« Gueule Balafrée ? »

L'appel de son père le tira de ses pensées.

« Tu iras jeter un œil à la clôture, en revenant. Histoire de voir si ce chien empiète toujours sur notre territoire. »

Alors que Gueule Balafrée s'éloignait déjà, Cœur de Nacre le rappela.

« Sois prudent. Si nous n'avons pas réussi à l'effrayer la dernière fois, il risque de vouloir se venger. »

Gueule Balafrée fourra la tête dans sa tanière, où Cœur de Chêne ôtait la mousse sèche de son nid.

« Viens, lui lança-t-il Nous avons une mission. » Il jeta un coup d'œil vers Croc Blanc. Le guerrier dormait toujours profondément. Ses moustaches s'agitaient follement et il émettait de petits bruits comme une poule d'eau. « On le réveille ?

— Pour lui gâcher son rêve ? Non, répondit Cœur de Chêne en suivant son frère dehors. Quelle est la mission ?

— Patrouiller sur le pont. » Patte de Pierre, Poil de Ragondin et Ciel Clair attendaient déjà près de la sortie. « Et le long de la clôture. »

Nuage de Lac attendait elle aussi devant le tunnel.

« Est-ce que Nuage de Lac peut nous accompagner ? s'enquit Ciel Clair.

— Bien sûr. »

Gueule Balafrée hérissa sa fourrure pour se donner de l'importance. Il s'engouffra dans l'ouverture entre les joncs et s'élança à vive allure sur le sentier herbeux. Entendre ses camarades cavaler derrière lui le remplit de joie. Le soleil brillait et une brise tiède soufflait sur la rivière étincelante. Le jeune guerrier dut se retenir de ronronner. Il obliqua soudain afin de contourner le camp jusqu'à la rivière en passant à travers les aulnes. Sur la berge, au-delà du marais, ses pattes s'enfoncèrent dans le sable. Il ralentit l'allure, attendit que sa patrouille se soit rassemblée autour de lui et poursuivit en marchant vers l'amont de la rivière.

Nuage de Lac fit quelques pas dans l'eau.

« Est-ce qu'on peut pêcher ?

— Oui, si tu veux porter tes prises toute la matinée.

— On pourrait manger tout de suite, soupira-t-elle. Juste un petit poisson, ça ne serait pas une violation du code du guerrier, dis ?

— Si, répondit Patte de Pierre d'un ton sec. De plus, nous devons d'abord inspecter le pont. Puis la clôture. »

Nuage de Lac bondit à l'avant du groupe, la queue battant d'un côté puis de l'autre. Au sortir d'un tournant, Gueule Balafrée aperçut le Pont des Bipèdes. Les arbres poussaient sur la rive opposée. Leurs feuilles murmuraient dans la brise. Ils pourraient toujours s'arrêter à leur pied pour pêcher et manger à l'ombre.

« Attendez. » Il fit arrêter sa patrouille et rappela Nuage de Lac. Ils approchaient du sentier qui franchissait le pont. « Est-ce que quelqu'un détecte des Bipèdes ?

— Le vent souffle vers nous, déclara Ciel Clair, la truffe levée.

— Moi, je n'entends rien, marmonna Patte de Pierre.

— Suivez-moi », ordonna Gueule Balafrée en rampant vers le pont.

Il alla renifler le bois chauffé par le soleil et vit à travers les planches le cours d'eau tumultueux. Ses camarades le rejoignirent discrètement, louvoyant à l'affût de la moindre odeur suspecte.

« Reviens ! »

Gueule Balafrée releva la tête en entendant le cri paniqué de Ciel Clair. Nuage de Lac avait déjà traversé le pont et flairait la rive opposée.

« Mais c'est notre territoire ! rétorqua la novice. Jusqu'aux Gorges !

— Je me demande bien pourquoi Plume Fauve ne lui a pas appris à obéir aux ordres !

— Les apprentis ne font jamais ce qu'on leur dit, ronronna Patte de Pierre avant de jeter un coup d'œil vers Gueule Balafrée. Pas vrai ?

— Seules les cervelles de poisson suivent les règles sans réfléchir ! »

Tout à coup, il vit que son frère s'était ramassé sur lui-même et grondait.

« Quoi ? » s'alarma le jeune guerrier tigré beige.

Il suivit le regard de Cœur de Chêne et sentit ses poils se dresser sur son échine. Des taches colorées se déplaçaient entre les arbres. D'abord blanches. Puis rouges. Et vertes et bleues.

« Des Bipèdes ! » s'écria Gueule Balafrée, tétanisé.

Des petits de Bipèdes sautillaient dans les bois sur l'autre rive, à quelques longueurs de queue de Nuage de Lac.

Ciel Clair s'était précipitée vers son apprentie en crachant :

« Cours ! »

Cependant, Nuage de Lac fixait les Bipèdes sans bouger, la fourrure en bataille, les yeux étincelants.

« Mais cours ! » répéta Patte de Pierre.

Les petits de Bipèdes se tournèrent et crièrent sitôt qu'ils aperçurent Nuage de Lac.

« Cours, bon sang ! » feula à son tour Gueule Balafrée, pris de panique.

Comme cette idiote d'apprentie semblait avoir pris racine, il fonça droit vers elle.

« Viens ! » lança-t-il à Ciel Clair lorsqu'il lui passa devant.

Le pont trembla sous eux. L'un des petits tendit une patte vers Nuage de Lac, qui la fixa, pétrifiée par la peur. Gueule Balafrée fila entre les pattes du petit en crachant furieusement. Le Bipède cria et s'écarta d'un bond. Ciel Clair attrapa son apprentie par la peau du cou et la traîna vers le pont jusqu'à ce qu'elle commence à se débattre.

« Cours ! » vociféra Ciel Clair une fois de plus.

La novice, qui était enfin sortie de sa stupeur, traversa le pont à toute allure. Son mentor la suivit aussitôt. Lorsque Gueule Balafrée voulut contourner le Bipède, il sentit avec horreur que l'ennemi refermait ses pattes sur lui. Il se débattit follement et parvint à se libérer en poussant un cri de douleur – le Bipède lui avait arraché une touffe de poils. Il traversa le pont en un instant.

« Venez ! » lança-t-il à sa patrouille lorsqu'il déboula devant eux.

Après avoir jeté un coup d'œil en arrière pour s'assurer que tous le suivaient, il s'élança sur la rive, puis il ralentit pour les laisser passer devant et ferma la marche. Il refusait d'en perdre un seul de vue jusqu'à ce qu'ils soient tous de retour au camp.

Les cris des Bipèdes s'atténuèrent lorsque les félins approchèrent de leur foyer. Gueule Balafrée réduisit l'allure en apercevant les roseaux. Ses poumons le brûlaient. Il finit par s'arrêter tout à fait, tête basse, pour reprendre son souffle. Ciel Clair fit une pause, tout comme Cœur de Chêne et Patte de Pierre. Nuage de Lac continua à courir jusqu'aux roseaux, où elle fonça tête la première. Elle préférait traverser à la nage plutôt que de contourner le camp.

« Ne t'inquiète pas, miaula Ciel Clair. C'est une bonne nageuse. »

Gueule Balafrée hocha la tête, trop épuisé pour parler.

Les poils de Cœur de Chêne étaient toujours dressés et Patte de Pierre cherchait encore à reprendre haleine en allant et venant sur la rive quand Nuage de Lac revint en compagnie d'Étoile de Grêle et de Plume Fauve.

« Nuage de Lac nous a raconté l'incident, lança le meneur, hirsute.

— Merci d'avoir sauvé ma fille, murmura Plume Fauve, qui se frotta à Gueule Balafrée.

— Elle aurait pu éviter de se mettre en danger », marmonna-t-il en les suivant dans la clairière.

Tout le Clan les attendait avec inquiétude. Nuage de Lac avait visiblement prévenu leurs camarades qu'elle avait failli se faire capturer.

« Pourquoi les Bipèdes ne peuvent-ils pas rester sur leur territoire ? protesta Cœur de Truite. Quand j'étais chaton, on en voyait à peine. Maintenant, dès qu'arrive la saisons des feuilles vertes, ils nous empoisonnent la vie.

— C'est comme ça, soupira Étoile de Grêle en secouant la tête. Nous devons nous montrer plus prudents. »

Écho de Brume enroula sa queue autour de Nuage de Lac.

« Nous devrions peut-être réduire notre territoire, pendant que les Bipèdes sont là... suggéra la guerrière.

— Réduire notre territoire ! s'étrangla Croc Blanc, qui s'était enfin réveillé et crachait rageusement. Et pourquoi donc ? On n'a pas peur des Bipèdes ! »

Gueule Balafrée faisait les cent pas le long des roseaux. Sa queue battait l'air furieusement. *Je n'ai peur de rien qui pourrait menacer mon Clan !*

CHAPITRE 21

❧

« Baie de Ronce ! » hurla Patte de Pierre en déboulant devant les roseaux.

Gueule Balafrée sortit de l'eau, la fourrure dégoulinante. Il pencha la tête de côté, alerté par le ton angoissé du guerrier brun.

« Ciel Clair se sent toujours mal ? s'inquiéta la guérisseuse du seuil de sa tanière.

— Oui. Alors qu'elle n'arrête pas de dire qu'elle a soif, elle refuse de boire.

— J'arrive. »

La chatte au pelage blanc tacheté de noir retourna un instant dans son antre. Tout le monde s'inquiétait pour Ciel Clair. Elle s'était installée dans la pouponnière une demi-lune plus tôt car elle portait les petits de Patte de Pierre. Mais la fièvre l'avait prise et elle était malade depuis des jours.

Gueule Balafrée traversa le camp. Ses camarades étaient allongés au soleil, trop hébétés pour bouger. Il était inutile de chasser, par une chaleur pareille. Il faisait trop chaud pour manger et tout ce qu'ils pêcheraient maintenant aurait tourné avant le soir. Même les roseaux ployaient sous le soleil brûlant.

Gueule Balafrée sauta par-dessus Reflet d'Argent, qui dormait profondément, et atterrit à côté de Nuage de Lac. L'apprentie grise s'était pelotonnée à l'ombre de l'arbre mort.

« Où est Nuage de Nénuphar ? lui demanda-t-il.

— Partie s'entraîner avec Œil de Chouette, lui apprit la novice, la voix pleine de remords. Je n'aurais pas dû traverser le pont, l'autre jour. » Elle resserra sa queue autour d'elle. « Alors Ciel Clair n'aurait pas été obligée de venir me sauver.

— Ce n'est pas ça qui l'a rendue malade. Elle savait qu'elle attendait des petits.

— Pourquoi ne me l'avait-elle pas dit ? Je serais revenue aussitôt. »

En es-tu bien certaine ? Gueule Balafrée garda sa remarque pour lui, il n'était guère plus docile lors de son propre apprentissage.

« Quand doit-elle mettre bas ?

— À la nouvelle lune.

— Si tôt ? » C'était dans quelques jours. « Tout ira bien. »

Reflet d'Argent releva la tête pour regarder Nuage de Lac d'un air compatissant.

« Tu t'inquiètes toujours pour Ciel Clair ? demanda-t-il en se mettant lentement sur ses pattes. Croc de Brochet ne peut pas t'entraîner ? » Le guerrier aux longues dents avait été nommé mentor de remplacement. « Cela te changerait les idées. »

Reflet d'Argent jeta un coup d'œil à l'autre bout de

la clairière, où Croc de Brochet et Poil de Ragondin jouaient à la boule de mousse avec Petite Carpe et Petite Grenouille.

« Je pourrais t'enseigner quelques techniques pendant qu'il est occupé.

— Oui, volontiers ! »

Pendant que Reflet d'Argent guidait Nuage de Lac vers un coin ombragé du camp, Baie de Ronce ressortit de sa tanière, un paquet de remèdes dans la gueule. Elle suivit Patte de Pierre jusqu'à la pouponnière.

Gueule Balafrée ferma les yeux. *Guerriers de jadis, faites que Ciel Clair se remette rapidement.* Une boule de poil gris sombre fila entre ses pattes et se pressa contre son ventre.

« Cache-moi ! couina Petite Griffe. Ne leur dis pas que je suis là ! »

Gueule Balafrée se retint de ronronner et resserra ses pattes avant. Petit Ciel dirigeait la battue pour retrouver son frère. Les petits de Poil de Loutre, qui avait moins d'une lune, la suivaient comme si elle était la chef du Clan.

— Je le sens ! lança Petit Affamé, la truffe levée.

— Où ça ? »

Petit Bambou ébouriffa sa longue queue raide. Il dépassa Petit Ciel, la truffe au sol, et fila droit entre les guerriers vers Gueule Balafrée.

« Attention, murmura ce dernier au chaton qui gigotait sous son ventre. Je crois qu'ils t'ont trouvé. »

D'un bond, il s'écarta lorsque la patrouille de chatons se jeta sur lui. Ils sautèrent sur Petite Griffe en poussant des cris de triomphe.

« Trouvé ! Trouvé ! s'écria Petit Affamé.

— À mon tour de me cacher, pépia Petite Crique.

« Que le Clan des Étoiles les bénisse, soupira Trille d'Oiseau, en s'approchant de Gueule Balafrée. Est-ce que Cœur de Nacre est rentré ? »

Le lieutenant avait emmené Œil de Scarabée, Bourgeon Poudré, Pelage de Cèdre et Pelage d'Écorce sur la frontière. Ils étaient partis depuis midi.

« Pas encore. Ils reviendront bientôt, sauf s'ils ont trouvé un coin à l'ombre pour se reposer.

— Je ne sais même pas pourquoi ils prennent la peine de patrouiller, déclara Cœur de Truite en s'asseyant. La frontière est presque inexistante. »

Croc Blanc se mit péniblement sur ses pattes et secoua sa fourrure blanche.

« Étoile de Grêle a-t-il décidé quand nous procéderions au marquage des Rochers du Soleil ? » s'enquit-il.

Il jeta un coup d'œil vers la tanière du chef, cachée dans l'ombre des racines du saule.

Cristal d'Eau, allongée près de la pouponnière avec Larme de Nuit et Poil de Loutre, leva son museau gris et blanc.

« Il fait trop chaud pour parler de bataille. »

Les feuilles du saule frémirent lorsque Cœur de Chêne sauta de la branche la plus basse.

« Il ne fait jamais trop chaud pour parler de bataille, répondit-il en traversant la clairière. Étoile de Grêle a dit que nous attendions la nouvelle lune… qui ne va plus tarder. Hier soir, la lune ressemblait déjà à une fine bande de peau de truite.

— Il n'a jamais parlé de bataille, corrigea Fleur de

Pluie tout en s'étirant. Il veut simplement rétablir l'ancienne frontière.

— Quel que soit le jour, je serai prêt. »

Croc de Brochet jeta un coup d'œil vers son apprentie.

« Bon, Nuage de Lac, on y va? »

Il sauta par-dessus les chatons qui se chamaillaient et fit signe à Nuage de Lac de le rejoindre. « Tu veux qu'on s'entraîne à la pêche ? » lui proposa-t-il tandis qu'ils quittaient le camp.

Gueule Balafrée se pencha pour nettoyer son ventre encore mouillé. Des petits bruits de pas vinrent vers lui.

« À l'attaque ! »

Un déluge de coups de queue, de patte et de truffe s'abattit sur ses côtes. Gueule Balafrée fit exprès de chanceler et se laissa tomber sur le flanc.

« Vous m'avez tué ! » grogna-t-il.

Le tunnel de joncs frémit à l'entrée du camp.

« La patrouille est de retour ! » miaula Petit Ciel.

Quand le jeune guerrier releva la tête, il vit que Cœur de Nacre, Pelage de Cèdre, Œil de Scarabée et Bourgeon Poudré le regardaient d'un air amusé.

« Est-ce que Cristal d'Eau t'a nommé chef de la pouponnière ? » le taquina son père.

Gueule Balafrée se releva d'un bond en grimaçant : Petit Ciel et Petite Grenouille étaient restés cramponnés à sa fourrure comme des crochets de bardane.

« Désolé, Gueule Balafrée, plaisanta Pelage de Cèdre. J'ai oublié de t'apprendre à te défendre contre des chatons !

— Laisse-moi t'aider », miaula Œil de Scarabée.

Avec ses pattes, il façonna une boule de mousse et l'envoya dans la clairière.

Couinant de joie, les petits se lancèrent à sa poursuite, tel un banc de vairons.

« Merci. »

Alors que Gueule Balafrée suivait Cœur de Nacre à l'ombre du saule, les branches de l'antre d'Étoile de Grêle frémirent.

« Ah, vous voilà de retour. » Le chef avança au milieu de la clairière, sa fourrure brillant au soleil. « Que tous ceux qui sont en âge de pêcher se rassemblent devant moi pour entendre mes paroles !

— Petit Affamé ! Petite Crique ! Petit Bambou! héla Poil de Loutre. Écartez-vous du chemin. »

Les chatons se dirigèrent d'un pas traînant vers leur mère.

« C'est aussi valable pour vous deux ! » ajouta Larme de Nuit à l'intention de Petit Ciel et Petite Griffe.

Petite Grenouille et Petite Carpe se cachèrent derrière Œil de Scarabée, mais le guerrier noir les poussa du bout du museau vers la pouponnière.

« Mais on sait pêcher ! protesta Petite Grenouille.

— Vraiment ? »

Œil de Scarabée le saisit par la peau du cou et le tint au-dessus de la rivière.

Cristal d'Eau bondit sur ses pattes.

« Non ! s'écria-t-elle. Repose-le ! Il va se noyer !

— Pas de panique, ronronna le guerrier, qui déposa le chaton terrifié devant sa mère. Je t'apprendrai à nager et à pêcher dès que ta mère jugera que tu es prêt.

— À sa place, je préférerais encore qu'un serpent s'en charge », marmonna Gueule Balafrée à l'oreille de Cœur de Chêne, qu'il avait rejoint.

Son frère ne répondit pas. Il fixait Étoile de Grêle.

« Je parie qu'il va annoncer que nous allons reprendre les Rochers du Soleil.

— Tant mieux.

— Au moins, toi tu sais déjà que tu y vas », miaula Pelage d'Écorce, qui faisait les cent pas près d'eux.

Étoile de Grêle attendit que le Clan prenne place autour de lui et leva le museau.

« Nous rétablirons ce soir la frontière sur les Rochers du Soleil. »

La tension monta aussitôt.

« Qui emmènes-tu ? demanda Reflet d'Argent.

— Cœur de Nacre, Œil de Chouette, Écho de Brume, Pelage d'Écorce, Plume Douce et Reflet d'Argent... » énuméra le chef.

Et ? Le cœur de Gueule Balafrée s'emballa. Étoile de Grêle n'allait tout de même pas revenir sur sa parole ?

« Croc Blanc, reprit le meneur, Gueule Balafrée... »

Le jeune guerrier ravala un ronron de soulagement.

« ... Cœur de Chêne... et Poil de Ragondin. »

Le chef s'assit, la queue enroulée autour des pattes.

« C'est tout ? s'étrangla Œil de Scarabée.

— Il faudra répéter le marquage sur la nouvelle frontière pendant les lunes à venir, lui répondit Étoile de Grêle. Ton tour viendra bientôt de laisser ton odeur.

— Entretenir une vieille frontière, ce n'est pas comme en établir une nouvelle ! protesta le guerrier noir en foudroyant Gueule Balafrée du regard. Pourquoi a-t-il le droit d'y aller alors qu'il y a moins d'une lune qu'il est guerrier ? Il n'a même pas passé d'évaluations ! Comment être certains qu'il sait escalader les rochers ?

— J'ai franchi les Rochers du Soleil alors que je n'étais qu'un apprenti ! feula Gueule Balafrée, qui bondit en avant.

— Tous les guerriers ne peuvent pas participer à toutes les patrouilles », ajouta Cœur de Nacre en s'interposant entre eux.

Œil de Scarabée le contourna pour venir se placer devant Gueule Balafrée. Cœur de Nacre se pencha pour murmurer à l'oreille de son fils :

« Il vaudrait peut-être mieux que tu affrontes la déception d'Œil de Scarabée avec des mots plutôt que tes crocs. »

Gueule Balafrée plissa les yeux. *Tu dois faire passer ton Clan avant tout le reste.* Les paroles d'Ombre d'Érable lui revinrent en tête. Il laissa ses poils hérissés retomber en place.

« J'ai eu de la chance d'être choisi, admit-il. Je suis désolé que tu ne sois pas des nôtres ce soir, Œil de Scarabée. »

Il dut se forcer à prononcer ces mots, pour le bien de son Clan. Fleur de Pluie fulminait sous le saule. Elle non plus n'avait pas été choisie.

« J'aurais aimé avoir le Clan tout entier à mes côtés. » Il se tourna vers Croc de Brochet et Pelage de Cèdre et poursuivit : « Vous m'avez appris tout ce que je sais. » Ses oreilles le brûlaient. Il n'avait pas l'habitude de faire des discours. Mais, s'il voulait devenir chef un jour, il ferait mieux de s'y habituer. Il croisa de nouveau le regard d'Œil de Scarabée. « Et j'ai appris beaucoup en te regardant t'entraîner. Ta bravoure m'a rendu courageux, ton talent a aiguisé mes capacités. » *Enfin, pas autant que celui d'Ombre d'Érable.* Il s'inclina bien bas et conclut : « Lorsque je laisserai ma marque ce soir, ce sera en votre honneur à tous. »

Il releva la tête, espérant avoir réussi à apaiser ses camarades.

« Entendu, miaula Œil de Scarabée, l'œil brillant.

— Tu as raison, Gueule Balafrée, renchérit Cœur de Chêne. Nous formons un Clan et, quand l'un de nous se bat, c'est pour le Clan tout entier.

— Bien dit, fiston », miaula Cœur de Nacre.

Gueule Balafrée bomba le poitrail avec fierté lorsqu'il crut apercevoir une lueur de respect dans les yeux de Fleur de Pluie.

« Nous partons à minuit », annonça Étoile de Grêle.

L'assemblée se dispersa et Gueule Balafrée se dirigea vers la pouponnière. Des frissons d'excitation fourmillaient sous sa fourrure. Ce serait sa première mission de guerrier. Avant de partir, il avait le temps d'aider un peu les reines à occuper leurs petits.

Il lança aux chatons pelotonnés derrière leurs mères :

« Qui veut jouer à saute-grenouille ? »

Un héron s'envola en tourbillonnant et disparut au loin tandis que la patrouille avançait sur la rive. Gueule Balafrée fit halte au bord de l'eau, noire et lisse, où scintillait le reflet des étoiles. Les Rochers du Soleil se dressaient en face, masse noire qui se découpait sur un ciel plus noir encore, aussi intemporelle que les Hautes Pierres.

Étoile de Grêle se glissa dans la rivière, bientôt suivi par ses guerriers. Plus silencieuse qu'un banc de truites, la patrouille traversa le courant en ridant à peine la surface.

Gueule Balafrée atteignit la berge le premier, visa une corniche de pierre sous les Rochers du Soleil. Il s'y hissa sans un bruit puis Cœur de Chêne le rejoignit tandis qu'Étoile de Grêle et Croc Blanc nageaient jusqu'à la bande de sable, à quelques longueurs de queue de là. Poil de Ragondin, Reflet d'Argent et Plume Douce se hissèrent à leur tour sur la corniche, bientôt suivis d'Écho de Brume et d'Œil de Chouette. Cœur de Nacre ferma la marche. Les guerriers aux pelages dégoulinants attendirent Étoile de Grêle.

« Restez ici, souffla-t-il en grimpant sur les rochers. Je vais m'assurer qu'il n'y a pas de patrouille. »

Gueule Balafrée leva la tête vers le ciel étoilé. Il se souvint de la dernière fois qu'il avait posé la patte ici, lors de son combat contre Nuage Bleu et Nuage de Neige. Cette fois-ci, il ne se laisserait pas chasser de son territoire.

La tête d'Étoile de Grêle apparut au sommet.

« La voie est libre », annonça-t-il.

Cœur de Nacre escalada aussitôt la paroi abrupte. Ses camarades s'élancèrent après lui. Gueule Balafrée grimpa sans difficulté et atterrit rapidement sur la pierre lisse, qui scintillait sous le ciel étoilé.

Étoile de Grêle tendit la queue vers les arbres qui s'élevaient de l'autre côté des Rochers du Soleil.

C'était le territoire du Clan du Tonnerre, jusqu'à la moindre brindille.

Gueule Balafrée suivit son chef en laissant l'air frais de la nuit baigner sa langue. *L'odeur du Clan du Tonnerre.* Ses poils se hérissèrent.

Elle est éventée.

« Je veux que le moindre arbre, le moindre buisson soit marqué », ordonna Étoile de Grêle.

Gueule Balafrée traversa la mince bande de pelouse et s'arrêta près d'un roncier. Il le marqua en grondant. *Renifle donc ça, Clan du Tonnerre !* Lorsqu'ils se retrouvèrent au sommet de la falaise, la forêt baignait dans l'odeur du Clan de la Rivière.

« Que quatre guerriers restent ici, annonça Étoile de Grêle. Si une patrouille ennemie arrive, défiez-la. En cas de combat, nous vous entendrons depuis le camp et dépêcherons des renforts.

— Je reste, déclara Pelage d'Écorce.

— Moi aussi », dit Gueule Balafrée en se plaçant à côté de son camarade.

Du bout du museau, Étoile de Grêle l'écarta.

« Non. Je veux que mes guerriers les plus expérimentés prennent le premier tour de garde. Cœur de Nacre, tu resteras avec Pelage d'Écorce, Écho de Brume et Œil de Chouette. »

Gueule Balafrée suivit Cœur de Chêne au pied de la falaise en fulminant. En bas, ils retrouvèrent Croc Blanc.

Les yeux du matou au pelage immaculé brillèrent.

« C'était aussi facile que pêcher des têtards, miaula-t-il.

— Allons avertir le Clan », répondit Étoile de Grêle.

Leurs camarades les attendaient dans la clairière éclairée par la lumière des étoiles. Œil de Scarabée allait et venait près des roseaux. Fleur de Lis leur jeta un coup d'œil impatient de sous le saule. Les reines elles-mêmes avaient quitté la pouponnière pour se poster devant l'entrée, le regard plein d'espoir.

« Vous avez réussi ? s'enquit Cristal d'Eau.

— Les Rochers du Soleil sont de nouveau au Clan de la Rivière ! » clama Étoile de Grêle.

Les vivats des guerriers firent s'envoler des oiseaux nocturnes.

Nuage de Nénuphar se précipita vers Gueule Balafrée.

« Vous avez dû vous battre ? demanda-t-elle.

— Non. On n'a pas vu une patrouille.

— Parce que le Clan du Tonnerre dormait ! s'écria Œil de Scarabée avec mépris.

— En fait, rétorqua Poil de Ragondin, ils n'étaient pas venus depuis plusieurs jours.

— La pierre est trop chaude pour leurs coussinets délicats de chats des forêts », se moqua Bourgeon Poudré.

Gueule Balafrée balaya du regard ses camarades réjouis. Était-il donc le seul à trouver cette victoire trop facile ?

« Je n'arrive pas à croire qu'ils n'aient rien tenté pour garder les Rochers du Soleil, soupira Cœur de Chêne en se hissant sur la pierre la plus haute. Voilà deux jours que nous les avons repris. Bientôt, nous pourrons amener les anciens pour qu'ils profitent de la chaleur. »

Gueule Balafrée suivit son frère au sommet et contempla le vaste affleurement rocheux, blanchi par le soleil de midi.

« Ils guettent peut-être l'occasion de nous surprendre », suggéra-t-il avant de saluer d'un signe de tête la patrouille qu'ils venaient relayer.

Bourgeon Poudré et Pelage de Cèdre lui répondirent en faisant onduler leur queue. Alors qu'Œil de Scarabée s'étirait, Patte de Pierre se précipita vers eux.

« Ciel Clair va bien », lui annonça aussitôt Gueule Balafrée.

Plume Fauve et Croc Blanc arrivèrent au sommet au moment où Œil de Scarabée, Pelage de Cèdre et Bourgeon Poudré en descendaient.

« Patte de Pierre était pressé, haleta Croc Blanc.

— J'espère que la fièvre de Ciel Clair tombera avant sa mise bas », soupira Plume Fauve. Elle se tourna vers Bourgeon Poudré et lança : « Prévenez-nous s'il y a du nouveau !

— Même si ce sont de mauvaises nouvelles ?

— Oui !

— Et vous, appelez-nous si vous avez besoin d'aide », lança à son tour Œil de Scarabée.

Ce serait étonnant, se dit Gueule Balafrée en se détournant pour aller s'étendre sur la pierre chaude. Nulle part leur marquage n'avait été remplacé par celui du Clan du Tonnerre. L'ennemi semblait avoir capitulé sans même combattre.

Cœur de Chêne vint s'asseoir près de lui, le regard rivé à la forêt. Plume Fauve et Croc Blanc allèrent renifler le bord du plateau rocheux. Des nuages blancs voilèrent le soleil, plongeant les rochers dans l'ombre. Gueule Balafrée s'étira d'aise. Cœur de Chêne entreprit de faire sa toilette.

« Je n'arrive pas à croire que ce soit si facile, déclara Croc Blanc, comme s'il aurait préféré se battre.

— Ils déclencheront les hostilités peut-être plus tard », répondit Gueule Balafrée en roulant sur le dos.

En contrebas, les buissons frémirent au pied des arbres.

Gueule Balafrée s'assit, le poil en bataille.

« Vous avez entendu ?

— Le Clan du Tonnerre », déclara Plume Fauve, la truffe en l'air.

La patrouille fut aussitôt en alerte, les poils hérissés sur l'échine, le regard braqué vers les arbres. Gueule Balafrée inspira à fond pour que l'air imprègne sa langue. Oui, il y avait bien des membres du Clan du Tonnerre dans les taillis, mais pas en assez grand nombre pour que cela soit une patrouille d'attaque. Il repéra une odeur familière.

« Lune Bleue, murmura Cœur de Chêne en dévalant les rochers.

— Sois prudent ! lança Plume Fauve.

— Ils n'attaqueront pas, la rassura Gueule Balafrée. Ce n'est qu'une patrouille frontalière. »

Cœur de Chêne scrutait la forêt à travers les branches, les oreilles dressées comme s'il avait repéré une proie. Puis Gueule Balafrée entendit un feulement féroce, suivi du miaulement d'un guerrier du Clan du Tonnerre qui appelait sa camarade :

« Lune Bleue ! »

Cœur de Chêne tourna le dos à la forêt, la fourrure lisse, l'œil brillant.

« Tu as vu quelque chose ? s'enquit Croc Blanc, qui avait dévalé les rocs pour le rejoindre.

— Juste une jeune guerrière du Clan du Tonnerre un peu trop curieuse, répondit Cœur de Chêne en remontant sur les rochers, où il s'assit pour se lécher les pattes.

— Juste une jeune guerrière ? répéta Gueule Balafrée, qui se souvint que son frère lui avait parlé de Lune Bleue après l'Assemblée. C'était Lune Bleue, n'est-ce pas ?

— Oui, et alors ? fit son frère en se passant la patte sur l'oreille.

— Est-ce qu'elle était furieuse que son Clan ait perdu les Rochers du Soleil ?

— J'imagine… je ne lui ai pas demandé. Pourquoi voudrais-je parler à un membre du Clan du Tonnerre ?

— Tu semblais vouloir en apprendre le plus possible sur son compte, après l'Assemblée. »

Cœur de Chêne interrompit sa toilette pour rétorquer :

« Dis donc, ce n'est pas moi qui pense sans cesse à Nuage de Nénuphar ! Tu la suis partout comme un chaton suivrait sa mère.

— C'est pas vrai !

— C'est ça.

— Je ne fais que l'aider à s'entraîner ! expliqua Gueule Balafrée avant de bondir sur son frère.

— Appelle ça comme tu veux ! » se moqua Cœur

de Chêne, qui le saisit par les épaules et le fit rouler sur le dos.

Ils luttèrent joyeusement sur la roche chaude.

« Hé ! fit Plume Fauve en attrapant Gueule Balafrée par la peau du cou. Nous sommes censés protéger notre territoire. Évitons de montrer au Clan du Tonnerre que nos guerriers se battent comme des chatons !

— Désolé, miaula Gueule Balafrée, le poil ébouriffé, en s'approchant de la lisière de la forêt.

Il plissa les yeux pour percer les ombres vertes. Aucun guerrier du Clan du Tonnerre ne poserait la patte sur leur territoire.

Ombre d'Érable avait raison. Rien n'importait plus au monde que de défendre son Clan !

CHAPITRE 22

« BAISSE TA QUEUE ! conseilla Gueule Balafrée à Nuage de Nénuphar en lui collant la queue au sol et en poussant ses pattes avant du bout du museau. Tends les pattes le plus loin possible.

— Oumpf. »

Nuage de Nénuphar eut le souffle coupé lorsqu'elle rentra les côtes pour s'aplatir contre le sol.

« Maintenant, saute !

— Saute ? » répéta la novice, qui s'étala au sol comme une grenouille morte. Elle tourna la tête pour le foudroyer du regard. « Je peux à peine bouger !

— J'essaie de t'aider, c'est tout. »

Le soleil se levait derrière les arbres de la rive opposée. L'évaluation de Nuage de Nénuphar allait commencer d'un instant à l'autre.

« Merci. » Elle se releva tant bien que mal en secouant ses pattes. « Mais je ne suis pas sûre que tu aies l'étoffe d'un mentor.

— Ne dis pas ça ! » Il voulait vraiment l'aider à réussir son évaluation du premier coup. « Je tâchais juste de te faire comprendre qu'il est important de rester au ras du sol quand on traque un oiseau.

— Œil de Chouette ne nous fera pas traquer d'*oiseaux*, rétorqua-t-elle. Je m'entraîne pour devenir une guerrière du Clan de la Rivière, pas du Clan du Tonnerre.

— Quand la rivière gèle, nous sommes obligés de chasser les oiseaux.

— Je n'en ai jamais attrapé ! paniqua-t-elle. Tu ne crois quand même pas qu'il serait capable de nous tester là-dessus ? Œil de Chouette ne m'a enseigné que les techniques de base. Il n'aime pas qu'on chasse des proies de la mauvaise saison quand la rivière regorge de poissons. Il dit que c'est du gâchis. Bon, recommençons. » Elle plaqua sa queue au sol et enfouit le museau dans l'herbe, avant de se redresser en gémissant. « Je n'y arrive pas ! Je vais échouer !

— Mais non ! » la rassura-t-il en tentant de se rappeler les enseignements d'Ombre d'Érable.

En vain. Son mentor de la nuit s'était concentré sur l'entraînement martial. Avait-il attrapé des oiseaux avec Pelage de Cèdre ?

Mais oui !

« Je sais ! fit-il en comprenant soudain ce qui clochait dans la position de sa camarade. Tes pattes avant doivent être ramassées sous tes épaules, pas tendues devant toi. »

La novice se tapit de nouveau en suivant ses conseils.

« Je me sens mieux. »

Elle bondit en avant et son ventre frôla une touffe d'herbes des marais.

« Excellent ! ronronna Gueule Balafrée.

— Nuage de Nénuphar ! appela Nuage de Lac, derrière les roseaux. Œil de Chouette est prêt !

— Oh, par le Clan des Étoiles ! J'espère que je vais réussir.

— Dépêche-toi ! insista sa sœur. Croc de Brochet a commencé mon évaluation !

— Tu vas t'en sortir haut la patte, promit Gueule Balafrée alors que Nuage de Nénuphar était déjà loin. Bonne chance ! »

Tandis qu'elle disparaissait dans les tiges de roseaux, il se dirigea vers la rivière, trop nerveux pour rentrer au camp. Il était encore tôt pour pêcher, mais il pouvait toujours nager. Il aurait moins chaud. Il se glissa dans l'eau et se laissa porter par le courant, sur le dos, pendant qu'il passait devant le camp, puis nagea vers la rive. En se hissant près du gué, il reconnut le miaulement de Trille d'Oiseau. Étoile de Grêle avait décidé que les anciens pouvaient se rendre aux Rochers du Soleil sans risque.

« Comme il est bon de sentir la chaleur de la pierre sur ma fourrure ! se réjouit-elle de sa voix rauque.

— Il n'y a rien de tel pour soulager toutes nos douleurs », renchérit Moustache Emmêlée en ronronnant.

Gueule Balafrée traversa la bande de sable et s'engagea sur un sentier étroit au milieu des arbres chétifs. Le soleil brillait, mais il perçut un changement dans le vent, qui portait le parfum de la bruyère de la lande. La pluie n'allait pas tarder.

Les hautes herbes frémirent devant lui. Gueule

Balafrée s'immobilisa. Une silhouette rampait entre les arbres.

Œil de Chouette !

Gueule Balafrée se tapit au sol en retenant son souffle. Le guerrier au poil brun et blanc devait suivre Nuage de Nénuphar. Où était-elle ? D'un bond, il alla se cacher derrière un tronc d'arbre. Des bruits de pas se rapprochèrent. Le jeune guerrier attendit que son amie apparaisse, le cœur battant. Cependant, il ne vit que Nuage de Lac, qui se dirigeait vers la rivière d'un air très concentré.

Gueule Balafrée la laissa passer sans se montrer puis se hissa dans l'arbre pour mieux voir les environs. Là ! Le pelage clair et tigré de Nuage de Nénuphar disparaissait dans un bouquet de fougères. Les frondes duveteuses semblaient lui caresser la fourrure. Ses yeux fixaient le sol. Elle devait traquer quelque chose.

Un merle !

Elle se rapprochait de sa proie tandis que l'oiseau peinait à tirer un ver de la terre.

Saute ! aurait-il voulu crier. Nuage de Nénuphar prit son temps. Elle se tapit, plaqua sa queue et son ventre au sol, puis replia ses pattes avant sous ses épaules. Gueule Balafrée éprouva une pointe de fierté. *C'est moi qui lui ai appris ça !* Il se crispa lorsque l'oiseau parvint à libérer le ver.

Maintenant !

Nuage de Nénuphar bondit au moment où le merle prenait son envol. D'un geste agile, elle le cloua au sol et regarda autour d'elle avec espoir tandis que sa proie pépiait en battant des ailes.

La tête d'Œil de Chouette émergea d'un buisson.

« Très bien. Relâche-le. »

L'œil brillant, Nuage de Nénuphar le libéra. Le merle s'envola en poussant un cri indigné entre les arbres.

Bravo ! se dit Gueule Balafrée.

« Au nom du Clan des Étoiles, qu'est-ce que tu fabriques ? » demanda quelqu'un au pied de l'arbre.

La honte l'envahit aussitôt. *Ombre d'Érable !* Elle l'avait encore surpris en train d'observer Nuage de Nénuphar. Gueule Balafrée se pencha pour lancer une excuse toute prête quand il se rendit compte que c'était Cœur de Nacre, qui le fixait d'un air ébahi.

« Pourquoi te caches-tu dans un arbre ? voulut savoir son père pendant qu'il descendait le long du tronc la tête la première.

— J'étais juste... euh... en train de regarder si... les évaluations... se passaient bien... bredouilla-t-il.

— Vraiment ? »

Le lieutenant ne paraissait pas convaincu.

« Bon, je voulais voir comment Nuage de Nénuphar s'en sortait.

— Ça ne m'étonne guère, répondit Cœur de Nacre, amusé. Et comment s'en sort-elle ?

— Super bien !

— Tant mieux. » Du bout du museau, Cœur de Nacre l'invita à le suivre. « Et si tu revenais au camp avec moi ? Il ne faudrait pas la déconcentrer alors que tout se passe bien. »

Dans la clairière, Patte de Pierre faisait les cent pas devant la pouponnière. *Quelque chose ne va pas !*

Poil de Loutre trottait derrière le guerrier brun en miaulant :

« Je suis sûre qu'elle ira très bien. Et les petits aussi. »

Gueule Balafrée s'immobilisa et balaya le camp du regard. Écho de Brume était tapie sous le saule, son regard inquiet rivé à la pouponnière. Fleur de Pluie allait et venait le long des roseaux en grondant doucement.

« Qu'est-ce qui se passe ? lui demanda-t-il en lui bloquant la route.

— Ciel Clair est en train de mettre bas, lui apprit sa mère, les yeux clos.

— Pourquoi est-ce qu'on ne peut pas entrer dans la pouponnière ? gémit Petite Carpe.

— On ne peut pas, un point c'est tout ! rétorqua Larme de Nuit, qui aidait Cristal d'Eau à faire monter aux petits la pente menant à la tanière des anciens.

— Mais pourquoi ?

— Allez, mes chéris ! lança Trille d'Oiseau depuis le sommet. Venez explorer nos nids. Tu es déjà entré dans la tanière des anciens, Petit Bambou ?

— Je ne veux pas y aller, rétorqua le chaton en s'arrêtant devant l'entrée. Ça pue, là-dedans.

— Ne sois pas grossier, le rabroua Larme de Nuit en le poussant du bout de la truffe.

— Il fait trop chaud pour rentrer ! protesta Petit Affamé. On ne peut pas s'entraîner à nager dans les roseaux ?

— Plus tard, mon petit, répondit Cristal d'Eau. Pour l'instant, il faut qu'on reste tranquilles. »

Un cri leur parvint de la pouponnière.

« Qu'est-ce que c'est ? s'inquiéta Petite Carpe, le poil hérissé.

— Les petits de Ciel Clair arrivent, lui apprit Larme de Nuit en la poussant à l'intérieur.

— Ça dure depuis longtemps ? demanda Gueule Balafrée à Fleur de Pluie.

— Depuis le lever du soleil. Baie de Ronce s'inquiète. La fièvre a beaucoup affaiblie Ciel Clair.

— Mais c'est une guerrière solide.

— Parfois, cela ne suffit pas », soupira-t-elle en s'éloignant.

Gueule Balafrée rejoignit Poil de Loutre et Patte de Pierre.

« Est-ce que Baie de Ronce a besoin de quelque chose ? D'eau ? De miel ?

— Elle a déjà tout essayé, miaula Poil de Loutre, y compris les feuilles de framboisier. » Voyant que Patte de Pierre continuait ses allers-retours, elle poursuivit à voix basse : « Rien ne fonctionne. »

Une autre plainte, interminable, désespérée, résonna dans la pouponnière.

« Elle est à bout de forces, murmura Poil de Loutre.

— Cœur de Truite occupe les petits en les faisant jouer à chasse-tiques », annonça Trille d'Oiseau en dévalant la pente. Elle tourna le nez vers la pouponnière. « Comment va-t-elle ? »

Poil de Loutre se contenta de secouer la tête. L'ancienne disparut aussitôt à l'intérieur.

Cœur de Chêne sortit soudain de sa tanière en bâillant.

« Ça y est, c'est terminé ? » articula-t-il.

Trille d'Oiseau revint, ses yeux ambrés écarquillés, voilés par le chagrin.

« Trois chatons. » Son miaulement était rauque. « Tous morts.

— Et Ciel Clair ? » s'enquit Patte de Pierre, qui avait accouru vers elle.

Elle le regarda un instant sans rien dire avant de répondre :

« Tu ferais mieux d'entrer. »

Tête basse, le guerrier s'avança d'un pas lent, comme s'il était soudain devenu très vieux. Un instant plus tard, un gémissement déchirant leur parvint.

« Elle aussi, elle est morte ? » demanda Gueule Balafrée à Trille d'Oiseau.

L'ancienne acquiesça. Gueule Balafrée contempla le sol sans savoir que dire, que faire. Puis un petit miaulement s'éleva dans la clairière.

Gueule Balafrée se redressa. *Un chaton ?*

Baie de Ronce émergea des roseaux.

« Il y en avait un quatrième, annonça-t-elle. Elle est faible, mais elle respire. »

Elle rentra aussitôt.

Étoile de Grêle sortit de sa tanière et vint se placer près d'Écho de Brume. Il s'inclina en murmurant :

« Que le Clan des Étoiles soit remercié pour cette vie précieuse.

— Va chercher Larme de Nuit, ordonna Trille d'Oiseau à Gueule Balafrée. Le chaton aura besoin de chaleur et de lait. »

Gueule Balafrée avala la montée en trois bonds.

« Larme de Nuit ! »

La chatte accourut.

« Viens avec moi, poursuivit-il en l'entraînant dans la descente. Un petit a survécu. Il va avoir besoin de ton lait.

— Un seul a survécu ? s'alarma-t-elle en s'immobilisant.

— Dépêche-toi !

— Et Ciel Clair, comment va-t-elle ? »

Gueule Balafrée se figea à son tour.

« Elle est *morte* ?

— Je suis désolé ! s'emporta-t-il. J'aurais dû te prévenir. Je... je... »

Larme de Nuit lui passa devant. Du bout de la queue, elle le fit taire.

« C'est bon, murmura-t-elle. Je comprends. »

Gueule Balafrée la regarda gagner la pouponnière et s'y engouffrer. Un instant plus tard, Patte de Pierre en sortit. Il traversa la clairière d'un pas chancelant. Pelage d'Écorce se hâta de le rejoindre et le soutint jusqu'au pied du saule ombragé. Dévasté par le chagrin, le guerrier brun posa le museau sur ses pattes, le regard perdu dans le lointain. Pelage d'Écorce s'allongea près de lui comme pour le veiller et Reflet d'Argent traversa la clairière pour les rejoindre. Le cœur de Gueule Balafrée se serra.

Les chatons jaillirent de la tanière des anciens et dévalèrent le pente au moment où Nuage de Lac et Nuage de Nénuphar revenaient à toute allure dans la clairière.

« On a réussi ! s'écria Nuage de Nénuphar. Notre évaluation s'est bien passée !

— Nuage de Nénuphar a attrapé un merle ! annonça Nuage de Lac en tournant autour de sa sœur.

— Et Nuage de Lac a pêché la plus grosse truite qu'Œil de Chouette ait jamais vue ! » L'apprentie se précipita vers Gueule Balafrée pour lui lécher la joue. « Merci, merci beaucoup ! J'ai suivi tous tes conseils, tu aurais dû voir ça ! » Elle marqua une pause, la tête penchée de côté. « Qu'y a-t-il ? Que s'est-il passé ?

— Ciel Clair est morte, lui répondit Fleur de Pluie. Et trois de ses petits aussi. »

Gueule Balafrée fut surpris par le ton triste de sa mère.

Il pressa son museau contre celui de son amie.

« Je suis fier de toi, murmura-t-il.

— Que tous ceux qui sont en âge de pêcher se rassemblent devant moi pour entendre mes paroles », lança Étoile de Grêle, sur le seuil de son antre.

Baie de Ronce se tenait près du chef du Clan de la Rivière, le dos droit, la fourrure lisse. Les yeux de Nuage de Nénuphar brillèrent.

« Tu vas recevoir ton nom de guerrière, murmura Gueule Balafrée.

— Jamais je n'aurais imaginé que ça se passerait comme ça », soupira la jeune chatte.

Tandis que le Clan se rassemblait, Patte de Pierre resta sous le saule. Pelage d'Écorce et Reflet d'Argent ne le quittèrent pas.

Les chatons demeurèrent près des roseaux. Leur excitation s'était envolée. Même eux semblaient comprendre qu'un terrible malheur venait d'arriver.

« Ciel Clair est morte, déclara Étoile de Grêle. Ainsi que trois de ses petits. »

Il attendit que les murmures apitoyés s'apaisent pour poursuivre :

« Mais son quatrième chaton a survécu. » Il jeta un coup d'œil vers Patte de Pierre. « Même si elle n'a pas encore reçu de nom, elle sera toujours chérie par le Clan – à travers elle, nous nous souviendrons d'une guerrière digne de rejoindre les rangs du Clan des Étoiles. Nous nous assurerons que la fille de Ciel Clair grandira pour honorer et chérir le souvenir de sa mère. » Il leva le museau, le regard rivé à Plume Fauve. « Le Clan de la Rivière n'oublie jamais les sacrifices de ses reines. Jadis, Plume Fauve a sacrifié ses filles pour que le Clan vive en paix. Nous avons la chance de les avoir récupérées et je considère que c'est une bénédiction du Clan des Étoiles qu'elles soient devenues de jeunes guerrières aussi prometteuses. » Il s'inclina en ajoutant : « Nuage de Nénuphar, Nuage de Lac, approchez. »

Les apprenties s'avancèrent et le meneur poursuivit :

« Nuage de Nénuphar, tu possèdes la vitesse d'un membre du Clan du Vent et le cœur d'une guerrière du Clan de la Rivière. Pour rendre hommage à ta rapidité, je te nomme Brise de Nénuphar ! »

Gueule Balafrée clama son nouveau nom avec ses camarades. Les nuages, qui viraient au noir, voilèrent le soleil tandis que le chef concluait :

« Nuage de Lac, tu possèdes la fougue et le courage de ta mère. À partir de maintenant, tu t'appelleras Lac de Givre.

— Lac de Givre ! Lac de Givre ! »

Au moment où Gueule Balafrée levait le museau pour se joindre au chœur de vivats, une goutte s'écrasa sur sa truffe. Peu après, l'orage éclata et la pluie déferla si fort sur le Clan qu'on eût dit que le Clan des Étoiles lui-même pleurait Ciel Clair et ses petits.

CHAPITRE 23

GUEULE BALAFRÉE SORTIT de son nid en bâillant. L'aube pointait tout juste à l'horizon. La rivière gargouillait derrière les roseaux et des ronflements résonnaient dans les autres tanières. Gueule Balafrée avait remarqué que le Clan dormait davantage depuis la mort de Ciel Clair et de ses chatons. Les guerriers sortaient plus tard de leurs nids, sans guère manifester d'enthousiasme pour leurs tâches quotidiennes.

Il s'immobilisa en entendant soudain un cri :

« Aïe ! Tu me marches sur la queue ! »

À l'autre bout du camp, les joncs s'agitaient. Dans la pâle lumière, Gueule Balafrée plissa les yeux et vit une queue minuscule disparaître entre les frondes vertes. Il traversa la clairière sans faire de bruit, les oreilles dressées.

« De quel côté devons-nous aller ?

— Je ne sais pas ! »

Il reconnut les miaulements stridents de Petite Grenouille et de Petit Ciel.

« Pourquoi ne pas prendre la sortie principale ?

— On pourrait nous voir. »

Gueule Balafrée enfonça la tête dans les joncs et prit Petite Grenouille par la peau du cou avant de le laisser tomber dans la clairière et d'infliger le même traitement à Petit Ciel.

« Hé ! protesta celle-ci.

— Où alliez-vous ? » demanda le guerrier après l'avoir déposée près de son camarade.

Les deux chatons échangèrent un regard. Gueule Balafrée devina qu'ils hésitaient à dire la vérité. Les joncs frémirent derrière lui.

Baie de Ronce.

Elle bâillait.

« Il faut que j'aille cueillir des remèdes, annonça-t-elle d'une voix ensommeillée.

— Tu tombes bien, dit-il. Ces deux-là s'apprêtaient à nous fausser compagnie.

— Quoi ? Des chatons qui essaient de s'éclipser en douce ? On n'a jamais vu ça », répondit-elle en lui faisant un clin d'œil.

Gueule Balafrée se retint de ronronner et tâcha de garder son air sévère devant les petits. De plus, il savait mieux que quiconque les dangers qui guettaient les chatons aventureux de l'autre côté des roseaux.

« Où alliez-vous ? leur demanda-t-il encore.

— Nous voulions voir l'endroit où les petits de Ciel Clair étaient enterrés, marmonna Petite Grenouille.

— Au nom du Clan des Étoiles, pourquoi donc ? s'étonna la guérisseuse.

— Nous voulions vérifier s'ils étaient vraiment morts, expliqua Petit Ciel, mal à l'aise.

— Pourquoi ne le seraient-ils pas ? les interrogea Gueule Balafrée.

— Le Clan des Étoiles ne laisse pas les chatons mourir ! Pas vrai ? dit la petite chatte.

— Poil de Loutre n'a pas voulu que nous les veillions », ajouta Petite Grenouille.

Le jeune guerrier resserra sa queue autour de ses pattes en repensant à cette longue nuit déchirante, moins d'une demi-lune plus tôt, lorsque Patte de Pierre avait chassé ses camarades rassemblés autour du corps de Ciel Clair pour y lover ses trois petits.

« Si, le Clan des Étoiles prend parfois des chatons, leur apprit Baie de Ronce. Et il veille sur eux. » Elle se tapit près des deux boules de poils aux yeux écarquillés. « Ils pourront chasser là-haut. Le Clan des Étoiles possède les rivières les plus claires et les poissons les plus dodus. Et ils seront avec leur mère.

— Trille d'Oiseau prétend que le Clan des Étoiles les a pris pour nous envoyer un signe, déclara Petite Grenouille, la queue dressée.

— Fleur de Pluie et Écho de Brume disent que d'autres malheurs vont survenir, ajouta son frère.

— Croc de Brochet pense que le Clan des Étoiles est fâché contre nous.

— Et Cœur de Truite croit que c'est pour ça que tu n'as pas réussi à sauver les chatons et Ciel Clair. »

La guérisseuse tressaillit, puis répondit posément :

« Ce n'était pas un signe. Il se produit parfois des malheurs. J'ai fait tout ce que j'ai pu, mais Ciel Clair était trop gravement atteinte, et ses petits sont tombés malades aussi.

— Si le Clan des Étoiles était fâché contre nous, pourquoi nous aurait-il laissé Petit Léopard ? »

demanda Gueule Balafrée en se rapprochant de Baie de Ronce.

Patte de Pierre avait baptisé sa fille d'après l'un des anciens Clans, espérant que cela donnerait au chaton minuscule la force nécessaire pour survivre sans sa mère.

« Nos ancêtres souhaitent sans doute que nous veillions sur elle, admit Petit Ciel.

— Précisément, miaula Baie de Ronce. Et pourquoi nous la confieraient-ils s'ils pensaient que nous étions méchants ou que d'autres malheurs nous menaçaient ?

— Est-ce qu'on peut quand même voir où ils sont enterrés ? insista Petite Grenouille.

— Non, rétorqua Gueule Balafrée en les poussant du museau vers la pouponnière. Larme de Nuit et Cristal d'Eau vont s'inquiéter de votre absence.

— Tu parles, Larme de Nuit est trop occupée à allaiter Petit Léopard », ronchonna Petit Ciel.

Du bout de la queue, Baie de Ronce lui caressa le dos.

« Et si vous apportiez de la mousse humide à Larme de Nuit ? suggéra-t-elle. Nourrir Petit Léopard doit lui donner soif. Elle sera très fière de vous si vous aidez la fille de Ciel Clair.

— D'accord ! s'écria Petit Ciel, les yeux brillants, en filant vers les roseaux.

— Ne tombez pas dans l'eau ! » lança Gueule Balafrée tandis que Petite Grenouille se précipitait derrière la chatonne. Il se tourna vers Baie de Ronce. « Tu es certaine que ce n'était pas un signe ?

— Sûre et certaine.

— Comment fais-tu la différence ?

— Je le sens toujours lorsque le Clan des Étoiles m'adresse un message.

— Est-ce que les signes permettent de modifier le cours des choses, ou disent-ils simplement ce qui va se passer ? »

Il savait que sa camarade comprendrait qu'il ne parlait plus seulement des bavardages des chatons.

« Parfois, ils annoncent un événement déjà en train de se produire, répondit-elle en le regardant droit dans les yeux.

— Pour qu'on puisse intervenir ?

— Pour qu'on puisse s'y préparer.

— Et si tu me parlais du signe que tu as reçu pour *moi* ?

— Il n'y a rien à en dire, murmura-t-elle.

— Comment ça ? Tu n'as pas reçu de signe ?

— Tout dépend de toi.

— Qu'est-ce qui dépend de moi ? s'emporta-t-il.

— La voie que tu choisiras. Toi seul peux connaître ton cœur, et cela déterminera le chemin que tu emprunteras : le bon, ou le mauvais.

— Mon cœur est aussi honnête et loyal que celui de n'importe quel guerrier du Clan de la Rivière.

— Tant mieux.

— Laisse-moi te le prouver !

— Comment ?

— Je ne sais pas ! Laisse-moi… t'aider à ramasser des remèdes ! »

Peut-être que s'il passait du temps avec elle, il pourrait la convaincre qu'il servait le bien.

« J'ai déjà demandé son aide à Œil de Scarabée.

— Parfait ! feula-t-il. Dans ce cas, tu ne pourras pas dire que c'est ma faute si je choisis la mauvaise voie ! C'est toi, la guérisseuse ! Tu es censée secourir tes camarades, et non les faire souffrir en gardant pour toi des faits qui les concernent. »

Les oreilles brûlantes, il s'éloigna.

Le jour commençait à se lever derrière le saule. Œil de Scarabée sortit de sa tanière et salua Baie de Ronce dans un bâillement :

« Je suis prêt. » Il sembla se réveiller tout à fait quand Étoile de Grêle sortit de sa tanière. « Tu ne peux pas demander à Brise de Nénuphar de t'aider ? lança le jeune guerrier à la guérisseuse. C'est le travail d'un novice et c'est la dernière à avoir fini son apprentissage.

— Arrête de râler et dépêche-toi », le rabroua-t-elle.

Le guerrier noir soupira en décochant un regard plein de regrets à son chef et la suivit.

« Que tous ceux qui sont en âge de pêcher se rassemblent devant moi pour entendre mes paroles. »

Le meneur du Clan de la Rivière s'avança au centre de la clairière. Gueule Balafrée s'assombrit. Que mijotait-il encore ? Quoi que ce soit, il espérait que cela remonterait le moral du Clan. Les chatons n'étaient pas les seuls à croire que le Clan des Étoiles les punissait.

Peu à peu, les tanières frémirent et tous se réunirent pour écouter le chef.

Cœur de Chêne vint se glisser près de son frère.

« Que se passe-t-il ? bâilla-t-il. L'aube est à peine levée.

— Nous avons pris les Rochers du Soleil, commença Étoile de Grêle. Et le Clan du Tonnerre ne s'est même pas vengé. Aujourd'hui, nous allons leur prendre davantage encore. »

Davantage encore ? Gueule Balafrée regarda son père, assis derrière le meneur, pour essayer de déchiffrer son expression. Mais le lieutenant ne laissait rien transparaître.

« En avons-nous vraiment besoin ? demanda Pelage de Cèdre.

— Nous avons besoin de la rivière, rétorqua Étoile de Grêle. Nous devrions en contrôler les berges autour des Rochers du Soleil. Ce qui inclut toute une bande boisée sur leur rive.

— Tu veux t'emparer d'une zone de forêt ? » répéta Œil de Chouette, abasourdi.

Le meneur hocha la tête.

« À quoi cela nous servirait-il d'avoir des arbres ? lança Cœur de Truite en secouant sa tête grisonnante.

— Cela nous permettrait de pêcher à proximité des Rochers du Soleil sans craindre d'attaque, répliqua Reflet d'Argent à l'ancien.

— Le Clan du Tonnerre ne nous attaquerait jamais dans la rivière, fit remarquer Brise de Nénuphar. Ils ont trop peur de l'eau.

— Et s'ils apprenaient à nager ? » s'inquiéta Poil de Loutre. D'un mouvement de la queue, elle chassa ses petits qui lui tournaient autour. « Cela leur fournirait du gibier en toute saison. Tant qu'ils contrôlent cette section de la rivière, il y a un risque qu'ils apprennent à l'exploiter comme nous.

— Tu parles, il y a plus de chances que le Clan du Tonnerre apprenne à voler ! renifla Cœur de Truite.

— Cette zone n'a jamais appartenu au Clan de la Rivière ! renchérit Trille d'Oiseau.

— Et il sera difficile d'y patrouiller, ajouta Plume Fauve.

— Tu abandonnes déjà ? cracha Pelage d'Écorce.

— Bien sûr que non !

— Cela montrerait au Clan du Tonnerre que nous sommes forts ! miaula Croc Blanc.

— Et ils ne tenteraient pas de reprendre les Rochers du Soleil, gronda Croc de Brochet. Ils seraient trop occupés à conserver ce qui leur resterait de forêt.

— Dans ce cas, c'est décidé, conclut Étoile de Grêle en sortant les griffes.

— Quand attaquerons-nous ? demanda Croc Blanc, le poil dressé sur l'échine.

— Immédiatement ! »

Gueule Balafrée dévisagea son chef avec stupéfaction. Une lueur d'excitation brillait dans le regard de Croc Blanc et de Reflet d'Argent. Pelage d'Écorce, lui, griffait le sol avec impatience. Cependant, Pelage de Cèdre observait la scène d'un air dubitatif, Plume Fauve faisait grise mine et Œil de Chouette se détourna en soupirant.

Pourquoi n'est-il pas satisfait d'avoir repris les Rochers du Soleil ? Gueule Balafrée ne comprenait pas le plan du meneur. Comment pouvaient-ils remporter une victoire sur le territoire du Clan du Tonnerre ? Il avait souvent contemplé les fougères denses et les ronces piquantes qui étouffaient les arbres autour des Rochers du Soleil. Il frémit à l'idée que son épaisse fourrure se retrouve prise dans un enchevêtrement d'épines.

Le miaulement de Cœur de Chêne le tira de ses pensées :

« Est-ce qu'Étoile de Grêle pense qu'une bagarre nous remonterait le moral ?

— J'imagine qu'il est obligé de tenter quelque chose... Même les chatons se sont inquiétés après la mort de Ciel Clair. » Du coin de l'œil, il vit que Poil de Loutre murmurait quelques paroles à ses petits. « Pourtant, l'issue d'un combat est toujours incertaine et nous n'avons pas besoin de causes de chagrin supplémentaires.

— Je veux faire partie de la patrouille d'attaque, annonça Poil de Loutre.

— Hein ? se récria Larme de Nuit. Et tes petits ?

— Tu veux bien veiller sur eux jusqu'à mon retour ?

— B-bien sûr, balbutia sa camarade. Mais si tu...

— Pelage d'Écorce prend bien ce risque, la coupa-t-elle. Pourquoi pas moi ? »

Étoile de Grêle s'avança dans la clairière :

« Je serais fier que tu te battes à mes côtés. » Il passa ses guerriers en revue, l'œil luisant. « Pelage d'Écorce, Reflet d'Argent, Cœur de Nacre, Croc de Brochet et Croc Blanc. Vous nous accompagnerez. »

Pour une fois, Gueule Balafrée fut soulagé de ne pas avoir été choisi.

« Une patrouille impressionnante, déclara-t-il.

— Ils croient à cette bataille, soupira Cœur de Chêne.

— Ils sont bien les seuls », gronda Gueule Balafrée dans sa moustache. Se sentant un peu coupable, il proposa à son chef : « Est-ce que je peux conduire une patrouille frontalière de ce côté-ci de la rivière ? Nous n'avons pas inspecté le pont ni la clôture depuis des jours.

— D'accord, lança Étoile de Grêle, qui se dirigeait déjà vers le tunnel avec ses combattants. Emmène qui tu veux. »

Petit Affamé courait derrière sa mère en gémissant :

« Quand est-ce que tu reviens ?

— Je te l'ai déjà dit, murmura-t-elle doucement après s'être arrêtée. Avant midi.

— C'est promis ?

— Si le Clan des Étoiles le veut », souffla-t-elle en posant son museau sur la tête de son fils.

Petit Affamé la regarda partir avec les autres avant de chuchoter :

« Est-ce que le Clan des Étoiles l'appellera comme il a appelé Ciel Clair ? »

Gueule Balafrée s'apprêtait à le rassurer, mais Larme de Nuit avait déjà bondi vers le chaton et, d'un mouvement de la queue, elle l'entraîna vers la pouponnière.

Gueule Balafrée contourna le Pont des Bipèdes et s'éloigna de la rivière sous un bouquet de saules. Il jeta un coup d'œil derrière lui. Poil de Ragondin, Cœur de Chêne, Bourgeon Poudré, Brise de Nénuphar et Lac de Givre le suivaient à travers les herbes folles.

« Je ne vois pas pourquoi ne nous pourrions pas chasser, grommela Poil de Ragondin.

— Nous sommes là pour patrouiller, pas pour chasser, lui rappela Gueule Balafrée.

— Ce n'est pas parce que tu as suggéré cette patrouille que tu dois te prendre pour le chef du Clan.

— Peut-être, concéda Bourgeon Poudré en donnant un coup de museau dans l'épaule de son frère. Mais cela fait bien de lui le chef de la patrouille.

— Chut ! »

Gueule Balafrée marqua une pause et regarda entre les saules. Le soleil montait dans le ciel et, partout dans la grande clairière, les Bipèdes commençaient à s'agiter dans leurs nids-de-fourrure colorés qui claquaient dans le vent.

« À terre ! » feula Gueule Balafrée lorsqu'un Bipède sortit en toussant de sa tanière et traversa le champ.

Un petit de Bipède gambadait derrière lui, une boule jaune vif dans les pattes. Il la lança et la regarda rouler sur le sol jusqu'à percuter une autre tanière.

« Dépêchons-nous avant qu'ils soient tous réveillés », murmura Cœur de Chêne.

Gueule Balafrée fixa la clôture grise qui bordait le champ derrière les arbres. Il leur faudrait ramper jusqu'aux saules et longer le haut du champ pour atteindre la clôture du chien.

« Venez. »

Il se remit en route, la queue basse. Les rayons du soleil se déversaient entre les feuilles frémissantes et projetaient des flaques de lumière sur le sol. Gueule Balafrée trottait d'un pas léger en gardant un œil sur les nids colorés.

Tout à coup, une ombre apparut entre eux. Gueule Balafrée s'arrêta. L'ombre se montra de nouveau et il reconnut avec stupeur la silhouette familière.

Ombre d'Érable ? Il ne s'était pas entraîné avec elle depuis une lune. Que faisait-elle ici ?

Cœur de Chêne leva la truffe.

« Qu'y a-t-il ?

— Tu vois cette chatte, là-bas ? »

Du bout du museau, Gueule Balafrée lui indiqua l'espace entre deux tanières où la silhouette d'Ombre d'Érable se découpait nettement.

« Quelle chatte ? Tu crois que les Bipèdes promènent leurs chats domestiques ?

— Ce n'est pas une chatte domestique, souffla Gueule Balafrée. Mais une guerrière.

— Où ça ?

— Là. »

Ombre d'Érable soutint son regard puis se glissa derrière un nid coloré lorsque le petit de Bipèdes passa devant lui.

« Je ne vois rien du tout.

— Qu'est-ce qui vous retarde ? feula Poil de Ragondin, à l'arrière.

— Il y a un problème ? » s'inquiéta Brise de Nénuphar en les rejoignant.

Gueule Balafrée secoua la tête.

« Mon imagination me joue des tours », plaisanta-t-il.

Pendant qu'ils se remettaient en route, Ombre d'Érable apparut de nouveau – elle contourna une tanière. *Que fait-elle ?* Gueule Balafrée continua à avancer. Ses camarades comptaient sur lui pour qu'il les éloigne de ces Bipèdes et les ramène sains et saufs au camp.

« Tu ne vois vraiment aucun chat avec ces Bipèdes ? redemanda-t-il à son frère.

— Aucun. Tu devrais aller voir Baie de Ronce pour qu'elle examine tes yeux à notre retour, ronronna Cœur de Chêne. Et je pourrais dire à Œil de Scarabée qu'il a raté deux patrouilles ! Il va cracher de rage ! Dire qu'il cueillait des feuilles de mauves pendant qu'Étoile de Grêle envahissait le territoire du Clan du Tonnerre et que nous, nous traquions un chien *et* un chat invisible !

— Attends ! » le coupa Gueule Balafrée, le cœur serré.

Ombre d'Érable poussait la boule jaune vers eux.

Va-t'en ! paniqua-t-il. *Les Bipèdes vont nous voir !*

Près de lui, son frère fit le gros dos.

« Est-ce que c'est le vent qui pousse cette boule ? s'enquit-il.

— Non. »

Gueule Balafrée jeta un regard implorant à Ombre d'Érable, qui tapa la boule une fois de plus. Elle soutint son regard et ne fit rien pour empêcher la boule de s'arrêter à une longueur de roseau des guerriers.

« Gare au Bipède ! »

Le cri de Brise de Nénuphar le tira de ses pensées. Il vit alors que le petit de Bipèdes courait après la boule.

Lac de Givre se raidit.

« Il fonce droit sur nous.

— Couchez-vous ! ordonna Gueule Balafrée. Et ne

bougez plus ! Il ne nous verra pas dans l'herbe haute. Ce n'est qu'un petit. »

La patrouille, terrorisée, se tapit contre le sol. Gueule Balafrée regarda entre les tiges. L'œil mauvais, Ombre d'Érable poussa la boule encore plus près d'eux. Le petit de Bipède s'élança derrière elle, les pattes tendues, puis il trébucha et tomba tête la première en hurlant.

Un énorme Bipède sortit d'un nid et se précipita vers son petit en criant. Il le prit dans ses pattes et regarda d'abord la boule, puis les saules.

« Que le Clan des Étoiles nous vienne en aide ! » feula Brise de Nénuphar.

Le Bipède poussa une exclamation de surprise.

« Il nous a vus ! gronda Cœur de Chêne.

— Cachez-vous ! »

Gueule Balafrée recula pour s'enfoncer un peu plus dans l'herbe haute avant de se dissimuler derrière un tronc. Il retint son souffle tandis que le Bipède reposait son petit à terre et se dirigeait vers les saules. Le petit tendait la patte droit vers eux ! Poil de Ragondin fila se cacher derrière des fougères. Bourgeon Poudré alla se tapir près de lui. Lac de Givre s'aplatit dans un roncier et Cœur de Chêne se plaqua contre un rocher. Gueule Balafrée scruta les arbres. Où était Brise de Nénuphar ?

Le Bipède se pencha pour passer sous une branche basse. Brise de Nénuphar ! Le cœur serré, Gueule Balafrée la repéra, acculée au pied de la clôture. Le Bipède gronda, tendit une patte rose dépourvue de fourrure et l'attrapa par la peau du cou.

Gueule Balafrée ravala un cri de rage et de peur. Il ne put que regarder, impuissant, le Bipède emporter Brise de Nénuphar jusqu'à son nid coloré. Son petit le suivit en gambadant.

Cœur de Chêne rejoignit Gueule Balafrée en un instant.

« Qu'est-ce qu'on fait ? »

Le guerrier beige ne pouvait détacher son regard de son amie, qui agitait vainement les pattes dans le vide.

« Nous devons la sauver !

— Comment ? s'emporta Poil de Ragondin. Pourquoi nous as-tu amenés ici, espèce de cervelle de poisson ? »

D'un bond, Bourgeon Poudré quitta à son tour sa cachette.

« Que décidons-nous ?

— Nous devons décamper avant qu'ils nous trouvent, nous aussi », cracha Poil de Ragondin.

Gueule Balafrée vit que Lac de Givre fixait sa sœur d'un air désespéré.

« Nous la sauverons, je te le promets, miaula-t-il.

— Mais pas maintenant », répondit Cœur de Chêne.

D'un mouvement de la tête, il désigna les Bipèdes qui se rassemblaient pour admirer leur prise. Certains se tournèrent, la patte tendue vers les saules.

« Rentrons au camp, annonça Gueule Balafrée. Nous organiserons son sauvetage. Nous prendrons le chemin le plus court. Personne ne doit traîner, sous peine de se faire capturer aussi. »

Il quitta le couvert des arbres et traversa la prairie

à toute allure. Les yeux écarquillés, les Bipèdes regardèrent la patrouille s'enfuir.

« Brise de Nénuphar ! lança Gueule Balafrée lorsqu'il passa devant elle. Ne te débats pas ! Reste calme ! Je reviendrai te sauver ! »

Il s'engouffra dans les marais en orientant les oreilles vers l'arrière pour s'assurer que sa patrouille le suivait et fila vers le camp ventre à terre. Il déboula si vite dans le tunnel que des roseaux lui fouettèrent le dos.

« Ils ont capturé Brise de Nénuphar ! »

Ses paroles moururent dans sa gorge. La clairière était envahie de blessés. Poil de Loutre, couchée sur le flanc, haletait, une oreille déchirée, sa fourrure tachée de sang. Ses petits se pressaient contre elle en pleurant de peur pendant que Baie de Ronce appliquait des toiles d'araignée sur ses blessures. Croc Blanc était allongé à côté d'elle, le museau ensanglanté. Quant à Croc de Brochet, il faisait les cent pas en boitant horriblement. Blottis dans un coin, Étoile de Grêle, Cœur de Nacre, Pelage d'Écorce et Reflet d'Argent étaient en plein conciliabule.

Gueule Balafrée écarquilla les yeux.

Ils ont perdu la bataille !

Et Brise de Nénuphar, alors ? Il devait la délivrer.

Que le Clan des Étoiles me vienne en aide !

CHAPITRE 24

BOURGEON POUDRÉ et Lac de Givre s'arrêtèrent net derrière Gueule Balafrée.

« Ils ont été vaincus ! hoqueta la première.

— Qu'est-ce qui s'est passé ? voulut savoir Poil de Ragondin.

— Nous nous en occuperons plus tard ! Des Bipèdes ont capturé Brise de Nénuphar ! » lança Gueule Balafrée en fonçant vers Étoile de Grêle.

Cœur de Nacre leva la tête, la mine sombre. Étoile de Grêle hérissa sa fourrure.

« Où ça ? fit Pelage d'Écorce, qui sortit ses griffes tachées de sang.

— Et quand ? demanda Reflet d'Argent en même temps.

— Dans la prairie aux nids colorés. À l'instant même.

— Est-ce qu'ils l'ont blessée ? s'enquit le meneur.

— Non. Ils l'ont juste emmenée dans leur tanière.

— Est-ce qu'ils semblaient fâchés ? »

Qu'est-ce que ça pouvait bien faire ? Ils l'avaient emprisonnée ! Elle devait être terrifiée.

« La journée a été mauvaise, soupira le meneur. Baie de Ronce, comment va Poil de Loutre ? »

La guérisseuse prit une autre toile sur le tas à côté d'elle et répondit :

« Ses entailles sont superficielles. Elle s'en remettra.

— Les ronces nous ont fait plus de mal que le Clan du Tonnerre », ajouta Pelage d'Écorce.

La fourrure de Reflet d'Argent était trempée de sang.

« Ils savaient ce qu'ils faisaient en nous entraînant plus profondément dans la forêt, déclara-t-il.

— Et Brise de Nénuphar, alors ? insista Gueule Balafrée.

— Apparemment, les Bipèdes ne lui veulent pas de mal, soupira Étoile de Grêle. Elle peut attendre jusqu'à demain. Nous irons la secourir quand nous nous serons reposés.

— Mais ce sera peut-être trop tard ! Et s'ils partaient dans la nuit avec elle ? »

Tu n'en as donc rien à faire ?

Du bout de la queue, Cœur de Nacre caressa le dos de Gueule Balafrée.

« La défaite a été cuisante, aujourd'hui. »

Alors que le jeune guerrier s'écartait de son père, Plume Fauve déboula, paniquée :

« Lac de Givre m'a dit que Brise de Nénuphar s'était fait enlever ! s'écria-t-elle, son regard papillonnant d'un guerrier à l'autre. Nous devons la sauver !

— Nous le ferons demain, répondit Étoile de Grêle avec douceur. Une fois remis de nos blessures.

— Tu l'abandonnes à son triste sort ? s'étrangla la

mère de la captive. Est-ce parce qu'elle est une Clan-mêlée ?

— Cela n'a rien à voir.

— Vraiment ? Tu l'as abandonnée sans remords, la première fois. Es-tu donc prêt à recommencer ?

— C'est *toi* qui l'as abandonnée, la première fois.

— Et tu m'as laissée faire !

— Je l'ai sauvée des griffes du Clan du Vent ! lui rappela-t-il.

— Afin de gagner le respect de ton Clan !

— Je voulais que tes petits grandissent dans leur Clan véritable, la corrigea-t-il, l'œil brillant.

— Étoile de Grêle ira la sauver », intervint Pelage d'Écorce en s'interposant entre la guerrière et leur chef.

Du bout du museau, il la repoussa doucement.

« Je m'occupe d'elle, annonça Gueule Balafrée en entraînant la chatte à l'écart.

— Tu dois la sauver ! lui glissa-t-elle à l'oreille, toute tremblante, le regard fou d'inquiétude. Je ne supporterai pas de la perdre à nouveau !

— Nous ne pouvons pas la laisser là-bas, gémit Lac de Givre en se collant à sa mère. Qui sait ce que les Bipèdes sont capables de lui faire ?

— Je la sauverai, promit-il.

— Tout de suite ? le pressa Lac de Givre.

— À la tombée de la nuit. »

Gueule Balafrée était déjà en train d'échafauder un plan. De jour, il n'arriverait jamais à se cacher des Bipèdes. En revanche, la nuit, ils dormaient tous. Grâce à son odorat, il pourrait facilement retrouver Brise de Nénuphar dans le noir.

« Est-ce que je peux venir ? demanda Lac de Givre.
— Non ! la tança sa mère.
— Reste avec Plume Fauve, ajouta Gueule Balafrée. Je peux me débrouiller seul. »

Pourquoi Ombre d'Érable lui avait-elle joué un si mauvais tour ? Haïssait-elle à ce point Brise de Nénuphar ? Dire qu'elle osait remettre en question sa loyauté envers son Clan !

La journée fut interminable. Lorsque le soleil commença enfin à décliner, le cœur de Gueule Balafrée se mit à battre la chamade. Plume Fauve faisait les cent pas devant les roseaux en marmonnant, bientôt imité par Lac de Givre. Baie de Ronce allait d'un blessé à l'autre tandis que les chatons couraient dans la clairière pour rejouer la bataille.

Œil de Chouette et Pelage de Cèdre avaient renouvelé la réserve de gibier, pourtant Gueule Balafrée n'avait pas faim. L'air chaud l'étouffait. Il aurait tant aimé qu'une brise le rafraîchisse !

Baie de Ronce se leva. L'heure était venue pour elle de retrouver les autres guérisseurs à la Pierre de Lune. Gueule Balafrée la regarda sortir du camp en se demandant comment Plume d'Oie l'accueillerait après l'échauffourée de la matinée.

L'heure était aussi venue pour lui de partir.

« Tu ne manges pas ? lui lança Cœur de Nacre lorsqu'il passa devant le tas de poissons.
— Plus tard, répondit-il en filant vers le tunnel. Je veux d'abord nager un peu, il fait trop chaud. »

Dehors, il s'engagea sur le chemin couvert d'herbe avant de sursauter en entendant un miaulement :

« Je sais où tu vas. »

Baie de Ronce lui barrait la route.

« Comment peux-tu le savoir ? »

Les yeux de la guérisseuse étaient exorbités, comme si quelque chose l'avait effrayée.

« Tout va bien ? s'inquiéta-t-il.

— Tu vas sauver Brise de Nénuphar, poursuivit la chatte blanche, qui lui tournait autour, la queue agitée.

— Il faut bien que quelqu'un le fasse.

— Oui, oui... Et ce quelqu'un, ce doit être toi. Tu dois le faire. Cela fait partie de ta destinée. »

Ma destinée ! Cela expliquait sans doute la présence d'Ombre d'Érable dans le champ.

« Que sais-tu de ma destinée ?

— Ce que j'ai besoin d'en savoir. C'est tout. Tout est lié. » Baie de Ronce s'arrêta pour le dévisager. « Tu vas sauver Brise de Nénuphar ? Telle est la voie que tu choisis ?

— Est-ce la voie que je *devrais* choisir ? »

Son ventre se noua à l'idée qu'il doive laisser Brise de Nénuphar aux pattes des Bipèdes.

« Tu connais ton cœur. » La guérisseuse se remit à lui tourner autour. « J'espère simplement que le Clan des Étoiles a raison.

— À propos de quoi ? »

Avant qu'il ait fini sa phrase, Baie de Ronce disparut dans l'obscurité. La gorge de Gueule Balafrée se noua. *Est-ce que j'ai fait le bon choix ?* Il écarta cette idée. *Bien sûr que oui ! Je ne peux pas abandonner Brise de Nénuphar. C'est ma camarade de Clan.*

Il bondit sur la berge, suivant la trace de Baie de Ronce, et contourna le camp jusqu'aux marais.

Puis il s'éloigna de la rive et longea la prairie et ses nids colorés pour remonter jusqu'au pont. Il s'abrita un instant dessous pour reprendre son souffle. *Je n'ai pas peur*, se dit-il. Il sortit les griffes et jeta un coup d'œil entre les saules. La lumière jaune qui brillait dans les tanières projetait des ombres biscornues et inquiétantes lorsque les Bipèdes bougeaient à l'intérieur.

Des galets crissèrent un peu plus bas sur la plage. Gueule Balafrée se pétrifia. Quelqu'un le suivait. Il se tapit un peu plus loin dans l'ombre. La truffe levée, il ne sentit que l'odeur des Bipèdes. Le ventre collé au sol, il rampa dans l'herbe du pont jusqu'à la rive.

Une ombre se profilait le long du cours d'eau. Gueule Balafrée se ramassa sur lui-même, prêt à bondir.

« Gueule Balafrée ? »

Lac de Givre ?

« Que fais-tu là ? lança-t-il en se redressant.

— La nuit, cet endroit fiche la trouille ! murmura-t-elle, les yeux brillants, en accourant vers lui.

— Je croyais t'avoir dit de rester au camp pour t'occuper de Plume Fauve.

— Écho de Brume est auprès d'elle.

— Avoir perdu Brise de Nénuphar est suffisamment horrible ! Je ne veux pas te perdre, toi aussi !

— Ne t'inquiète pas, ça n'arrivera pas ! Je suis là pour t'aider à la sauver !

— Rentre !

— Non !

— Très bien, capitula-t-il. Reste derrière moi. »

Lac de Givre sauta sur la berge et fila vers les saules.

« Qu'est-ce que je viens de te dire ? feula-t-il en la retenant par la queue. Reste derrière ! Et ne t'éloigne pas. »

Il rebroussa chemin jusqu'au pont, où il se percha sur les rondins sombres pour humer l'air. Les Bipèdes remuaient dans leurs nids colorés.

« Ils ne dorment donc jamais ? s'impatienta Lac de Givre.

— Au moins, ils sont à l'intérieur, murmura-t-il. Essayons de localiser la tanière où ils retiennent Brise de Nénuphar. »

Le cœur battant, Gueule Balafrée traversa le champ. Dans son dos, le pas léger de Lac de Givre froissait à peine l'herbe grasse. Ils s'arrêtèrent auprès du premier nid et en reniflèrent le pourtour. En baissant la tête jusqu'au sol, Gueule Balafrée parvint à jeter un coup d'œil à l'intérieur. Un chaos total y régnait, avec des tas colorés et des Bipèdes accroupis partout. D'innombrables odeurs déroutantes lui imprégnèrent la langue.

« Par ici ! siffla Lac de Givre, depuis la tanière suivante.

— Je t'avais dit de rester à côté de moi ! » pesta-t-il en la rejoignant.

Il reprit aussitôt espoir en reconnaissant l'odeur fraîche de Brise de Nénuphar – une odeur qui trahissait la peur de la jeune guerrière.

Tout à coup, un Bipède remua à l'intérieur – son ombre glissa sur l'herbe et les engloutit. Gueule Balafrée se figea ; Lac de Givre tremblait près de lui. Puis l'ombre disparut quand le Bipède se coucha par terre.

« Nous devons entrer là-dedans, murmura Lac de Givre d'un ton craintif.

— Oui. »

Gueule Balafrée passa la tête sous l'étrange pelage coloré pour examiner les lieux. C'était tout aussi chaotique que dans la précédente, avec des formes colorées plus grandes. *Tant mieux.* Ils pourraient se cacher plus facilement. Il se glissa à l'intérieur et se tapit derrière un tas de trucs de Bipèdes. Lac de Givre se faufila derrière lui. Son souffle était court, ses poils hérissés.

« Je ne les laisserai pas t'attraper », lui promit-il.

Les Bipèdes bavardaient bruyamment, accroupis en cercle. En se dressant sur ses pattes arrière, Gueule Balafrée jeta un coup d'œil vers eux et écarquilla les yeux.

Les Bipèdes agitaient un fil au-dessus d'un petit nid carré marron. Des pattes pâles et tigrées qu'il reconnut aussitôt battaient follement pour l'attraper tandis que les Bipèdes le tiraient toujours hors d'atteinte.

« Je la vois ! murmura-t-il en se laissant retomber. Ils l'ont mise dans une espèce de piège et ils la malmènent.

— Elle va bien ?

— Je crois qu'elle joue le jeu.

— Je ne flaire aucune odeur de sang.

— Ils ne lui ont pas encore fait de mal, répondit-il, soulagé au-delà des mots. Attendons.

— Ici ? »

Gueule Balafrée hocha la tête. Il ne voulait plus

quitter des yeux Brise de Nénuphar. Il se tapit au ras du sol et sa camarade l'imita.

« Ça va aller », la rassura-t-il.

Elle acquiesça en silence, peu convaincue.

Gueule Balafrée finit par avoir des crampes. Apparemment, les Bipèdes ne se lassaient pas de jouer avec Brise de Nénuphar. Gagné par l'impatience, il jetait sans cesse de nouveaux coups d'œil par-dessus le monticule. Soudain, les Bipèdes se mirent à fouiller gauchement parmi les fourrures colorées étalées par terre.

Gueule Balafrée se raidit.

« Attention ! »

Des pattes de Bipèdes venaient de plonger derrière leur cachette. Gueule Balafrée dut repasser sous le pelage tendu qui servait de paroi pour rejoindre le champ, tirant Lac de Givre derrière lui.

« C'était moins une ! »

Ils se roulèrent en boule dans l'herbe. La senteur de terre et de végétaux apaisa les nerfs en pelote du matou. La lumière s'éteignit dans le nid coloré. Après avoir échangé des murmures, les Bipèdes remuèrent encore un peu et finirent par se tenir tranquilles.

« On y retourne ? suggéra Lac de Givre, dont les yeux ronds reflétaient le clair de lune.

— Attendons qu'ils dorment tous. »

De l'autre côté de la rangée de saules, la rivière suivait son cours, abandonnant des galets sur la rive. Une chouette hulula au loin. Une par une, les tanières s'éteignirent et le silence tomba enfin sur la prairie.

« Maintenant. »

Il se glissa de nouveau sous la fourrure tendue. Les oreilles dressées, il guetta le moindre bruit suspect. Allongés sous d'autres pelages au fond de la tanière, les Bipèdes ne bougeaient pas. Gueule Balafrée flairait plus qu'il ne voyait Lac de Givre près de lui lorsqu'il escalada un tas de fourrures pour traverser le gîte. Il distinguait à peine le piège marron, placé devant les pattes arrière des Bipèdes. Des grattements s'en échappaient.

« Elle essaie de s'enfuir. » Il se précipita vers sa camarade enfermée. « Nous sommes là, Brise de Nénuphar. Nous sommes venus te chercher.

— Je n'arrive pas à ouvrir le toit de ce truc », gémit-elle après avoir ronronné de soulagement.

Gueule Balafrée tendit le cou et nota que le haut du piège était bloqué par les côtés repliés sur eux-mêmes. Il tenta de tirer sur l'un d'eux, sans succès.

« Laisse-moi t'aider. »

Lac de Givre glissa ses griffes sous un battant. Ensemble, ils tirèrent de toutes leurs forces, mais l'étrange matière ne cédait pas.

« Pousse ! murmura Gueule Balafrée à Brise de Nénuphar.

— C'est ce que je fais !

— Ensemble ! »

Gueule Balafrée s'arc-bouta, et le piège bascula à la renverse, en plein sur Lac de Givre qui cria de surprise. Les Bipèdes s'assirent en hurlant, tandis que Lac de Givre s'efforçait de se dégager. Gueule Balafrée tourna la tête et vit malgré la pénombre que les Bipèdes agitaient leurs pattes. Ils n'avaient pas encore remarqué la présence des deux intrus, mais cela ne saurait tarder. Pris de panique, il reporta son attention sur le piège et s'aperçut qu'il y avait un jour entre les rabats par lequel sortaient les pattes de Brise de Nénuphar.

« Tire ! » hurla-t-il à Lac de Givre.

Il se moquait bien que les Bipèdes l'entendent – ces derniers se débattaient dans leurs fourrures et tâtonnaient à l'aveuglette dans le noir avec leurs grosses pattes. Lorsque l'un d'eux frôla la queue de Gueule Balafrée, il tira désespérément sur le piège – qui céda enfin. Brise de Nénuphar en jaillit tel un lapin d'une renardière.

Une lumière les aveugla soudain. Gueule Balafrée tituba, ébloui. Les Bipèdes lâchèrent des cris stridents.

« Par là ! » fit Lac de Givre en l'entraînant.

Le guerrier fonça droit dans un tas de fourrures et s'y emmêla les pattes. Il tenta de se libérer, terrorisé. Alors que ses yeux s'habituaient peu à peu à la clarté, il vit des formes floues s'agiter autour de lui. Brise de Nénuphar disparut sous le pelage tendu, suivie de Lac de Givre. Gueule Balafrée s'élança à leur poursuite, au milieu des exclamations des Bipèdes, et se faufila sous la paroi pour rejoindre la prairie.

Brise de Nénuphar l'attendait :

« On l'a échappé belle ! » miaula-t-elle.

Lac de Givre attrapa sa sœur par la peau du cou et marmonna :

« Cours, espèce de cervelle de poisson ! »

Toutes deux prirent leurs pattes à leur cou dans l'herbe baignée de rosée. Gueule Balafrée jeta un coup d'œil en arrière. Partout dans la prairie, des Bipèdes se ruaient hors de leurs tanières en brandissant des lumières et en braillant. Les griffes sorties pour gagner en vitesse, Gueule Balafrée détala à son tour, le sang lui battant aux tempes.

CHAPITRE 25

« PSSIT ! »

Gueule Balafrée s'arrêta net.

La roselière était en vue, pâle sous la lune, et les nids colorés des Bipèdes loin derrière.

« Qu'est-ce qu'il y a ? » lui lança Brise de Nénuphar en s'immobilisant à son tour.

La truffe levée, Gueule Balafrée tourna la tête de tous côtés.

« Pssit ! »

Quelqu'un l'appelait de la rive. Plissant les yeux, Gueule Balafrée distingua un pelage roux et blanc.

« Continue sans moi ! ordonna-t-il à Brise de Nénuphar. Je veux vérifier quelque chose. »

Lac de Givre avait fait demi-tour pour rejoindre sa sœur.

« Pourquoi vous traînez ? s'enquit-elle.

— Gueule Balafrée a vu quelque chose, répondit Brise de Nénuphar en regardant le guerrier d'un drôle d'air.

— Rien de grave, les rassura-t-il. Rentrez au camp. Plume Fauve doit vous attendre.

— Tu es sûr de ne pas avoir besoin d'aide ? insista Lac de Givre.

— Ramène Brise de Nénuphar, s'impatienta-t-il. La journée a été suffisamment éprouvante pour elle. »

Lac de Givre hocha la tête et entraîna sa sœur sur le sentier.

« Qu'est-ce que tu veux, Ombre d'Érable ? s'écria Gueule Balafrée d'un ton courroucé en se dirigeant vers les joncs où elle se cachait. Tu ne crois pas que tu nous as causé assez d'ennuis comme ça ? »

La chatte se jeta sur lui en crachant. Désarçonné, le guerrier roula sur le dos et la repoussa en la frappant de ses pattes arrière. Il se releva tant bien que mal et se tourna vers elle, les crocs découverts.

« Espèce de cervelle de souris, feula-t-elle.

— Quoi ? Tu nous as trahis et tu te permets d'être en colère ?

— Je t'ai mis à l'épreuve, idiot ! Je savais que tu étais trop faible pour respecter ton serment ! Quand ta compagne s'est fait prendre, tu aurais dû la laisser où elle était !

— Ce n'est pas ma compagne !

— Elle le deviendra, rétorqua-t-elle en lui tournant autour. Je le vois à la façon dont tu la dévores des yeux.

— Et alors ? gronda-t-il.

— Et alors ? répéta-t-elle d'un ton moqueur. Si elle n'est pas capable de se protéger, elle ne t'est d'aucune utilité ! Ta loyauté, tu la dois à ton Clan, pas à elle ! Des camarades sont rentrés blessés de leur combat, et toi tu files en douce, tu risques ta peau pour sauver une guerrière qui n'est même pas fichue de semer un Bipède ! Elle devrait avoir honte d'être un tel fardeau ! Et toi, tu devrais avoir honte de t'être embarqué dans une mission aussi stupide. Étoile de Grêle t'a-t-il seulement donné son autorisation ? » Elle n'attendit pas sa réponse. « Non ! Il t'a dit d'attendre. Ton manque de loyauté me rend malade. Les traîtres devraient être bannis. Ils devraient vivre comme des chats errants, des solitaires, parce qu'ils ne valent pas mieux qu'eux ! »

Elle se dressa tout à coup sur ses pattes arrière et, de ses deux pattes avant, elle griffa Gueule Balafrée au museau.

Il n'eut aucun mal à la déséquilibrer et comprit à quel point il était plus fort qu'elle.

« Qui es-tu vraiment ? » cracha-t-il en lui assénant un coup si puissant sur la joue qu'elle roula au sol. Il bondit sur elle, les griffes plantées dans ses épaules pour l'immobiliser. « Aucun membre du Clan des Étoiles ne se retournerait contre un camarade. Tu as été mon mentor, et à présent tu *m'attaques* ? »

Ombre d'Érable relâcha tous ses muscles. Gueule Balafrée recula, de peur de l'avoir blessée. La chatte se releva et se recroquevilla sur elle-même. Elle semblait âgée, et fragile. Gueule Balafrée eut honte de lui. Vaincre une ancienne n'avait rien de glorieux.

Grondant sous l'effort, Ombre d'Érable releva le museau.

« J'ai su que ton destin serait exceptionnel à l'instant où tu es né, déclara-t-elle d'une voix rauque. Tu ne te souviens pas de l'orage, mais moi, si. J'ai vu les cieux se déchirer et rugir au moment de ta naissance. » Elle s'allongea sur le ventre, haletante. « Une destinée magnifique t'attend, Gueule Balafrée. Tu ne seras pas seulement le plus grand chef que le Clan de la Rivière ait connu, mais le plus grand que tous les Clans aient connu ! » Elle s'interrompit pour reprendre haleine. « Mais tu dois tenir la promesse que tu m'as faite. »

Il se tapit près d'elle, pris de pitié.

« Bien sûr que je la tiendrai.

— Tu devras consentir à des sacrifices. Ta vie ne t'appartient pas. Elle appartient à ton Clan. Ne te laisse pas détourner des hauts faits que tu pourrais accomplir. »

Le plus grand chef que *tous* les Clans aient connu ? Il frémit d'enthousiasme.

« Tu iras loin ! Tant que je serai là pour te guider. » Elle semblait regagner des forces à chacune de ses paroles. « J'ai choisi de t'aider. N'oublie jamais que le Clan est plus important que les guerriers qui le composent. Même si tu sacrifies tous ceux qui t'ont aimé un jour, cela ne sera rien de plus que quelques gouttes de pluie sur ton pelage car, même si eux s'en vont, le Clan sera toujours là, et il comptera sur toi. Tu es d'accord ? »

Elle le regardait droit dans les yeux, avec espoir.

Sacrifier tous ceux qui m'ont aimé un jour ? Pourquoi devrais-je...

Il voulut l'interroger, mais l'obscurité engloutit Ombre d'Érable lorsqu'un nuage masqua la lune. De grosses gouttes de pluie éclaboussèrent le guerrier. Le vent agita les branches au-dessus de sa tête.

« Ne pars pas ! l'implora-t-il. Dis-m'en plus ! »

Quelle ne fut pas sa déception quand il comprit qu'il fixait le vide ! Elle avait disparu. Il se redressa et fixa le bout des marais.

Je serai le plus grand chef que les Clans aient jamais connu !

Ces mots lui donnèrent des ailes et il regagna le camp à la vitesse du vent. Il avait sauvé Brise de Nénuphar des Bipèdes. Il avait été choisi par le Clan des Étoiles.

Rien ne m'arrêtera !

CHAPITRE 26

LA SAISON DES FEUILLES MORTES avait rougi les saules et bruni les joncs. Gueule Balafrée frémit lorsqu'une bourrasque souffla sur le camp.

« Venez ! lança-t-il aux petits. Allons jouer dehors pour nous réchauffer. »

Ses protégés, qui allaient bientôt devenir apprentis puisqu'ils étaient âgés de cinq lunes, le regardèrent avec dédain.

« Nous, on veut apprendre à se battre, renifla Petit Ciel.

— Le camp pourrait être envahi à tout instant par les Bipèdes ! ajouta Petit Bambou en remuant sa queue raide.

— Je ne crois pas qu'une patrouille de chatons, même s'ils maîtrisent l'attaque frontale, parviendrait à les chasser, ronronna le guerrier.

— Tu vas voir ! gronda Petite Griffe.

— On les réduira en bouillie ! renchérit Petite Grenouille, qui se planta devant lui. Montre-moi cette fameuse attaque... »

Gueule Balafrée se sentit pris au piège. Il jeta un coup d'œil vers la pouponnière, où Larme de Nuit et Cristal d'Eau nettoyaient leurs litières. Poil de Loutre venait d'apporter un paquet de roseaux frais pour consolider les nids et les protéger de la bise.

« Hé, Poil de Loutre, je peux m'occuper des roseaux, si tu veux ! » lança-t-il.

Et tu pourrais t'occuper de tes petits !

« Merci, Gueule Balafrée, répondit Poil de Loutre. Mais je préfère de loin passer du temps avec des guerriers qu'avec leurs mères ! »

Gueule Balafrée scruta le tunnel en espérant que Pelage de Cèdre, Croc de Brochet ou Pelage d'Écorce rentrerait pour prendre la relève. Brise de Nénuphar les avait emmenés chasser – c'était la première fois qu'elle dirigeait une patrouille. Ils pêchaient sous les Rochers du Soleil, où les poissons se terraient dans les ombres fraîches. Il se demanda comment elle s'en sortait.

« Allez ! gémit Petite Carpe, le tirant de ses pensées. Montre-nous l'attaque frontale.

— Cristal d'Eau dit que vous êtes trop jeunes pour apprendre à vous battre. »

Petite Carpe décocha un regard noir à sa mère, qui sortait des brins de mousse secs de la pouponnière.

« Poil de Loutre, elle, ne le pense pas.

— Ils ne sont jamais trop jeunes pour commencer ! confirma la guerrière.

— Je ne veux pas qu'ils se fassent blesser, répliqua Cristal d'Eau.

— Tu ne peux pas les envelopper de plumes toute leur vie. »

Larme de Nuit s'interrompit un instant dans son travail pour participer à la conversation.

« Il n'y a pas d'urgence. Ils seront bientôt apprentis, rappela-t-elle aux deux reines. Sous peu, ils pourront apprendre toutes les techniques martiales qu'ils voudront.

— Et si les Bipèdes envahissent bel et bien le camp ? insista Petit Affamé.

— Cela n'arrivera pas », le rassura Gueule Balafrée. Si les nids colorés avaient été nombreux au cours de la saison des feuilles vertes, les Bipèdes commençaient à se faire rares avec l'arrivée du froid. « Hé, Cœur de Chêne ! lança-t-il à son frère, qui organisait une patrouille frontalière. Les Bipèdes ne risquent pas de nous envahir, pas vrai ?

— Nous les gardons à l'œil depuis des lunes, confirma celui-ci. Ils ne vont presque jamais jusqu'aux marais. » Au cours des lunes qui avaient suivi le rapt de Brise de Nénuphar, Cœur de Chêne avait été nommé responsable de la sécurité sur cette frontière. Chaque jour, il allait inspecter les nids colorés pour repérer ceux qui étaient partis et ceux qui venaient d'arriver. Il avait même inventé des stratégies pour distraire les Bipèdes s'ils devaient s'approcher du camp.

Petit Léopard vint se frotter contre Gueule Balafrée. Comme elle était plus jeune que ses camarades de tanière, son pelage était encore aussi doux que du duvet de caneton.

« S'il te plaît, apprends-nous une attaque ! » insista-t-elle en levant vers lui ses grands yeux sombres.

Amusé, il remua les moustaches. Le Clan tout entier avait gâté la jeune chatte orpheline de mère, son père le premier. Elle avait entortillé presque tous les membres du Clan autour de sa queue.

Elle battit des cils et répéta dans un doux ronron :

« S'il te plaît ?

— Ne t'avise pas de lui montrer quoi que ce soit ! gronda Larme de Nuit, qui se précipita vers la petite chatte et la chassa en vitesse. Patte de Pierre serait horrifié s'il la découvrait en train de se battre ! »

Même si la reine au pelage noir comme la nuit adorait sa fille adoptive, ses mines enjôleuses la laissaient insensible.

« Regardez ! s'exclama Petit Ciel, tout excité.

— Oui ! La patrouille de chasseurs est de retour ! »

Les chatons s'élancèrent vers le tas de poissons.

« Le Clan des Étoiles soit loué, soupira Gueule Balafrée.

— On dirait que je suis rentrée juste à temps, ronronna Brise de Nénuphar, les yeux brillants, après avoir posé ses prises dans la réserve. Tu allais te faire dévorer par une meute de chatons affamés. »

Du bout de la truffe, elle lui frôla affectueusement le museau. Gueule Balafrée recula.

« Quoi ? fit la chatte, peinée.

— Pas ici. »

Il sentait les regards de Larme de Nuit et de Cristal d'Eau sur eux. Depuis que Gueule Balafrée avait sauvé Brise de Nénuphar, ils étaient devenus très proches, mais il détestait la façon dont le Clan les observait. Il le savait, leurs camarades attendaient qu'ils annoncent officiellement leur union. Il imaginait déjà Étoile de Grêle miaulant la nouvelle depuis le Grand Rocher lors de la prochaine Assemblée. Il renifla, contrarié. Pourquoi ne pouvaient-ils pas se mêler de leurs affaires ?

« D'accord, marmonna-t-elle.

— Allons faire un tour », proposa-t-il pour se faire pardonner.

Puisque Pelage de Cèdre et Croc de Brochet étaient rentrés, il n'avait plus besoin de surveiller leurs petits. Ils s'engagèrent en silence sur le sentier verdoyant.

« Je ne vois pas pourquoi tu te sens aussi gêné, miaula-t-elle enfin.

— Je ne veux pas que mes camarades me trouvent faible, avoua-t-il, tête basse.

— Éprouver des sentiments, ce n'est pas une faiblesse ! Tu trouves Étoile de Grêle faible ? Et Pelage de Cèdre ? Ou Pelage d'Écorce ? Ils ont tous des compagnes !

— Je suis désolé. »

Il se glissa sous un buisson d'aubépine et avança parmi les aulnes. Il y faisait plus clair depuis que les arbres perdaient leurs feuilles.

« Tu te souviens du jour de ton évaluation ? lui demanda-t-il pour changer de sujet.

— Bien sûr. Tu m'as vue attraper le merle. »

Le ton de la guerrière s'était apaisé.

« J'aurais pu passer la journée à te regarder.

— Et maintenant, tu ne le ferais plus ?

— Oh, si, mais je ne ferais rien d'utile, dans ce cas, la taquina-t-il tout en lui chatouillant la truffe du bout de la queue. On finirait par avoir des problèmes, tous les deux. » Gueule Balafrée sauta sur le tronc d'un arbre et, les griffes plantées dans l'écorce, il se hissa jusqu'à la branche la plus basse. « Viens ! »

Brise de Nénuphar plissa les yeux. Elle grimpa à l'aune voisin, s'avança sur une branche basse et sauta dans l'arbre suivant. La branche ploya sous son poids. Gueule Balafrée ronronna. Si elle se prenait pour un écureuil, lui aussi ! Il se jeta dans les branches de l'aulne d'à côté et s'y cramponna de toutes ses griffes lorsque le tronc vacilla sous lui. Brise de Nénuphar leva le menton et poursuivit sa course folle, sautant de branche en branche près de lui, aussi légère qu'un merle.

« Est-ce que tu sais faire ça ? la défia-t-il avant de bondir sur une branche plus haute, puis une autre encore, jusqu'à ce qu'il soit au sommet de l'arbre.

— Attention ! » hoqueta-t-elle.

Les branches, grêles à cet endroit, plièrent sous le poids du guerrier. L'écorce se déchira, le bois se brisa. Poussant un cri de surprise, Gueule Balafrée tomba à travers le feuillage telle une pierre jetée dans la rivière. Le cœur au bord des lèvres, il tendit les pattes pour tenter de se raccrocher à une branche. Il y parvint de justesse et resta pendu par les griffes un instant mais, à force de battre des pattes arrière, il trouva une prise sur le tronc. Le souffle coupé, il se laissa descendre doucement jusqu'au sol.

« Espèce de cervelle de grenouille ! hurla Brise de Nénuphar, qui venait de le rejoindre. J'ai cru que tu allais te rompre le cou !

— Impossible, rétorqua-t-il en agitant la queue.

— Qu'en sais-tu ? » s'étrangla-t-elle, le regard embué.

Elle tient vraiment à moi !

« Excuse-moi de t'avoir fait peur, miaula-t-il doucement. Mais tu n'as pas à t'inquiéter pour moi.

— Je m'inquiète dès que je ne t'ai plus sous les yeux », avoua-t-elle.

Du bout de la truffe, il lui effleura la joue. Elle tremblait.

« Je t'en prie, ne t'en fais pas pour moi. Il ne m'arrivera rien.

— Arrête de dire ça ! Tu n'en sais rien ! »

Elle fit mine de partir et il se plaça devant elle pour lui barrer le chemin. Il hésita à lui parler d'Ombre d'Érable et de sa destinée. *Non. Elle me prendrait pour un fou.* Il n'avait pas besoin de le lui dire, il lui suffisait de le lui montrer en devenant le plus grand chef que les Clans ait connu.

« Tu as raison, concéda-t-il en se frottant contre elle. Je n'en sais rien... Je suis si heureux d'être avec toi que j'ai l'impression qu'il ne peut rien m'arriver.

— C'est vrai ?

— Vrai de vrai. Tout ira bien. Je t'aime. » Elle se détendit contre lui. « Nous aurons une vie formidable, tous les deux, murmura-t-il. Entourés de nos camarades. » Il s'écarta un instant pour la regarder dans les yeux. « Et de nos petits.

— Je t'aime, Gueule Balafrée », ronronna-t-elle en portant son museau contre l'oreille du matou.

Son souffle chaud lui donna des frissons. Tout à coup une bourrasque glaciale lui ébouriffa la fourrure.

L'odeur d'Ombre d'Érable lui parvint et la voix de la guerrière résonna autour de lui. *N'oublie pas ton serment !*

Gueule Balafrée ferma les yeux et laissa le doux parfum de Brise de Nénuphar l'envelopper. Ombre d'Érable se trompait. Avoir une compagne ne l'empêcherait pas de devenir un meneur d'exception. Comme Étoile de Grêle. Sa compagne, Écho de Brume, et leurs petits, Bourgeon Poudré, Œil de Scarabée et Poil de Ragondin, ne lui avaient jamais fait oublier sa loyauté envers son Clan, n'avaient jamais entamé sa combativité.

« Qu'est-ce que c'est ? » s'écria Brise de Nénuphar en entendant des aboiements de chien.

Des cris et des feulements retentirent tout près. La bête avait dû croiser une patrouille.

« Je vais les aider ! déclara-t-il avant de s'élancer dans la côte.

— Sois prudent ! »

Plongeant dans les aubépines, Gueule Balafrée aperçut Croc Blanc et Bourgeon Poudré qui fuyaient ventre à terre, poursuivis par un petit chien blanc. Le jeune guerrier se lança dans la course.

« Faites-lui contourner le camp ! » ordonna-t-il.

Croc Blanc obliqua pour entraîner le chien à l'opposé de l'entrée. Le cœur battant, Gueule Balafrée les suivit entre les buissons et sous les branches sans jamais perdre le corniaud de vue. Droit devant, ses deux camarades filaient d'un même pas pour le mener jusqu'aux marais. Lorsqu'ils quittèrent le couvert des arbres, le chien se précipita vers le pont.

« Gare au Bipède ! » avertit Gueule Balafrée en apercevant une silhouette sur les planches de bois.

Il s'arrêta si brusquement qu'il dérapa dans les graviers. Croc Blanc et Bourgeon Poudré l'imitèrent tandis que le chien sautillait autour de son Bipède en poussant des jappements soulagés.

« Belle poursuite, haleta Gueule Balafrée alors que ses compagnons s'écroulaient sur la berge.

— Merci, pantela Bourgeon Poudré.

— On ferait mieux de continuer notre ronde, déclara Croc Blanc lorsqu'ils eurent repris leur souffle.

— Où est Cœur de Chêne ? s'enquit Gueule Balafrée en remarquant soudain l'absence de son frère.

— Tu ne l'as pas vu ? s'étonna la guerrière écaille. Il se dirigeait vers toi. Il avait cru apercevoir des guerriers du Clan du Tonnerre sous les Rochers du Soleil et était parti s'en assurer.

— Seul ?

— C'était sa décision, poursuivit Croc Blanc. Il nous a dit d'aller inspecter la prairie en nous promettant de nous y rejoindre.

— Je vais aller jeter un coup d'œil. »

Gueule Balafrée était contrarié. Il était risqué de s'aventurer seul face à d'éventuels intrus. À quoi pensait donc son frère ?

Il le découvrit près des aulnes, émergeant des hautes herbes, le pelage mouillé.

« Qu'est-ce que tu fais là ? s'écria Cœur de Chêne, stupéfait.

— Tout va bien ? Croc Blanc m'a dit que tu avais repéré des guerriers du Clan du Tonnerre.

— Juste une, rectifia son frère d'un ton léger en se dirigeant vers le camp. Je l'ai chassée. »

Gueule Balafrée perçut sur la fourrure de son frère un parfum familier.

« C'était Lune Bleue ?

— Comment tu le sais ? s'étonna Cœur de Chêne en faisant volte-face.

— Je reconnais son odeur. »

Le guerrier beige tigré scruta le regard de son frère. Lui cachait-il quelque chose ? Est-ce que Lune Bleue cherchait des ennuis ?

« Vous vous êtes battus ? Elle t'a vaincu ? »

Il se rappela en frémissant à quel point elle pouvait se révéler une adversaire redoutable.

« Je l'ai repoussée jusqu'à la forêt, répondit son frère en lui tournant le dos. On s'est à peine battus. Il est inutile d'en parler et de déclencher une guerre pour si peu. »

Gueule Balafrée le regarda s'éloigner.

« Et ta patrouille ? Ils ont chassé un chien jusqu'au pont. Ils t'attendent.

— La patrouille ! » répéta le guerrier brun doré en s'immobilisant.

Il se tourna vers la rivière.

Gueule Balafrée pencha la tête de côté. Cela ne ressemblait pas à son frère de se montrer si réservé, surtout à propos d'une escarmouche contre un autre Clan. Le combat avait peut-être été plus âpre qu'il ne voulait l'admettre. Pourtant, il ne semblait pas blessé.

Cœur de Chêne était un guerrier redoutable. Il s'en

remettrait. Gueule Balafrée haussa les épaules et leva la truffe en se demandant si Brise de Nénuphar l'attendait dans les parages ou si elle était rentrée au camp. Il voulait passer avec elle le plus de temps possible.

CHAPITRE 27

« OMBRE D'ÉRABLE ! »

Plongé en plein rêve, Gueule Balafrée filait à travers la forêt. Il fendait les taillis en projetant des gerbes de terre sombre dans son sillage.

« Ombre d'Érable ? »

Où est-elle ? Il avait tant de questions à lui poser. Des questions qui lui brûlaient la langue depuis des jours. Pourquoi avait-elle mis la vie de Brise de Nénuphar en danger ? Pourquoi l'avait-elle attaqué pour avoir secouru une camarade de Clan ? Et son destin ? Quand aurait-il son premier apprenti ? Combien de temps devrait-il attendre avant d'être lieutenant ? Succéderait-il à Étoile de Grêle ou à Cœur de Nacre ?

Cœur de Nacre ?

Gueule Balafrée s'arrêta tout à coup. Combien de chats devraient mourir pour lui permettre de devenir chef ? Cette pensée lui donna la nausée. Il était suffisamment difficile d'attendre qu'Étoile de Grêle perde sa dernière vie sans en plus compter sur la mort de son propre père pour que sa destinée s'accomplisse.

Un feulement autoritaire le tira soudain de ses pensées :

« Plus haut ! Plus vite ! Tu veux mourir sous les coups d'un guerrier ordinaire ? »

Gueule Balafrée entendit un grognement, puis le bruit sourd d'un corps tombant au sol. Est-ce qu'Ombre d'Érable avait un autre apprenti ? Il s'avança en rampant, les oreilles dressées, puis se dissimula derrière un buisson d'aubépine. Il vit deux silhouettes en mouvement dans une petite clairière. Lorsque la brume se leva autour d'elles, il distingua deux fourrures : l'une très abîmée, l'autre brillante.

Le mentor au pelage en piteux état n'était pas Ombre d'Érable, mais un félin qu'il n'avait jamais vu. Et qui était l'autre ? Gueule Balafrée se creusa la tête. Les larges épaules du matou tigré lui paraissaient vaguement familières.

« Recommence ! feula le vétéran. Et mieux que ça ! »

Le jeune matou prit son élan et sauta, plus haut que Gueule Balafrée le pensait possible. D'un mouvement de la queue, il pivota dans l'air, frappa un ennemi imaginaire de ses pattes arrière tout en en assommant un autre entre ses pattes avant. Il retomba lourdement sur le flanc. Gueule Balafrée hoqueta lorsqu'il sentit le choc dans ses pattes, comme s'il avait eu le souffle coupé en même temps que l'autre.

Le plus âgé fondit aussitôt sur son apprenti en lui assénant une pluie de coups sur la tête. Gueule Balafrée grimaça devant les giclées de sang qui fusèrent sous ses griffes. Le jeune mâle parvint à se libérer et rendit coup pour coup.

Son mentor recula en miaulant :

« Voilà qui est mieux. »

Les deux chats avaient le museau ensanglanté et, lorsque Gueule Balafrée y regarda à deux fois, il vit que la fourrure du plus jeune était striée de griffures rouges.

« Laisse-moi encore essayer, Queue de Rat », gronda le cadet.

Il en redemande ? Et lui qui trouvait brutales ses séances d'entraînement avec Ombre d'Érable ! Elles n'avaient jamais été aussi violentes. Ces deux-là s'entraînaient comme si verser le sang ne signifiait rien.

Tout à coup, Gueule Balafrée le reconnut : Griffes d'Épine ! Il avait aperçu le guerrier du Clan du Tonnerre lors des Assemblées.

Griffes d'Épine prit son élan et répéta l'enchaînement. Cette fois-ci, il finit le dernier mouvement avant d'atterrir sur ses pattes. Poussant un cri de triomphe, il se dressa sur ses pattes arrière et boxa dans le vide.

« Ça y est ! s'écria-t-il. Mon heure de gloire a sonné.

— Tu n'as pas ménagé ta peine pour y arriver, approuva Queue de Rat.

— Oui. Je serai lieutenant avant la prochaine pleine lune.

— Es-tu certain qu'Étoile du Soleil ne va pas plutôt choisir Lune Bleue ?

— Seule une cervelle de souris ferait ça, gronda Griffes d'Épine. Lune Bleue est faible. Je parie qu'à cette heure elle pleure encore Pelage de Neige.

— Le chagrin peut être une arme.

— Mais le corps de Pelage de Neige est à peine froid. Lune Bleue aura le cœur brisé pour des lunes et des lunes. Ce qui me donnera une occasion de montrer à Étoile du Soleil que je suis le seul capable de l'épauler.

— Pelage de Neige était ta compagne. Ne la pleures-tu donc pas, toi aussi ?

— Bien sûr que si ! s'indigna le guerrier en lacérant un tronc tapissé de mousse. Pelage de Neige n'aurait pas dû mourir ! C'est Lune Bleue qui aurait dû se trouver sur le Chemin du Tonnerre !

— Et ton fils, alors ?

— Il tient de sa mère, cracha-t-il. Nul feu ne brûle dans ses entrailles, nulle soif de bataille. Pourquoi perdre du temps à discuter ? Je suis venu m'entraîner. »

Se dressant de nouveau, il avança sans cesser de boxer dans le vide, la queue fermement enroulée autour de la patte.

Gueule Balafrée recula, transi jusqu'aux os. Il n'avait jamais vu chat aussi sanguinaire, ni dans la bataille pour reprendre les Rochers du Soleil, ni lorsque Étoile de Grêle avait failli tuer Plume de Roseau. Il détala à travers les arbres, scrutant la forêt dans l'espoir d'y voir Ombre d'Érable.

« Gueule Balafrée ! »

Quelqu'un le secouait pour le réveiller.

« Quoi ? »

Brise de Nénuphar était assise près de lui, le pelage encore ébouriffé.

« Tu m'as donné des coups de patte ! Tu as fait un cauchemar ?

— En quelque sorte », répondit-il en s'étirant.

Ils s'étaient fabriqué un petit nid chaud et confortable contre le tronc couché.

Brise de Nénuphar se pencha et, du bout de la truffe, lui effleura le museau.

« Tu es réveillé, à présent. »

Elle sortit et Gueule Balafrée s'assit. Pourquoi ne parvenait-il pas à trouver Ombre d'Érable ? Lui était-il arrivé quelque chose ? Mais non ! Les membres du Clan des Étoiles étaient *déjà* morts ! Il ne pouvait rien leur arriver, n'est-ce pas ? Il sortit à son tour, soulagé de voir que son frère, mal réveillé, fouillait dans les restes givrés de la réserve de gibier. Pauvre Lune Bleue. Perdre son frère ou sa sœur, ce devait être terrible.

Sous le saule, Cœur de Nacre organisait les patrouilles. Pelage de Cèdre, Pelage d'Écorce, Patte de Pierre et Bourgeon Poudré l'entouraient. Œil de Scarabée interrompit sa toilette lorsqu'il entendit son nom. Poil de Ragondin contemplait avec regret le tas de poissons pendant que Reflet d'Argent murmurait à l'oreille de Lac de Givre.

Gueule Balafrée lança à son père :

« Est-ce que je peux pêcher, ce matin ? »

Son souffle forma des panaches blancs. Il se demanda si la rivière serait gelée.

« Si tu veux, répondit le lieutenant. Tu iras avec Patte de Pierre et Bourgeon Poudré.

— Est-ce que Cœur de Chêne peut venir aussi ?

— Où ça ? fit ce dernier en relevant la tête.

— À la pêche.

— Génial ! Je vais juste porter ça et je reviens. »

Il prit un poisson et se dirigea vers la pouponnière.

Brise de Nénuphar sortit de la tanière des anciens et s'engagea dans la descente. Tout à coup, elle glissa sur le givre et dégringola jusqu'en bas.

« Les chatons vont être contents, déclara-t-elle en rejoignant Gueule Balafrée. Ils vont s'amuser sur ce joli toboggan de glace.

— Un toboggan ? » répéta Petite Grenouille en traversant la clairière à toute allure.

Il gravit la montée en quelques bonds et redescendit en courant et en glissant avec des cris de joie.

« J'emmène Cœur de Chêne, Bourgeon Poudré et Patte de Pierre à la pêche, annonça Gueule Balafrée à Brise de Nénuphar. Tu veux venir ?

— Je ne peux pas, j'ai promis à Trille d'Oiseau que je l'aiderais à trouver de la mousse pour son nid. Elle a failli geler, la nuit dernière.

— Allez, Gueule Balafrée ! le héla Patte de Pierre, qui faisait les cent pas devant le tunnel dans un nuage d'haleine blanche.

— À tout à l'heure. »

Leurs truffes se frôlèrent, puis le guerrier beige tigré se pressa de suivre Bourgeon Poudré et Cœur de Chêne dans le tunnel de roseaux. En dehors du camp, il faisait encore plus froid.

« J'espère que la bise ne va pas durer, soupira la guerrière. La mauvaise saison n'a pas encore commencé. »

Ils passèrent devant le gué et continuèrent jusqu'aux aulnes, puis suivirent la rive jusqu'aux fougères et aux buissons d'aubépine. Fonçant dans l'eau en projetant des gerbes autour de lui, Gueule Balafrée les entraîna jusqu'à un affleurement rocheux. Sur le côté, la pierre lisse émergeait à peine. Il s'y assit et scruta l'onde qui filait sous lui à toute vitesse, claire et profonde. Il voyait jusqu'aux herbes longues qui dansaient sur le lit de la rivière. Un poisson glissa devant lui, tout au fond, hors d'atteinte. Le guerrier attendit et un autre arriva bientôt, plus près de la surface. Le ventre noué par l'excitation, il plongea la patte dans l'eau – elle était si froide qu'il en eut le souffle coupé. Il sortit sa prise, la retourna sur la roche et l'acheva d'une morsure rapide avant de reprendre son affût.

« Bravo ! commenta Cœur de Chêne, installé près de lui.

— Je voudrais attraper une carpe pour Petit Léopard, déclara Patte de Pierre, les yeux rivés sur l'eau. C'est son poisson préféré. »

Bourgeon Poudré plongea les deux pattes en même temps et commença à tirer de l'eau un brochet récalcitrant. Il faisait plus d'une longueur de queue de long et s'agitait horriblement. Gueule Balafrée se leva pour venir à la rescousse, mais, lorsqu'il s'empara du poisson, sa camarade perdit l'équilibre. Elle tomba dans l'eau en poussant un cri de surprise. Tandis qu'elle remontait à la surface, Gueule Balafrée plaqua le poisson au sol et l'acheva en vitesse.

Bourgeon Poudré nagea jusqu'à la berge.

« Tu l'as eu ? s'enquit-elle en s'ébrouant.

— Oui, il ne bouge plus, la rassura-t-il.

— Je n'aurais pas cru que tu voulais piquer une tête, la taquina Cœur de Chêne.

— Je n'imaginais pas qu'il était si gros ! » rétorqua-t-elle en allant et venant sur la rive pour se réchauffer.

Patte de Pierre poussa un miaulement de triomphe en remontant une belle carpe.

« Rapportons notre pêche au camp, suggéra Gueule Balafrée. Nous pourrons revenir ensuite.

— Je voudrais bien savoir pourquoi les guerriers du Clan du Tonnerre ne pêchent jamais comme nous, murmura Bourgeon Poudré, le regard plongé dans la forêt d'en face.

— Ils ont trop peur de l'eau, répondit Patte de Pierre dans un haussement d'épaules. Ils se noieraient, s'ils tombaient dans la rivière.

— Je ne sens pas de marquage frais venant de la frontière, s'étonna Cœur de Chêne. Je me demande où ils sont, aujourd'hui. D'habitude, il y a toujours un guerrier ou deux pour nous insulter pendant qu'on pêche. »

Gueule Balafrée repensa tout à coup à son rêve et hasarda :

« Ils doivent être sous le choc, après la mort de Pelage de Neige.

— Quoi ? » fit Cœur de Chêne en tournant la tête vers lui, les yeux brillants.

Cervelle de poisson ! Comment m'expliquer, maintenant ?

« Tu es sûr de la nouvelle ? s'étonna Bourgeon Poudré pendant que Gueule Balafrée réfléchissait à toute vitesse.

— Qui te l'a dit ? s'enquit Patte de Pierre.

— Je... j'ai entendu une patrouille du Clan du Tonnerre, l'autre jour, quand j'étais de garde sur les Rochers du Soleil, balbutia-t-il.

— Pourquoi n'en as-tu pas parlé ? » s'écria Cœur de Chêne.

Gueule Balafrée jeta un coup d'œil à Patte de Pierre avant de répondre :

« Ça me semblait tellement triste... »

Il y avait au moins une part de vérité là-dedans.

« Comment est-elle morte ? demanda Bourgeon Poudré, qui remonta sur les rochers.

— Sur le Chemin du Tonnerre, je crois.

— Le Chemin du Tonnerre ? » répéta Cœur de Chêne.

Gueule Balafrée leva la tête. Les pensées de son frère semblaient s'être concentrées sur la forêt.

« Tout va bien, le rassura-t-il. Il n'y a pas de Chemin du Tonnerre sur notre territoire.

— Je suis triste pour Lune Bleue, murmura Cœur de Chêne en regardant une feuille morte se faire emporter par le courant. Elle doit être dévastée.

— Oui », soupira le matou beige, qui saisit ensuite sa prise et descendit des rochers.

D'un mouvement de la queue, il fit signe à sa patrouille de le suivre et prit la direction du camp.

Une lune froide et blanche éclairait les Quatre Chênes. Gueule Balafrée regarda à travers les branches nues. La Toison Argentée s'étendait dans le ciel noir. *Laquelle est Pelage de Neige ?* se demanda-t-il en contemplant les étoiles. Un quart de lune s'était écoulé depuis son rêve et Gueule Balafrée était surpris de voir que Lune Bleue était tout de même venue à l'Assemblée.

Un miaulement le tira soudain de ses pensées.

« J'ai entendu dire que la pêche était toujours bonne, disait Fleur de Houx, une guerrière du Clan de l'Ombre.

— Oui, c'est exact. »

Cœur de Renard, un camarade de Fleur de Houx, poursuivit :

« Je ne sais pas comment vous faites. C'est déjà horrible de se mouiller les pattes, mais par ce temps...

— Sans doute... » soupira Bouton d'Or.

La chatte, qui venait tout juste de recevoir son nom de guerrière du Clan du Tonnerre, semblait distraite. Elle fixait l'autre côté de la clairière, la mine sombre. Gueule Balafrée suivit son regard. Elle observait Lune Bleue. La jeune chatte grise parlait à Cœur de Chêne. Il devait lui présenter ses condoléances.

« Je vais voir si Lune Bleue va bien, déclara Bouton d'Or.

— Gueule Balafrée ! lança Étoile de Grêle en s'approchant. Où est ton frère ? Je voudrais qu'il parle des nids colorés aux autres Clans. Certaines de ses tactiques méritent d'être partagées. Les Bipèdes pourraient s'installer ailleurs que chez nous. » D'un signe de tête, il salua Fleur de Houx et ajouta : « Prie le Clan des Étoiles pour que cela n'arrive pas. »

Cœur de Chêne va prendre la parole pendant l'Assemblée ? Est-ce qu'Étoile de Grêle préparait son frère à devenir le prochain lieutenant du Clan ?

« Il est là-bas, répondit-il en tendant la queue.

— Merci, je ferais mieux de le prévenir. »

Étoile de Grêle s'éloigna et les chefs entamèrent leurs discours du haut du Grand Rocher. Gueule Balafrée rejoignit ses camarades, la tête rentrée dans les épaules pour se protéger un peu du froid, et scruta son frère. Tandis que celui-ci attendait patiemment au pied du roc, Gueule Balafrée ravala sa jalousie.

« Le Clan de la Rivière a lui aussi profité de l'abondance de gibier, déclara Étoile de Grêle lorsqu'il prit la parole. La rivière s'est révélée plus poissonneuse que jamais et ses rives tout aussi giboyeuses. » Il baissa les yeux vers Cœur de Chêne. « Pour nous, il n'y a qu'un seul nuage à l'horizon. Cœur de Chêne va vous donner plus de détails. »

Des murmures choqués fusèrent de part et d'autre lorsqu'il bondit sur le roc.

« Le Grand Rocher est réservé aux chefs ! gronda un guerrier du Clan de l'Ombre. Pas aux jeunes premiers ! »

Gueule Balafrée releva la tête, poussé par le besoin de défendre son frère :

« Écoutez-le ! feula-t-il. Il a des choses importantes à vous dire. »

L'autre griffa la terre gelée, Gueule Balafrée lui montra les crocs. Personne n'avait le droit de critiquer Cœur de Chêne !

« Je suis désolé, déclara Cœur de Chêne d'une voix claire qui portait jusqu'au fond de la clairière. Ma place n'est pas ici, mais nous sommes si nombreux que je craignais qu'on ne m'entende pas si je restais en bas, expliqua-t-il. J'espère que vous me pardonnerez mon audace. Je ne voulais offenser personne. »

Gueule Balafrée ressentit une bouffée de fierté lorsque les murmures prirent fin. Les chats dressaient l'oreille, levaient le museau, pressés d'entendre les nouvelles. Il jeta un coup d'œil autour de lui, impressionné par le succès de son frère. Puis il repéra Lune Bleue, la mine lugubre. Près d'elle, une jolie chatte dévisageait son frère, les yeux brillants, comme si elle regardait un membre du Clan des Étoiles.

C'est vrai qu'il ressemblait à un chef, là-haut, près des autres meneurs. Gueule Balafrée se dandina sur place, de nouveau mal à l'aise. *C'est moi qui dois avoir une destinée hors du commun !*

Le trajet du retour parut plus long que d'habitude. Bourgeon Poudré sautillait d'excitation autour de Cœur de Chêne.

« Tout le monde t'écoutait ! Tu n'avais pas peur ?

— Peur de quoi ? renifla Poil de Ragondin. La trêve nous protège tous.

— Peut-être, mais il devait s'adresser à tant de monde ! Moi, ça m'horrifierait. »

Alors qu'ils pénétraient dans la forêt du Clan du Tonnerre, Gueule Balafrée ralentit pour laisser passer ses camarades. Il ne voulait plus entendre les louanges de son frère.

Quelqu'un le frôla.

Baie de Ronce.

« Tu aurais aimé être à sa place sur le Grand Rocher, murmura-t-elle.

— Non, c'est faux !

— Ne t'inquiète pas. Ton tour viendra bientôt et, d'ici là, tu n'auras pas le temps de t'ennuyer.

— Comment le sais-tu ? As-tu reçu un nouveau signe ? »

Pourquoi s'embêtait-il à l'interroger ? Même si tel était le cas, elle ne lui révélerait rien. Cependant, sa curiosité était de plus en plus piquée. Baie de Ronce resta muette comme une carpe. Elle pensait manifestement à quelque chose.

« Comment sais-tu que mon tour viendra bientôt ? » répéta-t-il.

La guérisseuse sauta sur un arbre mort qui lui barrait la route et le regarda d'en haut.

« Rien n'est certain. » Ses yeux étaient plus sombres que la forêt environnante. « Tu as le pouvoir de devenir un guerrier admirable. » Elle se laissa glisser de l'autre côté et Gueule Balafrée la suivit, le cœur battant. Elle continua : « Il n'y a qu'à te regarder pour comprendre que tu es promis à un brillant avenir. » Elle leva la tête vers les branches entrecroisées et conclut : « Les étoiles n'ont pas à tout décider à notre place. »

Le jeune guerrier sortit les griffes. *Vraiment ? Alors pourquoi suis-je entraîné par le Clan des Étoiles ?* Baie de Ronce ne savait rien !

CHAPITRE 28

DE LÉGERS FLOCONS tombaient du ciel gris et blanchissaient le camp. Gueule Balafrée grimaça. Par ce froid, sa mâchoire tordue le faisait souffrir. Cependant, il était trop concentré pour y prêter attention. Assis parmi ses camarades dans la clairière, il attendait qu'Étoile de Grêle appelle l'apprentie suivante. Derrière lui, Nuage de Griffe, Nuage de Ciel, Nuage Affamé et Nuage de Bambou se trémoussaient, tout excités d'avoir reçus leurs nouveaux noms. Petit Léopard et Petite Crique attendaient patiemment leur tour. Avec la bénédiction du Clan, Étoile de Grêle avait décidé d'attendre que Petit Léopard atteigne six lunes pour les nommer apprentis tous en même temps. Ils avaient si peu d'écart qu'ils avaient développé des liens très forts.

Gueule Balafrée s'en était félicité : Petit Léopard ne resterait pas seule dans la pouponnière, même pour une lune. Il savait comme il était douloureux d'être isolé. Puis il s'était rappelé que Larme de Nuit, elle, serait restée avec sa fille adoptive. Même si la reine noire voulait retrouver sa place de guerrière, elle aimait trop la petite chatte au pelage tacheté d'or pour l'abandonner.

Alors qu'Étoile de Grêle invitait Petite Crique à s'approcher, Gueule Balafrée jeta un regard noir à Fleur de Pluie, assise à l'écart dans le brouillard froid de son propre souffle. Si seulement elle avait pu voir au-delà de sa mâchoire brisée, si seulement elle s'était rappelé à quel point elle l'avait aimé, avant... Gueule Balafrée repoussa cette idée. Ses propres petits – s'il en avait un jour – seraient aimés. La compagne qu'il avait choisie ne les abandonnerait jamais, quoi qu'ils puissent faire.

Il se pressa un peu plus contre Brise de Nénuphar en murmurant :

« Merci.

— Pourquoi ? fit-elle, surprise.

— Pour rien... »

Il la contempla tendrement, à court de mots.

Elle ronronna avant de lever la patte pour faire tomber la neige du pelage du guerrier.

« Vas-y, souffla-t-elle. Étoile de Grêle t'appelle. »

Gueule Balafrée se rendit compte que tous ses camarades l'observaient. D'un signe de la tête, Étoile de Grêle l'invita à s'approcher.

« Puisses-tu transmettre ton courage, ton habileté et ta loyauté à Nuage de Crique. »

Gueule Balafrée s'avança dans la clairière et posa sa truffe sur la tête de son apprentie, qui tremblait.

« Ne t'inquiète pas, la rassura-t-il. Tout ira bien. »

En levant les yeux, il vit Cœur de Chêne près de son propre apprenti, Nuage Affamé. Le jeune mâle trépignait sur place, la queue dressée – il mourait d'impatience de voir s'achever la cérémonie et débuter son entraînement. Du bout de la queue, Cœur de Chêne lui donna une pichenette sur l'oreille et glissa un regard entendu vers Gueule Balafrée. Ils étaient mentors, enfin.

Étoile de Grêle s'éclaircit la gorge et reprit :

« Il nous reste un chaton à accueillir parmi les apprentis du Clan de la Rivière. »

Au bord de la clairière, Patte de Pierre léchait la tête de Petit Léopard, l'empêchant d'avancer.

« Arrête, Patte de Pierre ! geignait-elle. C'est mon tour ! »

Le regard embrumé, il la laissa partir et elle se précipita au milieu de la clairière avant même qu'Étoile de Grêle l'ait appelée.

« Petit Léopard, ronronna le meneur en la voyant piler juste devant lui.

— Oui ?

— Jusqu'à ce que tu reçoives ton nom de guerrière, tu t'appelleras Nuage de Léopard. »

Elle balaya l'assemblée du regard, scrutant chaque guerrier, tandis que le meneur poursuivait :

« Croc Blanc sera ton mentor. »

La jeune apprentie écarquilla les yeux en voyant l'énorme matou blanc s'avancer vers elle. Du bout du museau, il lui effleura la tête.

« J'espère que je deviendrai aussi grande que toi, murmura-t-elle.

— Enfin, peut-être pas *aussi* grande, ronronna-t-il.

— Croc Blanc, transmets-lui ton courage, ton sens de la discipline et de la compassion. »

Le Clan les félicita et clama non seulement le nom de Nuage de Léopard, mais ceux de tous les nouveaux apprentis. Nuage de Crique et Nuage Affamé se précipitèrent vers Poil de Loutre pour lui sauter tout autour pendant que Pelage d'Écorce fourrait son museau dans le cou de Nuage de Bambou. Larme de Nuit se blottissait contre Nuage de Ciel et Croc de Brochet jouait à la bagarre avec Nuage de Griffe. Nuage de Léopard courut droit vers Patte de Pierre et lui caressa la joue du bout du museau.

Le regard sombre du guerrier trahissait son inquiétude.

« Je prie pour que tu n'aies jamais à livrer bataille, déclara-t-il en enroula sa queue autour d'elle.

— Ne dis pas n'importe quoi ! s'écria-t-elle en s'écartant. Je meurs d'impatience de connaître mon premier combat ! »

Gueule Balafrée s'éloigna du tapage.

« Tu as peur ? le taquina Brise de Nénuphar.

— Jamais.

— Un apprenti, c'est une grande responsabilité... J'aimerais en avoir un, moi aussi.

— Un chaton ou un apprenti ?

— Un apprenti, bien sûr ! rétorqua-t-elle en le poussant du bout d'une patte.

— Ton tour viendra bientôt. »

Un miaulement aigu fit soudain sursauter le guerrier :

« On peut partir tout de suite ? »

Nuage de Crique se tenait derrière lui, la queue dressée, les yeux brillants.

« Bien sûr ! répondit-il, impatient de commencer les leçons. Je vais te montrer notre territoire. »

La jeune apprentie rejoignit ses camarades en quelques bonds.

« Moi, je vais sortir du camp ! se vanta-t-elle.

— Je veux venir avec toi ! s'écria Nuage de Grenouille.

— Moi aussi ! fit Nuage de Griffe, qui levait la tête vers son mentor, Étoile de Grêle.

— J'arriverai au gué avant vous ! fanfaronna Nuage de Carpe.

— Non, c'est moi ! affirma Nuage de Ciel.

— Et moi je serai le premier à escalader les Rochers du Soleil ! lança Nuage Affamé en filant devant eux.

— On va faire la loi dans ce camp ! ronronna Nuage de Bambou.

— Tu feras la loi dans toute la forêt quand j'aurai fini de t'entraîner », déclara Œil de Scarabée en s'approchant de son apprenti. Puis le matou décocha un regard mauvais à Gueule Balafrée. « Et toi, tu crois que Nuage de Crique deviendra guerrière un jour ? »

Gueule Balafrée leva les yeux au ciel.

« Si c'est un défi que tu me lances, ce sera sans moi, répondit-il. Moi, je vais juste m'assurer que mon apprentie développe son potentiel au maximum.

— Est-ce que je dois examiner les anciens pour voir s'ils ont des tiques avant de partir ? s'enquit l'apprentie.

— Non, les tiques seront encore là à notre retour. Cœur de Chêne, tu veux venir ?

— Oui, oui, oui ! s'écria Nuage Affamé. On peut y aller, s'il te plaît, Cœur de Chêne ?

— D'accord », ronronna son mentor.

Nuage de Bambou dévisagea Œil de Scarabée un instant avant de miauler :

« Tu ne vas pas les laisser partir sans moi, hein ?

— Tu veux nous accompagner ? demanda Gueule Balafrée à Œil de Scarabée.

— Ai-je le choix ? » rétorqua sèchement ce dernier.

Poil de Loutre s'assit, les yeux étincelants, pour regarder ses petits filer vers le tunnel de joncs.

« Tu veilleras sur eux, n'est-ce pas ?

— Comme si c'était les miens », promit Gueule Balafrée, qui se hâta de rattraper les apprentis avant qu'ils atteignent le gué.

Cœur de Chêne courait près de lui sur le sentier herbeux et Œil de Scarabée fermait la marche. Ils rattrapèrent les jeunes félins sur la rive. Si la neige recouvrait les Rochers du Soleil de son manteau blanc, la rivière n'était pas encore gelée.

« Est-ce qu'on peut nager ? voulut savoir Nuage Affamé. Nous n'avons jamais eu le droit de sortir de la roselière.

— Il fait bien trop froid ! pouffa Gueule Balafrée. Je doute que votre mère nous remercie si nous vous ramenons avec le mal blanc. »

Nuage de Crique bondit sur la première pierre du gué :

« Est-ce qu'on va traverser ?

— Non, fit Cœur de Chêne. Nous allons nous en tenir à la berge, pour aujourd'hui. Nous suivrons le courant jusqu'aux saules, puis jusqu'aux marais.

— Est-ce que nous verrons les nids colorés ?

s'enquit Nuage de Bambou en tournant autour d'Œil de Scarabée.

— Et des Bipèdes ? renchérit Nuage de Crique, les yeux ronds.

— Est-ce qu'on se comportait comme ça ? demanda Cœur de Chêne à son frère.

— Comme quoi ? fit Nuage de Crique en tournant la tête.

— Comme des écureuils surexcités », la taquina Gueule Balafrée.

L'apprentie reporta son attention sur les arbres. Un oiseau sautillait de branche en branche et provoquait à chaque bond de petites averses de neige.

« Quel est cet oiseau ?

— Une grive draine, lui apprit Gueule Balafrée.

— Ça se mange ?

— Oui. Quand la rivière gèle et qu'on ne peut plus pêcher, on chasse.

— Qu'est-ce qu'on chasse d'autre ? Des souris comme le Clan du Tonnerre ou des lapins comme le Clan du Vent ? Tu as déjà goûté du lapin ? Quel goût ça a ? Est-ce que Brise de Nénuphar en mangeait quand…

— Calme-toi un peu, soupira Gueule Balafrée, qui avait le tournis.

— Désolée ! Je sais que je parle trop… je veux juste être la meilleure apprentie possible. Je suis si contente que tu sois mon mentor ! Tu es le guerrier le plus fort du Clan de la Rivière, si on excepte Reflet d'Argent, mais lui, il est vieux – enfin, quand même pas au point de rejoindre les anciens, hein ? Toi tu es plus jeune, tu dois te souvenir de ton apprentissage. Et j'écouterai tout ce que tu me diras... »

Gueule Balafrée se sentit soudain un peu coupable. Il n'avait jamais été aussi enthousiaste avec Pelage de Cèdre. Non qu'il ait méprisé l'entraînement de son mentor – au contraire, il lui avait été utile. Cependant, c'était surtout l'enseignement d'Ombre d'Érable qui lui avait valu de devenir si courageux et si habile au combat.

Gueule Balafrée bâilla. La plupart de ses camarades étaient allés se coucher. La mousse frémit derrière Étoile de Grêle lorsqu'il regagna son antre pour la nuit. Poil de Loutre, Cristal d'Eau et Larme de Nuit secouaient leurs nids pour en faire tomber les brins secs. Les anciens murmuraient dans leur tanière.

Le vent était tombé, le silence régnait dans la forêt.

Du bout du museau, Brise de Nénuphar le poussa vers leur tanière.

« Allons nous coucher. »

Lové dans le nid, Gueule Balafrée ferma les yeux. Brise de Nénuphar se blottit tout contre lui, la truffe enfouie dans sa fourrure. Gueule Balafrée poussa un soupir de contentement. *Je suis mentor.* Plus rien ne pourrait l'empêcher de devenir lieutenant, à présent. Il sombra dans le sommeil en ronronnant.

« Alors, comme ça, te voilà mentor ! »

Le miaulement rauque d'Ombre d'Érable le réveilla. La forêt sombre se dressait tout autour de lui.

« Oui, répondit-il en bombant le poitrail.

— Parce que tu as une apprentie, tu penses ne plus rien avoir à apprendre ? fit-elle, les yeux luisants.

— Non ! Je sais que je ne suis pas prêt à devenir chef. Ni même à devenir lieutenant ! » Ne remarquait-elle pas à quel point il était soulagé de la revoir ? Il n'avait plus rêvé d'elle depuis trop longtemps. Il craignait de perdre son avance sur ses camarades. « Je veux que tu m'enseignes tout ce que tu sais. Je veux devenir le meilleur chef possible. Mon Clan ne mérite pas moins.

— Bien, murmura-t-elle en plissant les paupières. Tu es toujours digne de recevoir mes conseils. »

Elle tournait autour de lui sans le quitter des yeux.

« Regarde ! » lança-t-il.

Gueule Balafrée courut, bondit, se tourna dans l'air en frappant des ennemis imaginaires de ses pattes avant et de ses pattes arrière simultanément. Il retomba gracieusement sur le sol. Il s'exerçait tous les jours depuis qu'il avait vu Griffes d'Épine exécuter l'enchaînement. Il était certain de le maîtriser à la perfection.

« Pas mal, lâcha-t-elle.

— Pas mal ? répéta-t-il, indigné.

— Répète-moi ton serment.

— Encore ?

— Dis-moi qu'il n'y a rien de plus important que de veiller sur ton Clan, quoi qu'il t'en coûte ! »

Ses yeux lançaient des éclairs.

« D'accord, soupira-t-il. Il n'y a rien de plus important que de veiller…

— Dis-le avec conviction ! » le coupa-t-elle en plaquant sa truffe contre son museau.

Il se redressa et reprit :

« Il n'y a rien de plus important que de veiller sur mon Clan, quoi qu'il m'en coûte !

CHAPITRE 29

LA SAISON DES FEUILLES VERTES s'était installée peu à peu. Le soleil radieux illuminait l'azur du ciel et une douce brise caressait la hêtraie. Nuage de Crique était tapie sous les feuilles frémissantes, le poitrail collé au sol.

« Maintenant, tout doucement. » Gueule Balafrée laissa tomber une feuille une longueur de queue devant elle. « Imagine que c'est un oiseau. Son ouïe est plus fine que la tienne. Il est plus rapide que toi. » Il se pencha un peu plus et ajouta : « Et il a bien plus peur que toi. »

Nuage de Crique plissa les yeux. Elle s'avança, aussi silencieuse qu'un serpent. *Bien.* Une patte à la fois, elle rampa vers la feuille. Tout à coup, elle bondit en agitant les pattes dans tous les sens.

« Je l'ai eue ? Je l'ai eue ? » demanda-t-elle.

Le cœur du guerrier se serra. Elle avait atterri une demi-longueur de queue trop loin.

« C'était pas mal, soupira-t-il dans un haussement d'épaules.

— Mais tu pourrais mieux faire, ajouta Œil de Scarabée en sortant des arbres, pendant que Nuage de Bambou et Nuage Affamé ronronnaient d'un air moqueur. Nuage de Crique, tu as beaucoup de force dans tes pattes arrière. »

Le matou jeta un coup d'œil vers Gueule Balafrée pour s'assurer qu'il pouvait donner des conseils à l'apprentie de son camarade.

Gueule Balafrée hocha la tête. Il avait besoin de toute l'aide possible avec Nuage de Crique. Elle était si enthousiaste qu'il était presque douloureux de la voir échouer d'un poil à chaque tentative.

Œil de Scarabée prit la feuille dans sa patte.

« Tu dois ajuster ton saut en tenant compte de ta force. » Il laissa tomber la feuille devant elle et conclut : « Ne pousse pas si fort et garde ta cible à l'œil.

— Cette fois, je l'aurai, répondit l'apprentie en reprenant position.

— Si elle ne t'attrape pas en premier », la taquina Nuage de Bambou.

Nuage de Crique se dandina un peu sur son arrière-train et bondit. Elle se redressa, les oreilles frémissantes, regardant par terre tout autour d'elle, sans voir qu'elle était assise dessus.

« Où est-elle ? Est-ce que je l'ai encore ratée ?

— Est-ce qu'on peut aller pêcher, maintenant ? lança Nuage de Bambou. Il fait chaud.

— Vous devez apprendre à attraper des oiseaux tout autant que des poissons, lui rappela Gueule Balafrée.

— Moi, je veux apprendre à me battre ! Il faut récupérer les Rochers du Soleil ! »

Le Clan du Tonnerre avait rétabli son marquage juste après la saison des feuilles mortes et Étoile de Grêle, craignant pour la vie de ses guerriers, avait refusé de lancer une contre-attaque pendant les lunes les plus âpres.

Cœur de Chêne soupira :

« Nous devrions peut-être accorder au Clan du Tonnerre le droit d'y chasser pendant la mauvaise saison, suggéra-t-il. C'est toujours à cette époque qu'ils se les réapproprient.

— Quoi ? s'étrangla Œil de Scarabée en le foudroyant du regard. Ils s'approprieront tout notre territoire si nous commençons à faire de tels arrangements. Ça fait une lune que Cœur de Nacre tente de persuader Étoile de Grêle de reprendre les rochers. Je ne sais pas pourquoi il hésite. C'était facile, la dernière fois.

— Alors, on apprend à se battre ou quoi ? s'impatienta Nuage Affamé en griffant le sol.

— J'ai toujours mal à l'épaule, depuis la dernière fois, protesta Nuage de Crique.

— Tu devrais être plus rapide, rétorqua Nuage de Bambou.

— Je suis plus rapide que toi ! » rétorqua sa sœur.

Peut-être, mais tu pars toujours dans la mauvaise direction. Gueule Balafrée réprima un soupir. Il s'avança au milieu des hêtres et déclara :

« Essayons les techniques inventées par Cœur de Chêne pour distraire les Bipèdes. »

Nuage de Crique pourrait s'exercer à la chasse plus

tard, quand Nuage Affamé et Nuage de Bambou ne seraient plus là pour se moquer d'elle.

Nuage de Bambou dressa l'oreille.

« Tu veux dire quand on veut éloigner les Bipèdes du camp ? »

Il se mit à boiter de façon très convaincante en gémissant comme un chat domestique.

« Au secours ! Aidez-moi ! Je suis blessé !

— Génial ! fit Cœur de Chêne, qui se tourna vers Nuage Affamé. Et toi, qu'est-ce que tu dois faire ? »

L'apprenti brun foncé réfléchit.

« Je sais ! Je sais ! s'écria Nuage de Crique en sautant partout. On court jusqu'au camp aussi vite que possible pour cacher les anciens et les chatons dans les roseaux ou les porter plus loin sur la rive.

— Exactement ! la félicita Cœur de Chêne avant de jeter un coup d'œil aux troncs d'arbres minces. Et maintenant, un peu d'escalade.

— Tu veux qu'on grimpe aux arbres ? s'étrangla Œil de Scarabée.

— Oui, confirma le guerrier en sautant sur une racine proéminente. C'est le lieu idéal pour observer les Bipèdes. » Il sortit les griffes. « Vous vous souvenez quand Écho de Brume a repéré les Bipèdes qui avaient emmené leur chien dans les marais, au cours de la dernière lune ?

— C'était la première fois que je voyais un chien », se rappela Nuage de Crique, dont le poil s'était hérissé.

Du bout de la queue, Gueule Balafrée lui lissa la fourrure. Il poursuivit :

« Il aurait pu trouver le camp si Écho de Brume ne l'avait pas attiré au loin.

— D'accord. » Œil de Scarabée s'approcha du pied d'un arbre. « Va pour l'escalade dans les arbres. » Il fit signe à Nuage de Bambou de s'approcher. « Tu montes en premier. Je te suis. »

Nuage de Bambou accourut, s'accroupit entre les racines et sauta en grognant. Il planta ses griffes dans l'écorce et se hissa jusqu'à la branche la plus basse. Il s'y cramponna lorsqu'elle ploya sous lui.

« À ton tour, lança Gueule Balafrée en poussant son apprentie vers un autre arbre. Ne rentre pas les griffes, et tout ira bien. »

Elle sauta à son tour et s'accrocha à l'écorce.

« Vas-y ! l'encouragea son mentor. Tu te te rappelles comme tu me grimpais sur le dos en trois bonds quand tu étais chaton ? »

Il grimaça en se remémorant ses griffes fines et pointues.

Nuage de Crique se hissa un peu plus puis commença à prendre confiance en elle au point qu'elle finit par sauter de branche en branche tel un écureuil.

« C'est formidable ! » Gueule Balafrée se mit à grimper derrière elle. Ses griffes s'enfonçaient sans mal dans l'écorce tendre. Il marqua une pause, leva la tête et entrevit entre les feuilles le pelage tigré de son apprentie. « Arrête-toi à la prochaine branche.

— Entendu. »

Son miaulement semblait venir de très loin.

« J'espère qu'elle n'est pas montée trop haut, marmonna-t-il.

En bas, Cœur de Chêne tentait toujours de persuader Nuage Affamé de grimper.

— Gueule Balafrée ! gémit soudain Nuage de Crique au-dessus de sa tête.

— Tout va bien ? » s'inquiéta-t-il.

Oh, par le Clan des Étoiles ! Pris de panique, Gueule Balafrée se hissa plus haut.

« J'arrive ! »

« Je vois un chien ! » La plainte de la jeune chatte était toute proche, à présent. « Il est énorme ! » Les feuilles frémirent autour de Gueule Balafrée. « Il se dirige par ici. »

Le guerrier sentit sa fourrure se hérisser. *Le camp !* Il jeta un coup d'œil entre les branches. La prairie s'étendait loin devant. Puis il le vit. Une silhouette brune louvoyant entre les joncs tel un poisson entre les herbes de la rivière. Le jeune guerrier ouvrit la gueule. La puanteur canine imprégna sa langue. Il jeta un coup d'œil vers le camp. Il était bien caché par les saules et les roseaux mais, si le chien continuait à filer dans cette direction, il foncerait droit dessus. Gueule Balafrée dégringola dans l'arbre en réfléchissant à toute allure.

« Reste là-haut ! lança-t-il à Nuage de Crique. Ne descends pas avant que je te le dise.

— Tu l'as vu ? s'enquit Œil de Scarabée, aplati sur sa branche, les oreilles dressées.

— Oui. Il vient droit vers nous. Il faut faire diversion.

— Et les apprentis ?

— Dis à Nuage de Bambou de rester dans l'arbre.

— On ne peut rien faire pour vous aider ? insista l'apprenti, depuis la branche voisine.

— Vous êtes trop petits », feula Gueule Balafrée.

Ils n'avaient pas le temps de se justifier. Il se laissa tomber au sol.

Cœur de Chêne essayait toujours de persuader Nuage Affamé de sauter sur l'arbre.

« Force-le à grimper, ordonna Gueule Balafrée. Vite ! Un chien fonce droit vers nous. C'est un gros, trop rapide pour que des apprentis puissent le semer. Nous devons l'attirer le plus loin possible du camp. »

Nuage Affamé se mit à gratter l'écorce en tentant de se soulever tandis que Cœur de Chêne le poussait par-derrière. Avec un feulement de triomphe, l'apprenti brun parvint à planter ses griffes dans l'écorce et à se hisser tant bien que mal sur le tronc.

« Continue ! » le pressa Cœur de Chêne.

Le novice ne s'arrêta pas avant d'avoir atteint une branche épaisse. Il se jeta dessus en grognant et s'y accrocha de toutes ses forces.

« De quel côté partons-nous ? demanda Cœur de Chêne à Gueule Balafrée.

— Vers la prairie.

— Et ensuite ? fit Œil de Scarabée, qui était descendu à son tour.

— Nous l'emmènerons sur la colline, loin du camp. Hors de notre territoire. » Il se raidit soudain et reprit : « L'un de nous va devoir aller au camp pour prévenir les autres !

— J'y vais ! déclara Nuage de Bambou en se laissant doucement glisser le long du tronc.

— Je t'ai dit de rester dans l'arbre ! » maugréa Œil de Scarabée.

Mais le novice s'éloignait déjà en projetant derrière lui des touffes d'herbe.

« Il est rapide, marmonna Œil de Scarabée. Il va y arriver.

— Bien. » Gueule Balafrée scruta la prairie. Le chien se rapprochait. « Venez. »

Il dévala la pente et plongea dans l'herbe haute. La position du chien était gravée dans son esprit. Il fonçait droit sur lui sans rien voir d'autre que des tiges vertes. Cœur de Chêne était sur ses talons, Œil de Scarabée un peu plus loin. Zigzaguant entre les touffes d'herbe, Gueule Balafrée filait à l'aveuglette. Il ouvrit la gueule, le souffle court, et huma la puanteur de l'ennemi. De lourdes pattes martelaient le sol, droit devant.

« Prêts ? » lança-t-il à ses camarades.

Alors qu'il contournait une touffe d'herbe épaisse, la puanteur s'intensifia. Du coin de l'œil, il aperçut le molosse – noir, hirsute. Il fit demi-tour pour retourner à toute allure vers les hêtres. Cœur de Chêne l'avait imité et cavalait tout près de lui. Tandis que Gueule Balafrée scrutait les joncs à la recherche d'Œil de Scarabée, une silhouette féline noire jaillit d'un buisson et prit la tête de leur groupe. Le chien jappa d'excitation.

« Forçons-le à contourner la hêtraie, feula Œil de Scarabée.

— Il nous suit ? s'enquit Gueule Balafrée.

— Regarde derrière toi ! »

Gueule Balafrée se retourna et vit que la bête n'était qu'à une longueur de queue de lui – énorme, l'écume aux lèvres, les crocs acérés. Ses épaules étaient larges et musculeuses. Œil de Scarabée força l'allure et Gueule Balafrée tâcha de le suivre. Le chien hurla et ses pas résonnèrent plus fort encore sur le sol.

Gueule Balafrée slalomait dans la végétation et gagnait un peu de terrain à chaque tournant. Il parvint au sommet de la hêtraie, la fourrure dressée sur l'échine. Il pria pour que Nuage de Crique et Nuage Affamé soient restés en lieu sûr et pour que Nuage de Bambou ait atteint le camp. Le sol durcissait sous ses pattes à mesure que les marais cédaient la place aux saules. Jaillissant de l'herbe haute, Gueule Balafrée vit que Cœur de Chêne filait déjà devant lui entre les troncs chétifs. Des fougères se dressaient devant eux et des aubépines poussaient en masses enchevêtrées, ce qui les empêchait de courir en ligne droite.

« Séparez-vous ! » ordonna-t-il lorsque le chien surgit derrière eux des herbes folles.

Cœur de Chêne s'engagea dans la montée, Œil de Scarabée poursuivit tout droit tandis que Gueule Balafrée obliquait vers la rivière, suivant un itinéraire qui contournait le camp. Le molosse le talonnait. Il dépassa le camp à toute vitesse et foula un carré de jacinthes entre les arbres. Le sang lui battait aux tempes. Le chien le pourchassait toujours bruyamment, la gueule dégoulinante. Le guerrier dérapa sur la mousse humide et se jeta de côté en s'efforçant de garder l'équilibre. Il sentait l'haleine chaude et fétide sur ses talons. Même si ses poumons le brûlaient, sa terreur le forçait à poursuivre.

Le camp était derrière eux, à présent. Gueule Balafrée dévia soudain de sa route pour redescendre la colline, espérant par là gagner en vitesse. Le molosse, maladroit de ses pattes, bascula sur le flanc. Le guerrier dévala la pente. La rivière scintillait à travers les saules. S'il parvenait au cours d'eau, il pourrait reprendre son souffle. Le chien s'était relevé et avait repris la course-poursuite. Gueule Balafrée se jeta dans les fougères en grognant et déboula sur la berge.

Fleur de Pluie, qui se désaltérait au milieu des rochers, leva la tête, et le dévisagea avec horreur.

« Gare au chien ! »

Gueule Balafrée pivota pour regagner la montée. Le chien ne devait pas atteindre la rive. Il le vit foncer vers les fougères et feula pour attirer son attention. En l'apercevant, l'animal tenta de tourner vers lui, mais, emporté par son poids, il dégringola jusqu'aux buissons de la berge. Un cri terrifié déchira le silence.

Fleur de Pluie !

Gueule Balafrée fit volte-face et fila vers la rive. Il jaillit des fougères au moment où le chien jetait sa mère dans l'eau. Le regard du molosse s'embrasa lorsqu'il vit le guerrier.

Feulant de rage, le matou lui griffa le museau avant de s'enfuir à toute allure. Le molosse hurla et se lança à sa poursuite en dérapant sur les galets. Gueule Balafrée monta à l'assaut de la colline, le souffle court. Il sentait le sol vibrer sous ses coussinets. L'ennemi gagnait du terrain.

Cœur de Chêne surgit des aubépines et feula :

« Va sauver Fleur de Pluie !

— On s'occupe du chien ! » ajouta Œil de Scarabée, apparu à son tour.

Gueule Balafrée plongea dans les branches piquantes et s'y tapit un instant, hors d'haleine, les pattes tremblantes. Dès que les bruits de cavalcade disparurent, il s'extirpa de sa cachette, dévala la colline, traversa les fougères et scruta la rive.

Fleur de Pluie ?

Sa mère gisait dans l'eau, plaquée par le courant contre un rocher pointu. Gueule Balafrée se précipita vers elle en projetant des gerbes d'écume. Il la saisit par la peau du cou et la sortit de la rivière.

Laisse-la ! L'odeur d'Ombre d'Érable l'entoura soudain. *Sauve tes camarades !*

L'eau qui trempait la fourrure de sa mère avait le goût du sang. Elle avait dû heurter un rocher dans sa chute. Horrifié, il constata que ses yeux étaient vitreux. Il laissa son corps retomber sur les galets et recula. *Je dois aller chercher Baie de Ronce !*

La silhouette d'Ombre d'Érable apparut devant lui, presque transparente.

« Reprends le chien en chasse ! Rappelle-toi ton serment ! »

Le guerrier hésita.

Ombre d'Érable lui cracha au museau :

« Tu veux devenir le meilleur, n'est-ce pas ? »

Gueule Balafrée jeta un nouveau coup d'œil à sa mère, immobile. Que pouvait-il faire pour elle, à présent ? Il inspira profondément, puis rebroussa chemin ventre à terre pour retrouver ses camarades derrière les aubépines. Le chien, la langue pendante, fatiguait et progressait difficilement dans les taillis. Gueule

Balafrée le dépassa bientôt et se retrouva au côté de Cœur de Chêne, qui le regarda brièvement avant de se concentrer sur la course.

Les arbres s'espacèrent et le terrain s'aplanit lorsqu'ils s'approchèrent de la ferme. Les guerriers dépassèrent la frontière de leur territoire et se glissèrent sous une clôture en bois. Ils déboulèrent dans un vaste champ où paissaient tranquillement quelques vaches. Le chien aboyait furieusement, incapable de franchir la clôture.

« On a réussi ! » s'écria Gueule Balafrée en s'arrêtant près de ses camarades.

À bout de souffle, ils se tournèrent vers le molosse dont les yeux brûlaient de rage tandis qu'il grattait la terre.

« Stupide chien ! » cracha Gueule Balafrée en faisant le dos rond.

Un cri retentit dans les saules. Le guerrier se tapit dans l'herbe lorsqu'un Bipède arriva derrière le chien et l'attrapa par son collier. Il l'entraîna au loin en maugréant. Gueule Balafrée poussa un profond soupir de soulagement.

« Fleur de Pluie va bien ? »

La question de Cœur de Chêne le frappa comme une pierre.

« Je suis arrivé trop tard, murmura-t-il.

— Elle est morte ? s'étrangla ce dernier, les yeux brillants. C'est le chien ? Il l'a mordue ?

— Il l'a jetée dans la rivière, répondit le guerrier beige, les yeux baissés. Elle a dû se cogner la tête sur un rocher en tombant.

— Elle n'était peut-être qu'assommée. Tu as été chercher Baie de Ronce ?

— Je n'avais pas le temps ! Je devais m'occuper du chien !

— Nous nous en chargions, du chien ! s'emporta Cœur de Chêne. Je t'avais dit de secourir Fleur de Pluie ! »

En entendant le ton dur de son frère, Gueule Balafrée sentit son sang se figer dans ses veines. Avait-il pris la mauvaise décision ? Il ferma les yeux. *Non ! J'ai promis de sauver mon Clan, et c'est ce que j'ai fait ! Fleur de Pluie était morte. Je ne pouvais plus rien pour elle.*

Gueule Balafrée rouvrit les yeux. Voyant Cœur de Chêne se glisser sous la clôture et disparaître dans les saules, il se lança à sa poursuite, dévala la colline et jaillit sur la berge.

Cœur de Chêne était tapi près de Fleur de Pluie. Un voile blanc recouvrait les yeux de la guerrière. Du sang avait coulé sur les rochers, autour de sa tête.

« Elle est morte, déclara Cœur de Chêne avant de tourner la tête vers son frère. Notre mère est morte. »

CHAPITRE 30

LE CORPS DE FLEUR DE PLUIE gisait au clair de lune. Cœur de Chêne l'avait traînée seul jusqu'à la clairière. Chaque fois que Gueule Balafrée avait voulu l'aider, il l'avait repoussé d'un feulement féroce. Installé devant sa tanière, le guerrier observait à présent ses camarades qui, l'un après l'autre, venaient faire leurs adieux à leur mère.

Écho de Brume posa sa truffe sur la fourrure de la défunte en murmurant :

« Tu étais une guerrière loyale.

— Tu nous manqueras », miaula Croc de Brochet à son oreille.

Plus jamais Gueule Balafrée n'aurait l'occasion de rendre sa mère fière de lui. Ses yeux le brûlaient, la douleur lui déchirait le cœur.

Assis à l'autre bout de la clairière, Cœur de Chêne regardait dans le vide. Bourgeon Poudré et Poil de Ragondin s'étaient blottis contre lui. Larme de Nuit s'éloigna du cadavre pour aller lui murmurer quelques paroles réconfortantes. Pelage d'Écorce s'inclina devant le guerrier accablé.

Gueule Balafrée vit rouge. Fleur de Pluie avait toujours aimé Cœur de Chêne plus que lui. *Eh bien, qu'ils pleurnichent tous ensemble, je m'en moque.* Il détourna le regard, le cœur brisé.

« Ne t'en fais pas, lui chuchota Brise de Nénuphar après avoir salué une dernière fois la dépouille. Elle veillera sur toi depuis le Clan des Étoiles. »

Gueule Balafrée ravala la boule qui lui obstruait la gorge. *Est-ce qu'elle prendra cette peine ?*

« Tu as été très courageux, ajouta Brise de Nénuphar. Tu as affronté ce chien et tu l'as entraîné hors de notre territoire. »

J'aurais dû sauver ma mère. Cette pensée tournait en boucle dans sa tête, mais il ne pouvait se résoudre à l'exprimer, pas même devant sa compagne.

Tandis que les membres du Clan regagnaient leurs tanières, Cœur de Nacre apparut et contempla la compagne qu'il avait reniée. Gueule Balafrée lut dans ses yeux embués un chagrin infini et comprit que son père n'avait jamais cessé de l'aimer. Avec des mouvements raides, le lieutenant s'installa près de Fleur de Pluie et ferma les yeux. Il semblait vieux, tout à coup. Gueule Balafrée n'avait jamais remarqué que sa fourrure était pelée par endroits et que son museau avait viré au gris.

Cœur de Chêne quitta Bourgeon Poudré et Poil de Ragondin pour rejoindre son père. Il lui effleura la tête avant de s'installer près de lui, le museau enfoui dans la fourrure poisseuse de Fleur de Pluie. Des nuages voilèrent soudain la lune, enveloppant les trois silhouettes silencieuses dans un linceul d'ombre.

Gueule Balafrée resserra ses pattes sous lui et ferma les yeux.

Je suis désolé. Est-ce que Fleur de Pluie avait rejoint les rangs du Clan des Étoiles, est-ce qu'elle l'écoutait ? *Je n'aurais jamais dû t'abandonner sur la rive. J'aurais dû affronter le chien pour te sauver.* Est-ce qu'Ombre d'Érable le lui expliquerait ? Une nouvelle vague de chagrin éteignit aussitôt cette frêle lueur d'espoir. *Je m'excuse pour tout, Fleur de Pluie – je m'excuse d'être parti du camp en douce et de m'être fracassé la mâchoire ; de t'avoir laissée mourir. Tu m'as tellement manqué. Si seulement j'avais réussi à me faire pardonner...* Il ouvrit brusquement les yeux et leva la tête vers la Toison Argentée.

« Par pitié, pardonne-moi. »

Brise de Nénuphar lui lécha la joue et ils s'endormirent dans la douce brise de la saison des feuilles vertes, au bord de la clairière.

Au matin, des bruits de pas sur le sol durci par la chaleur du soleil réveillèrent Gueule Balafrée. La lumière de l'aube baignait le camp. Les anciens emportaient le corps de Fleur de Pluie pour aller l'enterrer. Cœur de Nacre et Cœur de Chêne les observaient, les yeux gonflés par le sommeil et le chagrin. Lorsque Trille d'Oiseau et Cœur de Truite hissèrent la chatte sur le dos large et grisonnant de Moustache Emmêlée, Cœur de Chêne se dirigea d'un pas las vers sa tanière et y disparut. Cœur de Nacre se glissa tout contre Moustache Emmêlée pour partager son fardeau.

Baie de Ronce émergea à son tour et salua le cortège d'un signe de tête. Elle traversa la clairière et s'arrêta devant Gueule Balafrée. Celui-ci se leva doucement pour ne pas réveiller Brise de Nénuphar, qui dormait encore.

« Elle n'a pas souffert, murmura la guérisseuse. Sa blessure a dû lui faire perdre connaissance. Elle ne se sera rendu compte de rien.

— Tu cherches à me réconforter, chuchota-t-il.

— Non ! se défendit-elle. Jamais je ne mentirais ! »

Gueule Balafrée s'en voulut. Il l'avait vexée. Pourquoi était-il incapable de dire ou de faire ce qu'il fallait ?

« Je... je suis...

— Nous devons parler, Gueule Balafrée, le coupa-t-elle.

— Que tous ceux qui sont en âge de pêcher se rassemblent devant moi pour entendre mes paroles ! »

L'appel d'Étoile de Grêle les interrompit.

« Que se passe-t-il ? s'enquit Brise de Nénuphar en se levant à son tour.

— Je l'ignore », répondit Baie de Ronce avant de s'éloigner.

Gueule Balafrée la suivit des yeux, décontenancé.

Les tanières frémirent et des murmures s'élevèrent de toutes parts tandis que les guerriers se rassemblaient autour de leur chef. Gueule Balafrée et Brise de Nénuphar prirent place au dernier rang.

Patte de Pierre s'inclina brièvement devant Gueule Balafrée.

« Toutes mes condoléances, miaula-t-il.

— Merci, marmonna Gueule Balafrée.

— Nous avons été unis dans le chagrin, lança

Étoile de Grêle. Unissons-nous à présent dans la victoire. Il y a dans la forêt un morceau de territoire qui nous revient de droit. Il nous apporte de la chaleur. Et de l'ombre. Le moment est venu de le reprendre à ces bouffeurs d'écureuils !

— Les Rochers du Soleil ! clama Pelage d'Écorce. Hourra ! »

Gueule Balafrée chercha du regard Cœur de Nacre et Cœur de Chêne, sachant qu'ils voudraient tous deux participer au combat, et s'inquiéta de ne les trouver nulle part.

« Gueule Balafrée ! lança Étoile de Grêle. Je te veux dans la patrouille qui rétablira notre marquage sur les Rochers du Soleil. Poil de Ragondin et Patte de Pierre, vous venez aussi. »

Gueule Balafrée sentit Patte de Pierre se raidir près de lui. Il nota son air préoccupé.

« Les apprentis ne viennent pas ? demanda Nuage de Crique.

— Non, il n'y aura que mes guerriers les plus forts et les plus expérimentés. J'espère que nous ne rencontrerons pas de résistance mais, dans le cas où nous croiserions une patrouille du Clan du Tonnerre, je veux qu'ils sentent le tranchant de nos crocs et de nos griffes.

— Mes crocs sont pointus ! protesta Nuage de Griffe.

— Nous avons besoin de nous entraîner dans une vraie bataille, renchérit Nuage de Carpe. Si mon mentor y va, pourquoi pas moi ?

— Il y aura d'autres combats, rétorqua Étoile de

Grêle. Œil de Chouette, Plume Douce, Croc de Brochet ! Vous formerez la seconde patrouille. La mienne traversera la rivière à la nage. Vous, vous emprunterez le gué. Attendez au pied des rocs. Au besoin, nous forcerons le Clan du Tonnerre à venir se battre là. »

S'ils s'affrontaient sur la rive sous les Rochers du Soleil, la rivière leur donnerait l'avantage. Alors que les guerriers du Clan du Tonnerre s'efforceraient de ne pas tomber à l'eau, le Clan de la Rivière pourrait prendre plus de risques et combattre sans crainte.

« Je prie pour que le sang ne coule pas, poursuivit le meneur. Avec la mort de Fleur de Pluie, nous avons perdu une valeureuse guerrière. »

Les guerriers échangèrent des murmures approbateurs. Soudain, Patte de Pierre s'avança et haussa le ton pour couvrir les miaulements de ses camarades.

« Ces rochers valent-ils vraiment la peine qu'on risque une nouvelle fois nos vies ? »

Étoile de Grêle décocha un regard surpris au vieux guerrier.

« Patte de Pierre, pourquoi t'y opposer aujourd'hui ? s'étonna-t-il. Tu t'es toujours battu en première ligne. »

Gueule Balafrée plissa les yeux. Le vétéran était réputé pour sa force et son courage. Il était capable de maintenir un ennemi sous l'eau jusqu'à ce qu'il se rende. Au cours des Assemblées, les mentors mettaient leurs apprentis en garde contre lui.

Reflet d'Argent éleva la voix à son tour :

« C'est une question d'honneur : nous ne pouvons

pas laisser le Clan du Tonnerre nous prendre des rochers qui nous ont été donnés à l'aube des Clans.

— Dois-je comprendre que tu refuses de te joindre à la patrouille, Patte de Pierre ? demanda Étoile de Grêle.

— Non, répondit le matou de sa voix rauque. Si tu m'en donnes l'ordre, je me battrai.

— Quand partons-nous ? s'enquit Gueule Balafrée.

— Maintenant. »

Le chef se dirigea vers la sortie, aussitôt suivi par le reste de la patrouille.

Sur la rive, ils se glissèrent dans l'eau pour traverser à la nage tandis que Plume Douce, Œil de Chouette et Croc de Brochet se hâtaient vers les pierres de gué. Le soleil dépassait à peine des saules et les Rochers du Soleil rougeoyaient dans la lumière de l'aube. Gueule Balafrée atteint la rive opposée, sortit et s'ébroua avant de suivre Étoile de Grêle, Poil de Ragondin et Patte de Pierre sur la paroi minérale.

Son cœur s'emballa lorsqu'il atteignit le sommet et vit le massif rocheux et la forêt sombre qui s'étendait au-delà. C'était l'occasion ou jamais de se battre pour son Clan. Et si Fleur de Pluie l'observait, depuis la Toison Argentée, peut-être serait-elle fière de lui.

Étoile de Grêle leur fit signe de s'approcher de l'orée de la forêt. Gueule Balafrée savait ce qu'il devait faire. Il bondit au bout des rochers et suivit le sentier que Cœur de Nacre avait emprunté la fois précédente. Il s'approcha du premier chêne qui se dressait au bord des falaises et y laissa sa marque. Patte de Pierre s'occupa du buisson voisin et ils se relayèrent pour renouveler l'opération le long de la frontière jusqu'à ce qu'ils rejoignent Étoile de Grêle à mi-chemin.

« C'est tout ? miaula Poil de Ragondin en scrutant les arbres. Pourquoi est-ce que le Clan du Tonnerre veut les Rochers du Soleil, de toute façon ? Il est habitué à vivre dans l'obscurité.

— C'est peut-être pour ça qu'il les veut, pour avoir une chance de voir le soleil. »

Gueule Balafrée s'immobilisa. Des buissons frémissaient derrière la frontière. Reconnaissant l'odeur du Clan du Tonnerre, il recula en crachant. La queue d'Étoile de Grêle avait doublé de volume et Patte de Pierre s'était ramassé sur lui-même, prêt à l'attaque, les crocs découverts. Poil de Ragondin avait hérissé son pelage pour paraître plus intimidant.

« N'oubliez pas que, s'ils veulent la bagarre, nous devons les entraîner sur la rive pour les y affronter », leur rappela le meneur dans un murmure.

Tout à coup, Croc de Vipère jaillit des sous-bois, le pelage ébouriffé. Gueule Balafrée banda ses muscles.

« Nous savions que vous tenteriez de les reconquérir, lâcha le guerrier ennemi tandis que Douce Brise, Petite Oreille et Perce-Neige surgissaient derrière lui. Combien de fois faudra-t-il que nous vous vainquions pour que vous cessiez de chercher à reprendre ce qui nous appartient ?

— Cette fois-ci, nous vous battrons ! »

Étoile de Grêle leva la queue quand soudain...

« Assez ! feula Patte de Pierre en s'avançant.

— Hein ? » s'exclama Étoile de Grêle en tournant la tête vers son guerrier.

Le regard de Croc de Vipère se fit perçant. Douce Brise jeta un coup d'œil perplexe à ses camarades.

« Trop de sang a coulé à cause de ces fichus cailloux, déclara Patte de Pierre.

— Ça sonne comme une capitulation, déclara Douce Brise, les oreilles rabattues.

— Non », la détrompa le vieux guerrier du Clan de la Rivière. Étoile de Grêle se crispa mais le laissa poursuivre. « Ces rochers appartiennent au Clan de la Rivière, à présent et pour toujours.

— Jamais ! » se récria Croc de Vipère.

Le voyant sur le point d'attaquer, Gueule Balafrée sortit les griffes.

« Attendez ! s'interposa Patte de Pierre. Nous allons régler cette affaire sur-le-champ. » Il foudroya Croc de Vipère du regard et ajouta : « Si tu en as le courage.

— Ne t'inquiète pas pour ça.

— Dans ce cas, viens m'affronter.

— Juste toi et moi ? s'étonna l'autre.

— Oui. Chacun de nous représentera son Clan. »

Croc de Vipère renifla avec mépris.

« C'est trop facile. Est-ce que cette solution te satisfait ? » demanda-t-il, incrédule, à Étoile de Grêle, comme si Patte de Pierre venait de déposer devant lui une proie juteuse.

Étoile de Grêle tourna la tête vers Patte de Pierre.

« Oui, feula-t-il. Veux-tu en parler d'abord à Étoile du Soleil ?

— En tant que lieutenant suppléant, j'estime que la proposition est acceptable. »

Ses yeux jaunes brillèrent comme si la victoire lui était déjà acquise.

Patte de Pierre recula au milieu des rochers. Croc de Vipère l'y rejoignit, ses muscles roulant sous son pelage brun sombre pommelé. Douce Brise, Petite Oreille et Perce-Neige prirent place autour d'eux. Gueule Balafrée s'approcha d'Étoile de Grêle et de Poil de Ragondin, qui s'étaient mis derrière Patte de Pierre. Gueule Balafrée frémit. C'était encore pire que de partir en guerre, car il ne pouvait intervenir. *Et si toutes les batailles se livraient ainsi ?* Il repoussa cette idée. Ce n'était pas comme ça qu'un combat devait se dérouler.

Patte de Pierre tourna autour de Croc de Vipère, qui rabattit les oreilles en arrière et cracha, puis se dressa de toute sa hauteur et se laissa retomber sur le dos du guerrier de la Rivière. Ce dernier roula au sol pour lui faire lâcher prise et le mordit à l'épaule. Le guerrier du Clan du Tonnerre poussa un cri de douleur avant de se libérer. Il se retourna avec la vitesse d'un serpent et revint à la charge. Patte de Pierre se leva d'un bond pour le repousser. Croc de Vipère fondit sur son ventre à découvert, toutes griffes dehors. Patte de Pierre roula sur le sol en feulant.

Tandis que Douce Brise et Petite Oreille s'écartaient, Croc de Vipère attaqua de nouveau. Patte de Pierre s'était relevé et bloqua l'assaut. Les deux adversaires s'assénèrent une avalanche de coups de patte. Du sang gicla sur la roche. Des hurlements retentirent et effrayèrent des étourneaux qui s'envolèrent bruyamment.

Des griffes crissèrent sur les rochers derrière Gueule Balafrée. Il vit Plume Douce, Œil de Chouette et Croc de Brochet se hisser au sommet de la falaise.

« Restez en arrière, leur ordonna-t-il. Croc de Vipère et Patte de Pierre s'affrontent en combat singulier. »

Le guerrier ennemi rouait de coups Patte de Pierre, le contraignant à reculer. Du sang ruisselait sur le museau de ce dernier et lui coulait dans les yeux.

Il ne peut plus rien voir ! Arrêtez !

Bientôt, Croc de Vipère accula Patte de Pierre au bord de la falaise. Gueule Balafrée dut se retenir pour ne pas intervenir. Puis Patte de Pierre contre-attaqua. Dans un feulement, il fondit sur son adversaire, se dressa au dernier moment sur ses pattes arrière pour le mordre à l'épaule et, de tout son poids, il l'aplatit contre le sol. Croc de Vipère se tortilla sous lui en miaulant sans parvenir à se dégager. Le guerrier du Clan de la Rivière lui plaqua les pattes sur la gorge et le cloua aux rochers comme une vulgaire truite.

« Tu te rends ? » gronda-t-il.

Croc de Vipère leva vers lui un regard empli de haine.

« Tu te rends ? répéta le guerrier pommelé, plus fort.

— Oui. »

Le hoquet du matou du Clan du Tonnerre fut à peine audible.

Patte de Pierre le relâcha et recula d'un pas chancelant, le souffle court. Son pelage était ensanglanté. Croc de Vipère s'accroupit, sa fourrure pendouillait par endroits.

Étoile de Grêle leva le museau vers le ciel.

« Les Rochers du Soleil sont à nous ! » clama-t-il.

Les guerriers du Clan du Tonnerre se regroupèrent

autour de Croc de Vipère et le conduisirent vers les arbres. Gueule Balafrée les regarda disparaître dans les broussailles avec une certaine satisfaction. Croc de Vipère avait sous-estimé Patte de Pierre. Il jeta un coup d'œil vers le vétéran, s'attendant à voir une lueur de triomphe dans ses prunelles. Au lieu de quoi, Patte de Pierre se détourna et prit le chemin du retour en boitant.

CHAPITRE 31

« POURQUOI AVOIR COMBATTU seul ? » feula Reflet d'Argent à Patte de Pierre tandis que Baie de Ronce s'affairait autour du blessé pour lui appliquer un cataplasme.

Patte de Pierre repoussa la guérisseuse.

« Pourquoi risquer la vie d'autres guerriers ? Trop de sang a déjà coulé à cause de ces rochers. » Il regarda au fond de la clairière, vers Nuage de Léopard. « Les batailles n'engendrent que des batailles. Nous apprenons à nos enfants à se battre et ensuite nous les regardons se faire blesser, impuissants. »

Gueule Balafrée étudiait attentivement ses camarades. Ils s'étaient massés sous le saule pour entendre le récit du combat et affichaient un air perplexe. Gueule Balafrée constatait avec soulagement qu'il n'était pas le seul à être dérouté par cette idée de duel. Patte de Pierre avait refusé de se rendre à la tanière de Baie de Ronce si bien que la guérisseuse avait dû venir le soigner dans la clairière. Tout en marmonnant, elle essayait de refermer les entailles les plus profondes.

« Pourquoi l'as-tu laissé faire ? lança Pelage d'Écorce à Étoile de Grêle.

— J'ai confiance en lui comme en tous mes guerriers.

— Et il a bien reconquis les Rochers du Soleil pour nous, lui fit remarquer Plume Douce.

— Le Clan de la Rivière ne s'était jamais battu de cette façon, protesta Moustache Emmêlée en grattant le sol poussiéreux.

— Et ça ne va pas commencer maintenant, enchérit Cœur de Truite.

— C'est lâche », ajouta Gueule Balafrée, dont la queue s'agitait d'un côté puis de l'autre. Voyant que le principal intéressé le foudroyait du regard, il reprit : « Toi, tu n'es pas un lâche, mais moi, j'avais l'impression de l'être, à regarder un camarade se battre sans rien pouvoir faire pour l'aider. »

Cœur de Nacre s'avança, les pattes encore boueuses d'avoir creusé la terre pour enterrer Fleur de Pluie.

« Aucun guerrier n'a envie de se sentir impuissant. »

Étoile de Grêle jeta un regard méfiant à Patte de Pierre.

« Doutais-tu du courage de tes camarades ?

— Pas le moins du monde ! Je préférais seulement voir couler mon sang plutôt que le leur.

— Cela ne doit plus se reproduire ! tonna Pelage de Cèdre, qui fendit la foule pour venir au premier rang. Nous formons un Clan. Nous devons nous battre comme un Clan.

— Il a raison, reconnut Étoile de Grêle. Nous battre aux côtés de nos camarades nous rend plus forts.

— Si un seul guerrier livre bataille, les autres paraissent plus faibles ! »

Étoile de Grêle exigea le silence d'un mouvement de la queue.

« Patte de Pierre s'est montré très courageux, aujourd'hui, et le Clan de la Rivière l'en remercie. Il nous a rendu les Rochers du Soleil. Cependant, à partir de maintenant, nous nous battrons toujours comme un Clan. Nul guerrier n'ira seul au combat. Quand l'un d'entre nous se bat, nous nous battons tous !

— Clan de la Rivière ! Clan de la Rivière ! » clamèrent les félins.

Gueule Balafrée soupira de soulagement. Patte de Pierre ferma les yeux, laissant Baie de Ronce panser ses blessures.

« Est-ce qu'on peut aller aux Rochers du Soleil tout de suite ? demanda Nuage de Bambou à Œil de Scarabée.

— Je n'y suis jamais allée ! ajouta Nuage de Ciel en sautant autour de Plume Douce.

— Plus tard, répondit la guerrière. Quand vous aurez nettoyé le nid de Trille d'Oiseau. »

Gueule Balafrée s'approcha de Cœur de Nacre.

« Ça va ? s'enquit-il en jetant un coup d'œil à ses griffes tordues et pleines de terre.

— Oui.

— Je ne sais pas si Cœur de Chêne me pardonnera un jour, soupira le jeune guerrier en regardant la tanière de son frère, où ce dernier dormait encore, ignorant tout de l'étrange victoire de son Clan aux Rochers du Soleil.

— Il est furieux, voilà tout, le rassura son père en lui caressant le flanc. Cela lui passera, tout comme son chagrin. » Ses yeux scintillèrent lorsqu'il ajouta : « Tu ne te rappelles sans doute pas à quel point ta mère pouvait être aimante. »

Si, je m'en souviens. Le cœur déchiré, il se revit chaton, lorsque Fleur de Pluie le regardait jouer avec fierté.

« Étoile de Grêle ! » cria soudain Patte de Pierre.

Baie de Ronce enroulait des toiles d'araignée autour de la patte arrière du matou.

« Tiens-toi tranquille ! pesta-t-elle. Tu veux tomber en morceaux pendant ton prochain combat ?

— Il n'y aura pas de prochain combat, répondit-il calmement. Je ne veux plus être guerrier. »

Quoi ?

Moustache Emmêlée et Cœur de Truite, qui étaient arrivés en bas de la pente menant à leur tanière, pivotèrent d'un même mouvement, les oreilles dressées. Pelage d'Écorce arrêta de fouiller dans le tas de gibier pour regarder. D'un battement de la queue, il fit signe à Reflet d'Argent et à Œil de Chouette de s'approcher.

Étoile de Grêle cligna des yeux. Il était toujours assis sous le saule.

« Vraiment, Patte de Pierre ? Tu es trop jeune pour rejoindre les anciens. Tu as suivi ton apprentissage après moi.

— Non, je ne veux pas rejoindre nos aînés. Je veux devenir guérisseur.

— Guérisseur ? répéta Baie de Ronce en s'asseyant soudain, de la toile d'araignée encore collée à la patte.

— Si tu acceptes de me former, évidemment.

— J'espérais qu'un des novices montrerait de l'intérêt pour ma spécialité, admit-elle en se relevant. J'aurais vraiment besoin d'un apprenti.

— Tu as bien réfléchi ? demanda le meneur à son vieil ami.

— J'ai perdu le goût du combat, avoua Patte de Pierre en soutenant son regard. En tant que guerrier, je ne suis plus d'aucune utilité pour mon Clan.

— Tu t'es pourtant battu pour tous tes camarades, ce matin.

— Je me suis battu pour leur éviter le combat. Mais ils *veulent* se battre, soupira-t-il. J'ai sorti mes griffes bien trop souvent. » Il se tourna vers Baie de Ronce et conclut : « Je ne veux plus détruire des vies, je veux en sauver. »

Ciel Clair. Gueule Balafrée devina que le vétéran pleurait toujours sa compagne. Et ses petits. *En la regardant mourir, il a dû se sentir aussi impuissant que moi ce matin sur les Rochers du Soleil.*

Plume Douce se pencha vers Pelage d'Écorce et lui demanda à l'oreille :

« Est-ce qu'il a le droit de faire ça ?

— Je ne sais pas. Autant que je m'en souvienne, ça n'est jamais arrivé dans le Clan de la Rivière.

— Il a suivi une formation de guerrier ! protesta Œil de Scarabée.

— Il a bien servi son Clan, rétorqua Étoile de Grêle. À présent, s'il le souhaite, il peut suivre une autre voie et aider ses camarades différemment.

— Merci, murmura Patte de Pierre avant de s'éloigner.

— Attends, le héla Cœur de Nacre. J'ai moi aussi une annonce à faire. »

Quoi encore ?

« Je souhaite rejoindre la tanière des anciens. »

Étoile de Grêle cligna des yeux, interdit.

« Au nom du Clan des Étoiles, que se passe-t-il ? s'étrangla Reflet d'Argent. Est-ce que tous les guerriers ont décidé de nous abandonner, aujourd'hui ?

— Nous n'abandonnons personne, répondit Patte de Pierre en se frottant à Cœur de Nacre. Étoile de Grêle choisira un nouveau lieutenant, aussi courageux et loyal que Cœur de Nacre. Le Clan de la Rivière est semblable à un torrent : il s'écoule toujours sans jamais changer. »

Étoile de Grêle se rassit. Il semblait vieux, tout à coup.

« Cœur de Nacre, je respecte ta décision. Tu as passé maintes saisons à servir ton Clan. Bien sûr, tu peux rejoindre les anciens, à présent. »

Le chef du Clan de la Rivière n'allait-il donc pas protester ? Gueule Balafrée dévisagea son père. Pourquoi ne l'avait-il pas prévenu ? Est-ce que Cœur de Chêne était au courant ?

Cœur de Nacre s'inclina devant son chef.

« Merci, Étoile de Grêle. Un jeune lieutenant rendra le Clan plus fort. »

Brise de Nénuphar se pressa tout contre Gueule Balafrée en murmurant :

« Ton père doit faire ce qu'il croit juste. »

Mais s'il se trompe ?

« Depuis quelque temps, il paraît fatigué et il a maigri », ajouta-t-elle.

Vraiment ?

« Je pensais que tu l'avais remarqué, miaula-t-elle avant d'enrouler sa queue autour de lui.

— Est-ce qu'il est malade ? s'inquiéta-t-il.

— Je crois qu'il vieillit, tout simplement. »

Moustache Emmêlée s'avança et donna un coup de museau à Cœur de Nacre.

« Il y a plein de place dans notre tanière, déclara-t-il de sa voix rauque.

— Viens voir par toi même », l'invita Cœur de Truite. L'ancien claudiqua vers la pente – comme toujours, sa patte arrière refusait de se plier correctement. « En revanche, il te faudra t'habituer aux ronflements de Trille d'Oiseau.

— Je m'y ferai, ronronna Cœur de Nacre, qui suivit ses nouveaux camarades de tanière.

— Pelage d'Écorce, Reflet d'Argent, Œil de Chouette, Poil de Loutre, Croc de Brochet, Pelage de Cèdre, appela Étoile de Grêle. Venez. J'ai besoin de vos conseils avant de nommer le prochain lieutenant. »

Il se dirigea ensuite vers sa tanière.

« Gueule Balafrée ! Gueule Balafrée ! lança Nuage de Crique en fonçant vers lui. Cœur de Truite prétend qu'on va avoir un nouveau lieutenant ! Et que Patte de Pierre va devenir guérisseur, ajouta-t-elle, les yeux au ciel. Pourquoi annonce-t-on toujours les bonnes nouvelles quand je pars faire mes besoins ?

— Je n'aurais pas appelé ça des “bonnes nouvelles”, marmonna Poil de Ragondin.

— Oups », fit Nuage de Crique en s'asseyant.

Brise de Nénuphar posa son museau sur la tête de la novice :

« Le changement n'est jamais facile. Mais tout ira bien. »

Elle leva les yeux vers Gueule Balafrée, et il comprit que ses paroles s'adressaient davantage à lui qu'à son apprentie.

Nuage de Bambou et Nuage Affamé foncèrent vers leur sœur.

« Est-ce qu'il t'a déjà fait le récit du combat ? s'enquit Nuage Affamé.

— Je ne l'ai pas encore interrogé, rétorqua Nuage de Crique.

— Alors je vais le faire ! s'enthousiasma Nuage de Bambou. Comment c'était, le combat contre Croc de Vipère ?

— Est-ce que Patte de Pierre l'a réduit en bouillie ? ajouta Nuage Affamé, qui ne tenait pas en place. Je me battrai comme ça, un jour. »

D'un mouvement de la queue, Poil de Ragondin le fit se tenir tranquille.

« Personne ne se battra plus comme ça, expliqua-t-il au jeune matou. Cela ne fait pas partie du code du guerrier et Étoile de Grêle l'a interdit.

— Moi, je préférerais me battre au côté de mes camarades, annonça Nuage de Crique.

— Est-ce qu'on peut s'entraîner ? implora Nuage de Bambou. Hier, nous n'avons pas pu, à cause du chien.

— Où est Cœur de Chêne ? demanda Nuage Affamé en scrutant la clairière.

— Il se repose, murmura Brise de Nénuphar. Il a veillé Fleur de Pluie toute la nuit.

— J'emmène Nuage de Carpe à l'entraînement,

annonça Poil de Ragondin à Nuage Affamé. Tu peux nous accompagner, si tu veux. Gueule Balafrée ? Est-ce qu'Œil de Scarabée et toi voulez venir avec Nuage de Crique et Nuage de Bambou ?

— Oui, pourquoi pas ? » répondit Œil de Scarabée. Il jeta un coup d'œil vers les guerriers rassemblés autour de la tanière d'Étoile de Grêle. « Tout le monde est si sérieux, là-bas…

— Ils choisissent un nouveau lieutenant, lui rappela Gueule Balafrée.

— Je voudrais bien savoir qui ils vont désigner, miaula Nuage de Crique.

— Sans doute un des vétérans, hasarda Œil de Scarabée avant de se diriger vers la sortie. D'après le code du guerrier, le chef doit se décider avant minuit, ce qui leur laisse une éternité. Autant aller s'entraîner. »

L'odeur du chien imprégnait les saules. Même si la trace était éventée, les poils de Gueule Balafrée se dressèrent sur son échine. Il suivit Œil de Scarabée et Poil de Ragondin jusqu'à une clairière verdoyante qui dominait le camp. Nuage de Carpe, Nuage de Crique, Nuage Affamé et Nuage de Bambou se chamaillaient pour deviner qui Étoile de Grêle nommerait lieutenant.

« Ce sera forcément Pelage d'Écorce.

— Et pourquoi pas Reflet d'Argent ?

— Il est trop vieux. Ce sera Poil de Loutre.

— Et si vous laissiez Étoile de Grêle décider et que vous vous concentriez sur l'exercice ? » les rembarra Œil de Scarabée.

Gueule Balafrée pencha la tête de côté. Est-ce que le nouveau lieutenant devait nécessairement être un vétéran ?

« Allez, venez, lança Poil de Ragondin à Nuage de Carpe et Nuage Affamé. On va essayer de trouver des oiseaux.

— Des oiseaux ? Mais on n'est pas en hiver, ronchonna Nuage Affamé.

Nuage de Carpe haussa les épaules et suivit son mentor.

Tandis que Nuage Affamé se lançait à sa poursuite, Œil de Scarabée poussa du museau Nuage de Bambou vers les racines d'un saule noueux.

« Entraînons-nous à l'escalade, déclara-t-il. Il est plus facile de grimper à des saules qu'à des hêtres. »

Si leurs branches étaient plus fines et paraissaient beaucoup moins stables une fois qu'on y était perché, elles se déployaient plus près du sol. Elles permettaient donc de commencer sans trop de difficulté et… de tomber de moins haut.

« D'accord, fit le novice, qui escalada le tronc et s'aventura sur une des branches les plus épaisses.

— Est-ce que nous aussi, on va grimper ? demanda Nuage de Crique.

— Pas maintenant », répondit Gueule Balafrée.

Comme tous les autres apprentis étaient occupés, c'était le moment ou jamais d'aider la novice à améliorer ses talents de chasseuse. Du bout de la queue, il lui fit signe de le suivre vers une trouée parmi les arbres où le soleil parvenait à filtrer entre les petites feuilles argentées.

« Qu'est-ce qu'on guette ?

— Des oiseaux. Mets-toi en position ! » lui ordonna-t-il en s'aplatissant soudain.

Un passereau sautillait de branche en branche au-dessus de leurs têtes. Le guerrier entendait ses ailes battre sous les frondes. Il rampa jusqu'aux fougères voisines.

« Cache-toi. »

Elle obéit et, postée près de lui, elle jeta un coup d'œil entre les feuilles.

« Comment savoir s'il va descendre de l'arbre ?

— Il y a des myrtilles, là-bas, expliqua-t-il. Il les a vues. »

À peine avait-il prononcé ces paroles que l'oiseau s'envola pour se poser sur le buisson, à côté des baies noires. Le rameau où il s'était perché ploya sous lui.

« Comment le savais-tu ? hoqueta l'apprentie.

— Pelage de Cèdre me l'a appris. »

Et Flocon. Il se demanda comment allaient ses vieux amis. *Je parie que Suie est aussi grande qu'une guerrière, maintenant.* Gueule Balafrée regarda un moment le passereau sautiller entre les feuilles, puis il poussa la novice.

« Vas-y.

— Tu veux que ce soit *moi* qui l'attrape ?

— Essaie », l'encouragea-t-il.

Le souffle court, elle avança en rampant, le ventre collé au sol.

« Ralentis, murmura-t-il. Tout ira bien. »

Elle marqua une pause pour contrôler sa respiration. Gueule Balafrée vit ses flancs se détendre. Puis elle reprit sa progression sans oublier de maintenir sa queue au ras du sol, pour éviter de faire du bruit.

Gueule Balafrée se crispa. Nuage de Crique s'arrêta à côté du buisson, le regard rivé à sa proie. Gueule Balafrée retint son souffle.

Tout à coup, elle bondit, rapide comme une truite, et saisit le passereau entre ses pattes. Paniqué, il battit des ailes, mais elle lui brisa la nuque d'un coup de croc. Poussant un miaulement de triomphe, elle se tourna vers son mentor, sa prise dans la gueule.

« Bravo ! » Empli de fierté, il alla la féliciter. « Belle prise. »

Du coin de l'œil, il vit soudain une silhouette rousse filer dans la clairière.

Un écureuil ?

Gueule Balafrée le prit en chasse. Les écureuils ne s'aventuraient guère de ce côté de la rivière. Il bondissait dans l'herbe, rapide comme l'éclair. Gueule Balafrée sauta sur son dos et l'acheva aussitôt.

Nuage de Crique le rejoignit, hors d'haleine, et lâcha sa proie.

« Tu l'as eu ! Je n'ai jamais goûté de l'écureuil !

— Ce n'est pas trop mauvais, pour du gibier de forêt. »

Gueule Balafrée renifla le rongeur et se délecta de son odeur musquée et chaude, si différente de celle du poisson. Il n'était pas certain que ses aînés l'approuveraient. Cependant, repenser à son séjour parmi les chats de la ferme lui avait rappelé les écureuils qu'ils attrapaient dans les haies et il voulait faire durer un peu ces souvenirs.

Tandis que les ombres des saules s'allongeaient sur la clairière, Brise de Nénuphar s'étira.

« Ils ont dû se décider, depuis le temps, miaula-t-elle en jetant un coup d'œil vers le groupe de vétérans sous le saule. Le soleil est presque couché.

— Ils ont jusqu'à minuit », lui rappela Gueule Balafrée dans un haussement d'épaules.

Il s'était efforcé de ne pas penser à celui qui remplacerait son père. Certes, il voulait devenir lieutenant plus que tout au monde, mais c'était bien trop tôt pour lui. Il n'avait même pas achevé l'apprentissage de Nuage de Crique et les guerriers plus expérimentés que lui ne manquaient pas. À commencer par Cœur de Chêne. Cette idée le plongea dans l'angoisse. Étoile de Grêle n'allait pas choisir son frère ? ! Dire qu'il lui avait demandé de prendre la parole lors de l'Assemblée...

Brise de Nénuphar ronronna soudain et il se tourna vers elle.

« Qu'y a-t-il ?

— Nuage de Crique ne quitte pas son passereau des yeux.

— Elle se demande qui va le prendre.

— Elle ne veut pas le manger elle-même ?

— Non. Elle préférerait que ce soit un de ses camarades – elle aurait l'impression d'avoir nourri le Clan. C'est sa première prise. J'ai cru qu'elle n'y arriverait jamais.

— Le gibier de forêt n'est pas facile à attraper, bâilla-t-elle. Ton écureuil est très impressionnant. »

Il trônait près du passereau sur le tas de poissons que Larme de Nuit et Cristal d'Eau avaient pêchés. Gueule Balafrée haussa les épaules.

« Je ne sais pas qui va vouloir le manger.

— Je crois bien que Lac de Givre le convoite. »

Gueule Balafrée ne répondit pas, car il vit Étoile de Grêle se diriger vers le milieu de la clairière, escorté de Reflet d'Argent, Pelage d'Écorce, Poil de Loutre, Œil de Chouette et Pelage de Cèdre. Gueule Balafrée se redressa tandis que ses camarades sortaient de leurs tanières pour entendre le chef.

Étoile de Grêle secoua la tête pour couper court à toute question.

« Nous n'avons pas encore pris de décision, annonça-t-il d'une voix lasse.

— Vous devez avoir faim, lança Écho de Brume avant de lui montrer le tas de gibier. Vous avez l'embarras du choix. »

Le meneur se dirigea vers la réserve et s'immobilisa soudain. Sa fourrure se dressa sur son échine.

« Baie de Ronce ! » feula-t-il sans quitter les prises des yeux.

Gueule Balafrée traversa la clairière à toute allure. Pendant un fol instant, il crut que la vue d'un écureuil parmi les poissons avait effrayé le vieux meneur. La guérisseuse surgit de sa tanière et s'arrêta brusquement devant Étoile de Grêle. Elle suivit son regard et ses poils se hérissèrent.

« Qu'est-ce que cela signifie ? » murmura le chef.

Gueule Balafrée contempla le tas de gibier. Il vit alors que les mâchoires de l'écureuil avaient été écartées et tordues si bien qu'elles pendouillaient et ne tenaient plus que par des tendons. L'animal défiguré semblait dévisager les guerriers horrifiés.

« C'est la prise de Gueule Balafrée », souffla Écho de Brume.

CHAPITRE 32

TRILLE D'OISEAU se fraya un passage parmi l'assemblée stupéfaite.

« Il est bien trop jeune ! feula-t-elle.

— Il y a déjà des lunes qu'il est guerrier ! » rétorqua Brise de Nénuphar.

Étoile de Grêle les fit taire d'un regard.

« Le Clan des Étoiles ne se trompe pas, déclara-t-il avant de s'incliner devant Gueule Balafrée. Je ne peux aller contre la volonté de nos ancêtres. »

Sur ces mots, le chef regagna sa tanière, suivi par Baie de Ronce.

Gueule Balafrée sentit une silhouette fantomatique le frôler. Le parfum d'Ombre d'Érable flottait dans l'air. Il jubilait. C'était donc bien un signe du Clan des Étoiles !

« Va voir Étoile de Grêle ! l'encouragea Brise de Nénuphar en le poussant du bout du museau. Dis-lui que tu acceptes.

— Je vais être l'apprentie du lieutenant ! s'écria Nuage de Crique en bombant le poitrail.

— Bravo ! lança Poil de Ragondin à Gueule Balafrée.

— Qui pourrait imaginer que tu étais jadis le plus petit chaton de la pouponnière ? renifla Œil de Scarabée.

— Et maintenant c'est le plus grand guerrier du Clan, ronronna Pelage de Cèdre. Félicitations, Gueule Balafrée. Tu le mérites. »

Vraiment ?

« Il n'a aucune expérience, murmura Cœur de Truite à Trille d'Oiseau.

— Il n'a livré qu'une seule vraie bataille, marmonna Pelage d'Écorce.

— Est-ce qu'on a le droit de manger un signe ou est-ce qu'il faut retourner chasser ? s'enquit Larme de Nuit en lorgnant le tas de gibier.

— Pourquoi ne pas demander à notre nouveau lieutenant ? répondit Lac de Givre en se glissant devant elle. Félicitations. »

Le guerrier beige se tourna alors en entendant son frère l'appeler :

« Gueule Balafrée ! Tu feras un lieutenant formidable et un grand chef. » Du bout du museau, il effleura la joue de son frère. « Je te serai toujours loyal. »

Gueule Balafrée ne se sentit plus de joie. Le regard chaleureux de Cœur de Chêne était sincère. *Il m'a pardonné la mort de Fleur de Pluie ! Merci, Clan des Étoiles !*

« Merci, murmura-t-il.

— Je suis fier de toi », ajouta Cœur de Nacre.

Gueule Balafrée leva la tête vers la Toison Argentée. *Et toi, Fleur de Pluie, es-tu fière de moi ?*

« Tu dois dire à Étoile de Grêle que tu acceptes », répéta Brise de Nénuphar en le secouant.

Le guerrier beige gagna l'ombre du saule. La mousse qui voilait l'entrée de la tanière d'Étoile de Grêle ondula dans la brise. Le nouveau lieutenant s'arrêta un instant pour reprendre une contenance.

« Tu ne comprends pas ! s'égosillait Baie de Ronce à l'intérieur.

— Qu'y a-t-il à comprendre ?

— Ce n'est *pas* un signe du Clan des Étoiles ! »

Gueule Balafrée crut que son cœur allait cesser de battre.

« Qui d'autre pourrait nous envoyer un tel présage ?

— Laisse-moi juste le temps d'aller à la Pierre de Lune, l'implora-t-elle, affolée.

— La Pierre de Lune ? Un signe est un signe, d'où qu'il provienne. Me cacherais-tu quelque chose ? »

Gueule Balafrée fonça dans le rideau de mousse et foudroya Baie de Ronce du regard.

« Qu'est-ce qui se passe ? Tu ne veux pas que je devienne lieutenant ?

— Bien sûr que si ! se défendit-elle, tremblante. C'est juste que…

— Que quoi, Baie de Ronce ? demanda Étoile de Grêle, assis au fond de sa tanière, presque invisible dans l'ombre. Si le Clan des Étoiles t'a parlé, dis-le-moi. Dis-le-nous, corrigea-t-il en jetant un coup d'œil vers Gueule Balafrée.

— Non, il ne m'a rien dit, pour le moment, admit-elle en fermant les yeux. Il se peut que tout aille bien. » Elle les rouvrit pour dévisager le nouveau second du Clan. « Tu es le plus fort, le plus talentueux de tous les guerriers du Clan de la Rivière. Tant que tu fais les bons choix, il se peut que tout aille bien. »

Sur ce, elle se glissa hors de la tanière. Gueule Balafrée aurait voulu la suivre, lui demander pourquoi elle s'inquiétait tant, depuis si longtemps.

« Alors, acceptes-tu ?

— Hein ?

— Acceptes-tu de devenir lieutenant ? »

La question de son chef le tira de ses pensées.

« Tu veux toujours de moi ? s'enquit-il, craignant que Baie de Ronce ne l'ait fait changer d'avis.

— Bien sûr. » Étoile de Grêle se leva péniblement. « Bien que le signe de la gueule balafrée de l'écureuil m'ait surpris, cela reste un signe. Je sais que tu es encore jeune. Cela dit, tu as un énorme potentiel. Tu as survécu à beaucoup, Gueule Balafrée, et tu es désormais un guerrier dont le Clan peut être fier. J'ai toujours pensé que tu deviendrais lieutenant un jour – et même chef. » Il haussa les épaules. « Peut-être pas si tôt, mais si tu le veux…

— Si je le veux ? Bien sûr que je le veux ! Plus que tout au monde. »

Voyant Étoile de Grêle plisser les yeux, il se hâta de poursuivre :

« Mon Clan compte plus que tout pour moi. Je sais que je suis jeune… je promets de tout faire pour apprendre. Je promets de devenir plus sage, plus fort et de me surpasser pour aider mon Clan. »

Son serment lui revint en tête. *Je serai avant tout loyal à mon Clan. Mes désirs personnels importent peu. Le Clan doit toujours passer en premier.* Un frisson d'excitation le parcourut du museau au bout de la queue tandis qu'Étoile de Grêle le frôlait pour sortir.

« Viens. »

Les roseaux verts semblaient presque bleus sous la lune montante et les branches des saules murmuraient au-dessus de leurs têtes. L'air était doux et Gueule Balafrée y goûta la saveur de la rivière. Ses camarades, alignés devant lui, le regardaient en silence tandis qu'il suivait son chef jusqu'au centre de la clairière.

« Cœur de Nacre ! » appela le meneur.

L'ancien lieutenant les rejoignit et vint se placer devant son chef. Les os de sa colonne vertébrale saillaient sous son pelage mité.

Étoile de Grêle s'inclina bien bas devant lui.

« Cœur de Nacre, le Clan de la Rivière te remercie pour ta loyauté et ta sagesse. Tu ne t'es jamais dérobé à ton devoir, tu t'es toujours montré courageux. Tu as bien servi ton Clan et nous te souhaitons de trouver la paix et le réconfort dans la tanière des anciens. Tu as mérité de te reposer.

— Je te promets de nettoyer ton nid et de t'enlever toutes tes tiques ! jura Nuage de Crique.

— Chut ! » fit Pelage d'Écorce en tirant sa fille par la queue.

Gueule Balafrée retint un ronronnement réjoui, tandis qu'Étoile de Grêle poursuivait :

« J'espère que tu partageras tes anecdotes avec nous tous ainsi qu'avec les chatons qui naîtront à l'avenir. Nous avons encore beaucoup à apprendre de toi.

— Cœur de Nacre ! Cœur de Nacre ! »

Gueule Balafrée clama plus fort que les autres le nom de son père.

« Gueule Balafrée, fit ensuite Étoile de Grêle en posant le bout de sa queue sur l'épaule du guerrier, le temps est venu de nommer un nouveau lieutenant. J'annonce ma décision devant le Clan des Étoiles, afin que les esprits de nos ancêtres l'entendent et l'approuvent. À partir d'aujourd'hui, tu seras le lieutenant du Clan de la Rivière. Le Clan des Étoiles t'a déjà donné sa bénédiction et je prie pour que tu sois digne des espoirs que nos ancêtres et nous tous plaçons en toi. »

Gueule Balafrée jeta un coup d'œil vers Baie de Ronce, assise à l'ombre de sa tanière. Elle regardait ses pattes.

Le regard du chef s'assombrit.

« Je suis dans ma neuvième vie. Tu es jeune pour te trouver si près du pouvoir. Je prie pour que le Clan des Étoiles te donne toute la force et la sagesse dont tu auras besoin pendant les lunes à venir.

— Gueule Balafrée ! Gueule Balafrée ! »

Il fut touché par le ton chaleureux de ses camarades, et par celui de son frère plus que les autres. Brise de Nénuphar l'observait au bord de la clairière – ses yeux reflétaient le grand ciel étoilé. Gueule Balafrée inspira à fond et inhala les senteurs de la rivière, des roseaux et des saules. Tout cela lui appartenait, à présent plus que jamais. Il se redressa pour contempler le ciel. *Merci, Clan des Étoiles. Je promets de ne pas te décevoir.*

La journée avait été longue et Gueule Balafrée était épuisé. Après la cérémonie, ses camarades s'étaient rassemblés autour de lui et avaient accompli le Partage jusqu'à ce que la lune soit haute dans la voûte céleste.

« Est-ce qu'on doit te construire une tanière plus spacieuse ? » s'enquit Bourgeon Poudré, tandis que le nouveau lieutenant allait se coucher d'un pas traînant.

Cœur de Chêne avala sa dernière bouchée de poisson, se lécha le museau avant de lancer pour le taquiner :

« Je devrais peut-être garnir ton nid de plumes de cygne ? »

Si Gueule Balafrée émit un ronron amusé, il fut soulagé de retrouver l'obscurité de sa tanière et de pouvoir se rouler en boule près de Brise de Nénuphar.

« Bonne nuit », murmura-t-il lorsqu'elle se blottit contre lui.

Il ferma les yeux. Et fut réveillé presque aussitôt par une patte qui le secouait.

« Ombre d'Érable ? » articula-t-il en se relevant péniblement.

La chatte au pelage roux et blanc allait et venait dans la clairière lugubre. Le balancier de sa queue soulevait des volutes de brume.

« Tu vois ? fit-elle, un éclat triomphant dans les prunelles. Je t'avais dit que je tiendrais ma promesse ! Tu n'as pas laissé la mort de ta mère te distraire de ton devoir. Tu as choisi de sauver tes camarades plutôt qu'elle ! Et te voilà lieutenant, à présent. »

Gueule Balafrée plissa les yeux. *Je n'ai rien choisi.* La mort de sa mère n'avait rien à voir avec ça. Il ouvrit la gueule pour protester, mais Ombre d'Érable était partie sur sa lancée.

« Je t'avais dit que je te récompenserais ! Ne sous-estime jamais mon pouvoir !

— Alors c'est bien toi qui as laissé ce signe ?

— Viens ! fit-elle en éludant sa question. Je veux te présenter à quelqu'un.. »

Fleur de Pluie ? Son cœur s'emballa. Elle devait être ici, à présent, sur le terrain de chasse du Clan des Étoiles. Il suivit Ombre d'Érable à toute allure à travers la brume. Elle le conduisit à une autre clairière, guère plus grande qu'une trouée entre deux arbres.

« Où est-elle ?

— Qui ça, *elle* ? maugréa Ombre d'Érable. De qui parles-tu ? »

D'un mouvement de la tête, elle lui désigna deux matous qui émergeaient des fougères. Gueule Balafrée reconnut l'un d'eux.

Griffes d'Épine !

Le guerrier du Clan du Tonnerre s'arrêta près de son compagnon – un matou gris pâle tigré au pelage miteux – et dévisagea Gueule Balafrée.

« C'est lui ? grogna le vétéran.

— Poursuis ta séance d'entraînement, Faucon d'Argent, ordonna Ombre d'Érable.

— Que font-ils ici ? voulut savoir Gueule Balafrée.

— Ils sont venus pour parfaire ton entraînement, évidemment ! Regarde ! »

Du bout de la queue, elle lui cingla les oreilles.

Faucon d'Argent se tapit en feulant. Son cadet cracha et sortit les griffes. Ils se tournèrent autour un moment, les yeux réduits à des fentes, quand soudain Faucon d'Argent bondit. Griffes d'Épine esquiva les crocs de son mentor, qui claquèrent dans le vide.

« Tu pensais vraiment m'avoir si facilement ? rugit-il.

— Répète ça si tu l'oses !

— Tu pensais vraiment... »

Sans lui laisser le temps de finir, le vétéran se jeta sur lui et lui entailla l'épaule. Gueule Balafrée hoqueta en voyant le sang couler sur le pelage gris et blanc. Le jeune guerrier poussa un cri de douleur et tenta de trouver une prise dans le sol, mais Faucon Argenté le fit basculer sur le dos et saisit la jugulaire de son apprenti entre ses crocs.

Non ! C'était une morsure fatale ! Gueule Balafrée voulut intervenir, mais Ombre d'Érable le fit reculer en le frappant violemment.

« Attends », feula-t-elle.

Faucon d'Argent relâcha Griffes d'Épine.

Le guerrier du Clan du Tonnerre se releva d'un bond comme s'il n'avait pas remarqué les gouttes de sang qui perlaient sur sa fourrure.

« Laisse-moi essayer ! implora-t-il son mentor. Je crois que j'ai compris ce que je dois faire, maintenant.

— Tu lui apprends à *tuer* ? les coupa Gueule Balafrée, au comble de l'horreur. C'est contre le code du guerrier ! »

Griffes d'Épine lui décocha un regard plein de mépris.

« Si tu veux devenir plus qu'un combattant ordinaire, tu dois fouler aux pattes le code du guerrier ! »

Faucon d'Argent se rapprocha de lui et cracha :

« Seule la victoire importe. Il n'y a aucune gloire dans la défaite. »

La tête penchée, Griffes d'Épine lui demanda :

« Tu veux que je te montre comment on assène la morsure fatale ?

— Non ! hurla le lieutenant du Clan de la Rivière en reculant.

— Non ? Comment ça, non ? Pourquoi refuserais-tu d'apprendre une attaque aussi puissante ? »

Gueule Balafrée recula encore de deux pas. Ses poils s'étaient dressés sur sa colonne vertébrale.

« J'ignorais que le Clan des Étoiles était aussi sanguinaire !

— Le Clan des Étoiles… répéta Griffes d'Épine. Espèce de cervelle de souris ! Ce n'est pas le Clan des Étoiles, ici ! Ces idiots bouffis d'orgueil ne t'apprendront jamais rien d'utile.

— Je ne suis pas parmi le Clan des Étoiles ? » Gueule Balafrée eut le tournis. « Mais alors… où suis-je ? »

Faucon d'Argent vint se placer devant Griffes d'Épine pour lui répondre :

« Tu es dans la Forêt Sombre. Là où l'on va quand le Clan des Étoiles nous rejette. »

Gueule Balafrée fit volte-face. Des arbres menaçants l'encerclaient, de la brume tourbillonnait autour de leurs troncs et les ombres se mouvaient comme si elles étaient vivantes. Des voix résonnaient dans les ténèbres, des cris et des murmures qu'il ne comprenait pas. Le souffle court, le sang battant à ses tempes, il se retourna pour dévisager les trois guerriers. Leurs regards brillaient d'un éclat mauvais. Gueule Balafrée se crispa – la colère lui donna du courage.

« Tu m'as menti ! cracha-t-il à Ombre d'Érable.

— Je n'ai jamais prétendu que nous nous entraînions sur le terrain de chasse du Clan des Étoiles, rétorqua-t-elle d'un ton mielleux avant de s'approcher de lui. Pourquoi es-tu si furieux ? Tu es le lieutenant du Clan de la Rivière. Tu as obtenu tout ce que tu désirais. Et ce, parce que je t'ai entraîné, parce que je t'ai encouragé. J'ai accompli plus pour toi que ta propre mère.

— La ferme ! » hurla-t-il en sortant les griffes.

Ombre d'Érable lui tournait autour. Son pelage était lisse, sa queue se balançait derrière elle.

« Ta mère n'a jamais envoyé de signe pour indiquer à ton Clan de te nommer lieutenant, pas vrai ?

— C'était bien toi !

— Évidemment ! éructa-t-elle. Tu crois qu'Étoile de Grêle t'aurait choisi, sans cela ? Tu n'as jamais remporté ne serait-ce qu'une bataille !

— Il est déjà lieutenant ? cracha Griffes d'Épine en foudroyant Faucon d'Argent du regard. Tu vas faire la même chose pour moi ? »

Vif comme l'éclair, le vétéran fit taire son apprenti d'un coup violent qui le fit trébucher. Alors qu'il s'efforçait de garder l'équilibre, son mentor colla son museau au sien.

« Il te reste beaucoup à apprendre ! cracha-t-il. Ton heure viendra quand moi j'en déciderai, apprenti !

— Je ne veux pas apprendre à tuer, murmura Gueule Balafrée en secouant la tête.

— Tu as pourtant promis de m'obéir, lui rappela Ombre d'Érable d'une voix douce. Tu as fait le serment de tout sacrifier pour devenir le meilleur guerrier du Clan de la Rivière.

— Je sais, et mon Clan primera toujours le reste. » Gueule Balafrée savait qu'il devait s'enfuir. « Merci d'avoir fait de moi le lieutenant du Clan de la

Rivière. » Il s'éloigna de la clairière à reculons et frôla un tronc visqueux. « Mais je crois que je n'ai plus besoin d'entraînement. »

Les prunelles d'Ombre d'Érable foncèrent au point de ressembler à deux orbites noires.

« Comment cela, tu n'as plus besoin d'entraînement ? Tu ne peux pas te libérer de mon emprise, Gueule Balafrée. Il est trop tard. Tu m'as fait un serment et je m'assurerai que tu le respectes. »

CHAPITRE 33

LE CLAIR DE LUNE baignait les Quatre Chênes. Ses rayons nimbaient d'un éclat argenté les guerriers de tous les Clans rassemblés et illuminaient le Grand Rocher. Assis à son pied au milieu des autres lieutenants, Gueule Balafrée se sentait mal à l'aise. Son ombre sur le rocher lui semblait immense.

« Pourquoi Étoile de Grêle t'a-t-il choisi ? lui cracha Croc de Vipère à l'oreille. Tu n'es même pas prêt à te battre pour ton Clan. »

Le jeune guerrier ravala sa colère. Il ne voulait pas que sa première Assemblée en tant que lieutenant débute par une bagarre. Croc de Pierre, le lieutenant du Clan de l'Ombre, le regardait du coin de l'œil. Plume de Roseau lui tournait le dos. Visiblement, le lieutenant du Clan du Vent n'avait toujours pas digéré le rapt de ses filles.

Gueule Balafrée balaya la foule du regard à la recherche de Cœur de Chêne. Où était-il ? Il avait semblé si pressé de venir. Ne voulait-il pas voir son frère présenté aux autres Clans comme le nouveau lieutenant ? La déception lui noua le ventre. Brise de

Nénuphar était restée au camp, incapable de faire le trajet à cause d'une entaille profonde à l'un de ses coussinets. Elle avait glissé d'un rocher en pêchant une truite trop grosse. Même si la blessure guérissait bien, grâce à Baie de Ronce, sa compagne n'aurait jamais pu marcher jusqu'aux Quatre Chênes. Cœur de Nacre n'était pas venu non plus. Il ne quittait plus la tanière des anciens depuis qu'une grosseur dans le ventre le faisait souffrir. Il avait supplié Baie de Ronce de lui donner des herbes fortifiantes afin de pouvoir faire le trajet, mais elle avait insisté pour qu'il se repose. Gueule Balafrée jeta un coup d'œil vers la Toison Argentée. Peut-être que Fleur de Pluie l'observait, elle.

Étoile de Grêle haussa la voix pour couvrir le bruissement des feuilles des Quatre Chênes.

« Cœur de Nacre s'est retiré dans la tanière des anciens, au cours de cette dernière lune. » Il marqua une pause, tandis que les murmures allaient bon train entre les guerriers. Gueule Balafrée leva le menton, le cœur battant. « Gueule Balafrée est le nouveau lieutenant du Clan de la Rivière !

— Gueule Balafrée ! Gueule Balafrée ! »

Tandis que tous ses camarades l'acclamaient, le jeune guerrier dressa l'oreille en priant pour que les autres Clans se joignent au chœur. Il fut soulagé d'entendre le Clan de l'Ombre reprendre son nom, imité par le Clan du Vent et enfin par le Clan du Tonnerre.

« Gueule Balafrée ! »

Un frisson de bonheur secoua son pelage. Ils l'acclamaient tous !

Deux yeux ambrés brillèrent dans la foule. Griffes d'Épine le dévisageait en silence. Gueule Balafrée se crispa. Il n'était plus retourné dans la Forêt Sombre depuis qu'il avait compris que ce n'était pas le terrain de chasse du Clan des Étoiles. À présent, il se réveillait en sursaut, glacé d'effroi, chaque fois qu'il commençait à rêver de cet endroit. Comment avait-il pu être aussi naïf ? Jamais plus il n'y retournerait. Jamais plus il n'adresserait la parole à Ombre d'Érable.

Pourquoi m'a-t-elle aidé à devenir lieutenant ? Cette question le torturait depuis leur dernière rencontre. *Elle ne peut me forcer à accomplir quoi que ce soit contre ma volonté.* Il planta ses griffes dans la terre chaude. *Je vais devenir le meilleur lieutenant que le Clan de la Rivière ait connu. Je protégerai les miens au péril de ma vie.*

Griffes d'Épine ne le quittait pas des yeux. Il le salua d'un petit signe de la tête. *Pense-t-il donc que nous sommes alliés ?*

Jamais !

Gueule Balafrée se tourna vers Croc de Vipère. Est-ce que le lieutenant suppléant savait que l'un de ses guerriers s'entraînait dans la Forêt Sombre ? Est-ce qu'Étoile du Soleil était au courant ? Et si le Clan du Tonnerre tout entier y apprenait à tuer ?!

Les vivats cessèrent et les chefs descendirent du Grand Rocher.

« Bravo, miaula Étoile de Grêle en atterrissant à côté de Gueule Balafrée. Viens, je vais te présenter...

— Il faut que je trouve Cœur de Chêne.

— Il y a un problème ?

— Non, tout va bien. Je te rejoindrai dès que je l'aurai vu. »

Gueule Balafrée se fraya un passage parmi les félins qui s'attardaient au pied du Grand Rocher. La nuit était douce et les Clans ne semblaient guère pressés de rentrer chez eux.

« Félicitations ! lui lança Fleur de Houx en s'écartant un peu de ses camarades du Clan de l'Ombre. Tu es presque passé du statut d'apprenti à celui de lieutenant.

— J'imagine que le Clan des Étoiles sait ce qu'il fait, intervint Plume Fauve.

— Étoile de Grêle a reçu un signe ? demanda Fleur de Houx à la guerrière du Clan de la Rivière.

— En fait, il...

— Pas vraiment, la coupa Gueule Balafrée, qui ne souhaitait pas que le Clan des Étoiles soit mêlé à ça.

— Qui parle de signes ? lança Plume Filante, du Clan du Vent, venu rejoindre Fleur de Houx.

— Gueule Balafrée est si jeune que tout le monde se dit que le Clan des Étoiles a dû le choisir », répondit Plume Fauve. Elle avait visiblement compris ses réticences. « Ces rumeurs me surprennent. C'est notre guerrier le plus puissant.

— Vraiment ? renifla Croc de Vipère. Je croyais qu'il n'avait jamais livré bataille.

— Tu parles, tu es vexé d'avoir perdu face à un guérisseur, voilà tout ! se moqua Plume Fauve.

— Il n'était pas guérisseur, à ce moment-là », se défendit le matou en foudroyant Patte de Pierre du regard.

Baie de Ronce présentait justement son nouvel apprenti aux autres guérisseurs. Il n'avait pas ménagé sa peine au cours de la demi-lune écoulée depuis le début de sa formation. On l'avait vu errer dans le camp en marmonnant en boucle des noms de remèdes pour les mémoriser.

Plume de Corbeau et Croissant de Lune, des guerriers du Clan de l'Ombre, s'arrêtèrent devant Gueule Balafrée.

« Félicitations, miaula Croissant de Lune en s'inclinant devant Gueule Balafrée.

— Il est encourageant de voir un guerrier si jeune promu à cette fonction, ajouta sa camarade.

— Merci. » Le jeune lieutenant regarda derrière eux, cherchant son frère dans la foule. « Excusez-moi, je dois voir quelqu'un. »

Il fendit la masse de félins et aperçut Cœur de Chêne au bord de la clairière.

« Tu es là ! s'écria-t-il en agitant la queue.

— Ben oui, où voulais-tu que je sois ?

— Je ne te voyais pas, il y a tellement de monde… » Gueule Balafrée remarqua le pelage hérissé de son frère. « Tout va bien ?

— Oui, pourquoi ça n'irait pas ? »

Est-il jaloux que je sois devenu lieutenant ?

« Tu as vu quand Étoile de Grêle a annoncé à tous que j'étais le nouveau lieutenant du Clan de la Rivière ? »

Il observa attentivement Cœur de Chêne, qui tourna les yeux vers les buissons au bord de la clairière.

« Oui, c'était génial ! »

Son ton n'était guère convaincant.

« Tu es jaloux ? lança-t-il tout à trac.

— Jaloux ? Non ! Je suis fier de toi, Gueule Balafrée. Tu voulais tellement y arriver. Tu le mérites. Tu seras un lieutenant et un chef formidable.

— Tu le penses sincèrement ?

— Très sincèrement, ronronna son frère. Je n'ai jamais voulu devenir lieutenant.

— Mais tu disais toujours que tu serais chef un jour !

— *Tous* les apprentis le disent ! »

Gueule Balafrée soupira de soulagement.

« Les autres s'en vont, déclara Cœur de Chêne, tandis que la patrouille s'engageait dans la côte. Je vous rattrape, j'ai un truc à faire avant. »

Gueule Balafrée se pressa de rejoindre ses camarades et se glissa entre Baie de Ronce et Patte de Pierre au moment où ils gagnaient le sommet de la butte.

« C'était une soirée intéressante, miaula Patte de Pierre. À présent, le Clan de la Rivière compte dans ses rangs le plus jeune lieutenant et le plus vieil apprenti guérisseur. »

Gueule Balafrée ronronna avant de demander :

« Qu'as-tu pensé des autres guérisseurs ?

— Longues Moustaches m'a fait bonne impression.

— Tu avais rencontré Plume d'Oie, son prédécesseur ? l'interrogea Baie de Ronce. Il a rejoint la tanière des anciens.

— Oh, oui ! J'ai toujours trouvé qu'il avait l'air de sortir d'une roncière.

— Patte de Pierre ! appela Plume Fauve à la tête

de la patrouille. Viens tester ton nouveau savoir-faire sur Œil de Scarabée. Il a le hoquet. »

Patte de Pierre s'éloigna à toute vitesse, laissant Baie de Ronce et Gueule Balafrée seuls. Un silence pesant s'installa entre eux. Le guerrier beige tigré voyait que la fourrure de sa camarade se hérissait tandis qu'ils plongeaient dans la forêt obscure du Clan du Tonnerre. Il aurait voulu détendre l'atmosphère mais, à présent qu'il savait d'où venait vraiment Ombre d'Érable, il était terrifié à l'idée d'interroger la guérisseuse sur les signes qu'elle avait pu recevoir. Et si elle savait qu'il allait retrouver une guerrière de la Forêt Sombre ?

Je suis pourtant loyal à mon Clan ! Je n'ai rien à cacher ! Alors pourquoi la honte lui faisait-elle dresser les poils ? Gueule Balafrée rompit le silence, incapable de le supporter plus longtemps.

« Est-ce qu'il existe d'autres remèdes susceptibles d'aider Cœur de Nacre ? »

C'était une question idiote. Il savait qu'elle avait déjà tout essayé.

« Je vais lui donner davantage de graines de pavot. Il souffre plus qu'il ne veut bien l'admettre.

— Combien de temps lui faudra-t-il pour se remettre ? »

Pas de réponse.

Gueule Balafrée sentit son ventre se nouer, comme s'il avait avalé une pierre.

« Il ne va pas guérir, c'est ça ?

— Non, murmura-t-elle dans un souffle léger comme la brise. J'ai déjà vu des grosseurs de ce genre.

On n'y survit jamais. On souffre, on est malade et on finit par se flétrir comme une fleur en hiver. »

Où est Cœur de Chêne ? Gueule Balafrée était tiraillé. D'un côté, il aurait voulu partager sa douleur avec son frère, de l'autre, il voulait le protéger aussi longtemps que possible de cette terrible nouvelle. D'abord Fleur de Pluie, et maintenant, Cœur de Nacre.

Il sentit Baie de Ronce se frotter doucement à lui.

« Je suis désolée pour toi », murmura-t-elle.

Pendant un court instant, ce fut comme s'il n'y avait jamais eu de distance entre eux. Puis Gueule Balafrée repensa à l'écureuil aux mâchoires tordues, signe non pas envoyé par le Clan des Étoiles mais par un esprit de la Forêt Sombre. Il devait absolument empêcher Baie de Ronce de découvrir la vérité – si elle ne la connaissait pas déjà. Il s'écarta d'elle, redoutant soudain qu'elle ne détecte quelque chose par le simple contact de sa fourrure.

Gueule Balafrée se glissa dans le tunnel menant au camp, fatigué. Nuage de Crique et Nuage de Carpe l'attendaient dans l'ombre.

« Comment était l'Assemblée ? pépia Nuage de Crique.

— Est-ce qu'on pourra venir la prochaine fois ? supplia Nuage de Carpe.

— Demandez à Étoile de Grêle, leur conseilla-t-il sans s'arrêter.

— Tout s'est bien passé ? bâilla Brise de Nénuphar en sortant de leur tanière.

— Retourne te coucher, lui répondit-il. Je te raconterai demain matin. »

Il se hâta de traverser la clairière et de grimper la côte. À l'intérieur de la tanière des anciens, des rayons de lune filtraient dans la voûte tissée.

« Cœur de Nacre ? murmura-t-il en le cherchant des yeux.

— Gueule Balafrée, miaula Trille d'Oiseau, qui se leva à son approche. Il va être content de te voir. Il voulait justement savoir comment tu t'en étais tiré à l'Assemblée. »

Elle le guida vers le fond de l'antre.

« Peut-être qu'il va se taire et accepter de dormir une fois qu'il t'aura vu, marmonna Cœur de Truite lorsqu'ils passèrent devant son nid.

— Ne fais pas attention à lui, chuchota l'ancienne. Il adore écouter les histoires de Cœur de Nacre.

— Gueule Balafrée ? fit ce dernier.

— Il est venu te raconter l'Assemblée », annonça Trille d'Oiseau, qui effleura la joue de son camarade de tanière avant d'aller se recoucher.

Cœur de Nacre semblait tout petit dans son nid baigné par la lune. Ses côtes saillaient sous sa fourrure terne.

« Viens t'allonger près de moi, miaula-t-il d'une voix rauque. Il fait froid. »

Ne sent-il pas la brise tiède de la saison des feuilles vertes ? Gueule Balafrée se roula en boule près de son père.

« Étoile de Grêle a annoncé à tous que j'étais le nouveau lieutenant.

— Je suis très fier de toi, répondit le vieux matou dans un ronron éraillé. Fleur de Pluie aurait été fière, elle aussi. »

Ce n'est pas vrai. Elle aurait trouvé une raison d'être encore déçue.

Il sentit l'haleine de son père sur sa joue lorsque celui-ci reprit :

« Je suis désolé qu'elle t'ait jugé si durement, Gueule Balafrée. »

J'étais son fils, pour l'amour du Clan des Étoiles ! Un flot de bile monta dans sa gorge.

« Elle se trompait, poursuivit Cœur de Nacre d'une petite voix. Et elle avait toujours du mal à admettre qu'elle avait tort. » Il marqua une pause, comme s'il se souvenait d'anciennes querelles, à l'époque où ils étaient tous deux encore jeunes et entêtés. « Elle s'en rendra compte un jour. Je parie qu'elle t'observe depuis le Clan des Étoiles et qu'elle regrette tout ce qu'elle a raté. »

Un frisson glacé envahit le lieutenant. *Fleur de Pluie m'observe peut-être depuis le Clan des Étoiles, mais d'autres m'observent depuis la Forêt Sombre.*

CHAPITRE 34

LES SAULES AGITAIENT leurs branches tandis que le vent faisait tomber les feuilles. Les roseaux ployaient au bord de la rivière grondante, qui débordait sur les rives en emportant des galets dans son sillage. Gueule Balafrée contemplait l'eau qui filait devant ses pattes. Derrière lui, le vent gémissait dans les fissures et les creux des Rochers du Soleil. Adossé à la falaise pour se protéger de la pluie, il frémit et enroula sa queue plus étroitement autour de lui. Il aperçut soudain une tête qui sortait de l'eau et se dirigeait vers lui.

Brise de Nénuphar.

Elle se hissa hors du courant et s'ébroua.

« Tu étais donc là. » Du bout du museau, elle lui frôla la truffe. « Je m'inquiétais pour toi.

— Tout va bien... J'aime venir ici pour regarder la rivière, tu sais.

— Tu penses à Cœur de Nacre ? »

Il hocha la tête, submergé par une vague de chagrin.

« Son esprit vient peut-être toujours ici pour pêcher... » murmura-t-il.

Trois lunes avaient passé depuis qu'il s'était couché

près de son père dans la tanière des anciens. Deux depuis sa mort.

« Alors même qu'il peut profiter des courants chauds du Clan des Étoiles ?

— Mais sa rivière natale lui manquera sûrement, répondit-il, la gorge nouée.

— Je suis sûre qu'il veille sur toi depuis là-haut, souffla-t-elle en se collant contre lui. Il veut sans doute voir ce que ses fils mijotent. »

Un ronronnement résonna dans la gorge du lieutenant.

Brise de Nénuphar se dressa soudain et miaula :

« Poil de Loutre ? »

La guerrière au pelage blanc et roux sortit de l'eau, les yeux brillants.

« Des guerriers du Clan du Tonnerre traversent le passage à gué ! Ils seront bientôt au camp, dit-elle d'un ton pressant. Étoile de Grêle te réclame. »

Gueule Balafrée avait déjà plongé dans la rivière. Bientôt, il ressortit de l'autre côté. D'un coup d'œil, il s'assura que Poil de Loutre et Brise de Nénuphar allaient bien et il fonça vers le camp. À travers la bruine, il huma le remugle du Clan du Tonnerre. Il obliqua sur le sentier tapissé d'herbe et déboula dans la clairière.

Étoile de Grêle y faisait les cent pas, la fourrure en bataille. Crique Brune et Saut de Grenouille bombèrent le poitrail, visiblement désireux de prouver qu'ils avaient mérité leurs récents noms de guerrier. Les yeux écarquillés, Plume Douce campait devant la pouponnière, la queue enroulée autour de ses deux jeunes chatons. Œil de Chouette, son compagnon, tapi près d'elle, surveillait l'entrée, les yeux réduits à deux fentes. Il se redressa en voyant Brise de Nénuphar et Poil de Loutre débouler dans la clairière.

« Vous les avez vus ? Combien sont-ils ?

— Et où sont-ils précisément ? demanda Étoile de Grêle.

— Ils se dirigent par ici.

— Comment osent-ils envahir notre territoire ? s'indigna Écho de Brume.

— Je veux participer à la patrouille de défense ! s'écria Reflet d'Argent.

— Moi aussi ! » dit Pelage d'Écorce, qui s'avança en même temps que Pelage de Cèdre.

Crique Brune et Saut de Grenouille les suivirent, le regard farouche.

« Attendez, les rappela Étoile de Grêle. Ce n'est peut-être pas une invasion.

— Tu as raison ! ajouta Plume Fauve. Ils n'attaqueraient pas en plein jour !

— Alors que font-ils ici ? gronda Pelage d'Écorce.

— Je vais essayer de les chasser avant qu'ils atteignent le camp.

— Emmène Reflet d'Argent et Poil de Loutre avec toi.

— Où est Cœur de Chêne ? s'enquit le lieutenant.

— Il est parti pêcher à l'aube avec Cristal d'Eau et Larme de Nuit, répondit Écho de Brume.

— Trouve-le et explique-lui la situation », ordonna Gueule Balafrée. Écho de Brume se dirigea vers la sortie. « Pas par là ! feula-t-il. Je ne veux pas que tu te retrouves truffe à truffe avec la patrouille du Clan du Tonnerre. Passe par la roselière. »

Écho de Brume se glissa dans l'eau et disparut parmi les tiges épaisses. D'une ondulation de la queue, Gueule Balafrée fit signe à Poil de Loutre et à Reflet d'Argent.

« Allons accueillir nos visiteurs. »

Tandis qu'ils s'éloignaient, Étoile de Grêle se mit à donner des ordres.

« Dites aux anciens de rester dans leur tanière, gronda-t-il. Et gardez-en l'entrée. Je veux trois guerriers devant la pouponnière. »

Gueule Balafrée plissa les yeux pour se protéger de la pluie. Au prochain tournant, ils risquaient de tomber sur la patrouille adverse. Nul guerrier du Clan du Tonnerre ne passerait par ici !

« Je les entends ! » souffla Poil de Loutre en s'immobilisant.

Gueule Balafrée dressa l'oreille. Les envahisseurs bavardaient comme s'ils rendaient visite à des camarades de Clan ! Il gronda et fonça dans le virage, les poils hérissés. Il dérapa aussitôt pour s'arrêter devant Étoile du Soleil. Le chef du Clan du Tonnerre fit signe à sa patrouille de s'arrêter.

Gueule Balafrée sortit les griffes.

« Que faites-vous sur le territoire du Clan de la Rivière ? »

Lune Bleue, Tornade Blanche, Plume de Grive et Cœur de Lion se déployèrent derrière leur chef. Gueule Balafrée ne quitta pas celui-ci des yeux.

« Nous voulons parler à Étoile de Grêle, lui expliqua Étoile du Soleil, du ton qu'on emploierait pour demander une pièce de viande à un camarade.

— À quel propos ? s'enquit Poil de Loutre, la mine belliqueuse.

— Tu voudrais que je te confie des paroles destinées à ton chef ? »

La guerrière feula. *Garde ton calme.* D'un mouvement de la queue, Gueule Balafrée l'invita à reculer.

« Tu n'espères tout de même pas que nous allons vous conduire droit à notre camp ? s'indigna-t-il. Nous n'avons pas oublié ce que vous avez fait au Clan du Vent.

— Est-ce que nous avons l'air d'une patrouille sur le pied de guerre ? » le défia Étoile du Soleil avant de se tourner vers ses guerriers : leur pelage était lisse, leur regard, curieux.

Lune Bleue murmura quelque chose à l'oreille de Tornade Blanche. Gueule Balafrée secoua la tête.

« Il en faudrait bien plus pour détruire notre camp », concéda-t-il.

À moins qu'une autre patrouille ne soit cachée quelque part. Il huma l'air sans rien détecter.

« Nous voulons juste discuter, insista Étoile du Soleil.

— Suivez-nous », céda Gueule Balafrée, sachant que son Clan était préparé.

Il rebroussa chemin et, même si la présence de l'ennemi derrière lui le mettait mal à l'aise, il força sa fourrure à rester en place. Ils suivirent le sentier entre les roseaux sous la pluie. Gueule Balafrée entra dans la clairière, laissant à Poil de Loutre et à Reflet d'Argent le soin d'escorter la patrouille du Clan du Tonnerre.

Pelage d'Écorce et Œil de Chouette allaient et venaient le long des roseaux, la fourrure hérissée. Pelage de Cèdre montait la garde près de la tanière des anciens. Ventre Affamé, Carpe Dorée, Crique Brune et Plume de Bambou s'étaient alignés devant la pouponnière. Plume Douce était blottie au milieu d'eux avec ses petits.

Cœur de Lion balaya le camp du regard.

« Pourquoi vivent-ils dans des gîtes aussi peu confortables ? murmura-t-il.

— Ils flottent en cas d'inondation », gronda Gueule Balafrée. *Où est Étoile de Grêle ?* « Attendez ici. »

Il leva la truffe. L'odeur de son chef émanait de sa tanière. Gueule Balafrée comprit sont intention. Il ne voulait pas que le Clan du Tonnerre pense qu'ils s'inquiétaient.

Il traversa la clairière et s'engouffra dans la tanière en bois sous le saule. Étoile de Grêle était assis dans son nid.

« Alors ?

— Ils sont là. Quelques guerriers seulement. Aucun signe d'une autre patrouille en embuscade.

— Bien. Allons-y. »

Dehors, sous le saule, Étoile de Grêle écarquilla les yeux, visiblement curieux d'entendre les visiteurs. Il attendit en silence qu'Étoile du Soleil daigne s'expliquer.

Le chef du Clan du Tonnerre le salua d'un signe de tête avant de déclarer :

« Les Rochers du Soleil appartiennent au Clan du Tonnerre. Ils sont de nouveau sous notre protection. »

Les Rochers du Soleil appartiennent au Clan de la

Rivière ! se retint de hurler le lieutenant, qui pria pour que ses camarades gardent leur calme. Le camp n'était pas l'endroit idéal pour livrer bataille.

« Il vous faudra vous battre pour les récupérer ! gronda Étoile de Grêle en sortant les griffes.

— Nous aurons recours à la force s'il le faut, lui assura Étoile du Soleil. Nous pensions plus judicieux de commencer par vous mettre en garde. »

Pelage d'Écorce s'avança en faisant le gros dos.

« Oses-tu nous menacer dans notre propre camp ?

— Nous ne sommes pas venus vous menacer », répondit calmement Étoile du Soleil.

Gueule Balafrée s'efforça de contrôler sa respiration. C'était une guerre des nerfs, non de coups de griffe.

« Nous vous donnons le choix, poursuivit le meneur ennemi. Si vous restez à l'écart des Rochers du Soleil, nous vous laisserons tranquilles. Mais le premier d'entre vous qui y posera les pattes sera écorché vif.

— Tu penses vraiment que nous allons renoncer aux rochers si facilement ? répliqua Étoile de Grêle.

— Nous sommes prêts à nous battre, si vous insistez. Mais ces rochers en valent-ils la peine ? Vous pouvez pêcher dans la rivière. Vos pattes sont trop grosses pour attraper des proies dans les crevasses des Rochers du Soleil. Vos pelages sont trop visibles pour y traquer du gibier. Ils ne sont pas adaptés à vos habitudes de chasse. »

Du coin de l'œil, Gueule Balafrée vit Patte de Pierre hocher imperceptiblement la tête. Tels avaient été ses arguments, depuis le début : les Rochers du Soleil ne valaient pas les trop nombreuses vies perdues pour eux. Mais Étoile de Grêle serait-il d'accord, cette fois-ci ?

Le chef du Clan de la Rivière ouvrit la gueule pour humer l'air :

« Je sens une sale odeur de peur.

— Alors c'est celle de tes propres guerriers, rétorqua Étoile du Soleil.

— Tu t'attends vraiment à ce que nous cédions ?

— Non. Je m'attends à ce que vous préfériez le combat. Quitte à perdre des guerriers. Vous serez vaincus, et tu en porteras seul la responsabilité. »

Étoile de Grêle fit un pas vers son ennemi :

« Le Clan de la Rivière se bat avec ses griffes, pas avec des mots.

— À ta guise. Les Rochers du Soleil sont à nous. Nous établirons le nouveau marquage demain. Après, tous les guerriers du Clan de la Rivière que nous y trouverons devront livrer contre nous un combat perdu d'avance. » Il balaya le camp du regard et haussa la voix : « Que tous les membres du Clan de la Rivière sachent que nous les avons mis en garde. Si le sang doit couler, Étoile de Grêle en sera seul responsable. »

Il fit volte-face pour se diriger vers la sortie.

Gueule Balafrée les regarda partir, abasourdi par tant d'arrogance. Pelage d'Écorce fit un pas vers eux en feulant :

« Comment osent-ils ?

— Assurez-vous qu'ils quittent le territoire ! ordonna Étoile de Grêle à Poil de Loutre, Œil de Chouette et Pelage d'Écorce. Escortez-les jusqu'à la frontière. »

Les trois guerriers détalèrent aussi sec.

« Quand allons-nous nous battre ? demanda Crique Brune en sautillant sur place.

— Ce sera notre premier combat ! » s'excita Saut de Grenouille.

Ventre Affamé et Carpe Dorée s'approchèrent à leur tour tandis que Taches de Léopard et Cœur de Ciel essayaient de leur passer devant.

« Tenez-vous tranquilles ! » feula Gueule Balafrée, qui n'arrivait pas à réfléchir dans ce vacarme.

Ils devaient définir une stratégie. Avec autant de jeunes guerriers pressés d'en découdre, la victoire serait aisée. Il regarda Étoile de Grêle.

« On devrait attaquer avec deux patrouilles, déclara-t-il en se rappelant sa première bataille sur les rochers. Ou même trois.

— Attends. Ce combat n'en vaut peut-être pas la peine.

— Quoi ? s'étrangla Carpe Dorée.

— Bien sûr qu'il en vaut la peine, hoqueta Saut de Grenouille.

— Silence ! les gourmanda le lieutenant. Votre chef parle !

— Nous en discuterons dans ma tanière, Gueule Balafrée. »

Étoile de Grêle jeta un coup d'œil pensif aux jeunes guerriers avant de se retirer.

« Pourquoi hésite-t-il ? » gronda Ventre Affamé.

D'un regard dur, Gueule Balafrée le fit taire.

« Il a l'expérience de ses huit premières vies pour le guider. »

Il suivit son chef sous le saule et se glissa dans le gîte.

« À quoi nous servent les Rochers du Soleil pendant la mauvaise saison ? lança Étoile de Grêle, assis dans l'obscurité, au fond de sa tanière. Étoile du Soleil avait raison. Ils y chassent du gibier qui est hors de notre portée.

— Raison de plus pour les empêcher de l'avoir.

— Veux-tu affamer un autre Clan ?

— Cela les affaiblirait.

— Si nous n'avions pas besoin de nous affronter à cause des Rochers du Soleil, que nous importerait qu'ils soient forts ou faibles ?

— Et s'ils essayaient de nous voler davantage de territoire ?

— Tu penses vraiment que telle est la volonté d'Étoile du Soleil ? »

Nous devrions peut-être leur accorder le droit d'y chasser pendant la mauvaise saison. Les paroles de Cœur de Chêne lui revinrent en mémoire : *C'est toujours à cette époque qu'ils se les réapproprient.*

Il haussa les épaules.

« J'imagine qu'Étoile du Soleil veut juste s'assurer que son Clan aura de quoi se nourrir durant les lunes les plus froides.

— Oui. Nous, nous avons la rivière et les saules. Eux, ils n'ont que la forêt.

— Ils croiront avoir gagné… »

Cette idée le fit frémir. Il ne voulait pas que les autres Clans les prennent pour des faibles.

« Ils concluront que nous préférons la paix à la

guerre, murmura Étoile de Grêle. Certains y verront un signe de faiblesse, d'autres un signe de force. »

Gueule Balafrée songea à Reflet d'Argent, à Poil de Loutre... À Crique Brune et aux autres jeunes guerriers. Qu'en penseraient-ils ? Il planta ses griffes dans la terre meuble.

« Le Clan du Tonnerre s'imaginera qu'il peut modifier les frontières quand bon lui semble !

— N'est-ce pas ce que nous avons fait nous-mêmes ? rétorqua le meneur d'un ton presque amusé.

— C'est différent ! Les Rochers du Soleil nous appartiennent ! C'est le Clan des Étoiles qui nous les a attribués.

— J'admire ta loyauté, miaula Étoile de Grêle, la queue enroulée autour de ses pattes. Le Clan des Étoiles a bien agi en te choisissant. »

Gueule Balafrée se dandina d'une patte sur l'autre, mal à l'aise.

« Tu feras un chef formidable. »

La mousse frémit à l'entrée de la tanière. Pelage d'Écorce pointa son museau à l'intérieur.

« Avez-vous établi un plan d'attaque ? Le Clan trépigne d'impatience. »

Étoile de Grêle acquiesça. Lorsque Pelage d'Écorce ressortit, le meneur planta son regard dans celui de son lieutenant.

« Je veux que ce soit toi qui le leur annonces.

— Que nous renonçons aux Rochers du Soleil ? »

Étoile de Grêle opina.

« Les jeunes guerriers sont toujours les plus excités. Autant que tu apprennes maintenant à les maîtriser. Le plus tôt sera le mieux.

— D'accord. »

Il inspira profondément avant de sortir dans la clairière. Étoile de Grêle le suivit et s'arrêta à côté de lui.

Le Clan se tut lorsque Gueule Balafrée leva le menton pour balayer le camp du regard.

« Nous ne nous battrons pas, annonça-t-il. Nous laisserons les Rochers du Soleil au Clan du Tonnerre jusqu'à la saison des feuilles nouvelles. »

Patte de Pierre fut le premier à réagir :

« Que le Clan des Étoiles soit loué !

— Mais nous devons nous battre ! gronda Pelage d'Écorce.

— C'est évident ! ajouta Ventre Affamé.

— On les vaincrait, c'est certain ! renchérit Œil de Chouette.

— Ils pensent que nous sommes faibles ! le mit en garde Pelage de Cèdre.

— On ira, de toute façon, marmonna Plume de Bambou en sortant les griffes.

— Oui, on ne peut pas les laisser gagner, convint Carpe Dorée.

— Si vous refusez de défendre notre territoire, nous le ferons pour vous ! » feula Ventre Affamé.

Gueule Balafrée lui montra les crocs.

« Aucune patrouille ne franchira la rivière, cracha-t-il en foudroyant les jeunes félins du regard. Si l'un d'entre vous ose poser la patte sur les Rochers du Soleil, le Clan du Tonnerre sera le cadet de ses soucis parce que je me chargerai personnellement de lui arracher la fourrure ! » Il reporta son attention sur Ventre Affamé et lança : « C'est compris ?

— Oui, Gueule Balafrée », marmonna ce dernier, les oreilles basses.

Le lieutenant tourna vivement la tête pour étudier le reste du Clan. Reflet d'Argent l'observait de ses yeux plissés mais ne dit rien. Œil de Chouette regardait ses pattes. Pelage d'Écorce rentra les griffes. Gueule Balafrée se sentit triompher avant de refouler cette impression. Il s'agissait de ses camarades. Il devait les commander, non les combattre.

« Nous n'aurons pas besoin des Rochers du Soleil avant la saison des feuilles nouvelles, reprit-il. Laissons le Clan du Tonnerre y traquer quelques maigres souris dans les crevasses. Nous, nous avons la rivière et autant de poisson que nous le voulons.

— Je peux sortir avec une patrouille de pêche, proposa Pelage de Cèdre.

— Bonne idée, merci, fit Gueule Balafrée en s'inclinant devant son ancien mentor. Prends Carpe Dorée, Saut de Grenouille et Ventre Affamé. »

Voilà qui les occuperait. Tandis que le Clan reprenait sa routine, le lieutenant chercha Cœur de Chêne du regard. Il n'était toujours pas rentré.

« Gueule Balafrée ? » fit Poil de Loutre en se hissant hors de l'eau près de la roselière. Elle s'ébroua et, l'œil brillant, vint lui murmurer à l'oreille. « Je peux te parler en privé ? »

Elle lui fit signe de la suivre jusqu'aux joncs et se tapit sous les frondes. Dérouté, Gueule Balafrée s'installa à côté d'elle.

« As-tu remarqué si Cœur de Chêne se montrait particulièrement amical avec un membre du Clan du Tonnerre ? murmura la guerrière.

— Non, personne en particulier.
— Pas même avec Lune Bleue ? insista-t-elle en coulant vers lui un regard embarrassé.
— Il a dû lui parler une ou deux fois, je crois. »
L'expression de Poil de Loutre s'assombrit.
« Pourquoi ces questions ?
— Pendant qu'on escortait la patrouille du Clan du Tonnerre, j'ai vu…
— Vu *quoi* ? la pressa-t-il.
— Je l'ai vu parler à Lune Bleue.
— Et alors ?
— Ils étaient seuls. Elle s'est laissé distancer par sa patrouille et il est sorti de la rivière. Il était parti pêcher. Il ne pouvait pas savoir ce qu'ils faisaient là.
— C'est sans doute pour ça qu'il l'interrogeait. » Gueule Balafrée se demandait pourquoi elle en faisait toute une histoire. « Il voulait savoir ce qu'elle trafiquait sur notre territoire.
— Oui… Bien sûr. » Elle se redressa. « Excuse-moi. Je n'aurais pas dû te déranger pour si peu. »
Gueule Balafrée fit glisser le bout de sa queue sur le flanc de la guerrière.
« Ce n'est rien. »
Un frisson lui secoua la fourrure. *Est-ce que mon explication l'a convaincue ? Je ne suis pas sûr d'y croire moi-même.*

Le lendemain, la pluie avait cessé. Gueule Balafrée s'étira et bâilla sous le soleil frais de la saison des feuilles mortes. La rivière filait près de lui, faussement calme, comme si elle attendait le premier orage pour se déchaîner et rendre la pêche impossible. Œil de Scarabée et Plume de Bambou chassaient en aval. Gueule Balafrée avait amené Cœur de Chêne à son endroit favori en espérant y trouver des carpes. Il attendait sur la rive que son frère remonte sa première prise.

Le museau brun-roux de son frère perça la surface, un poisson dans la gueule. Le guerrier se hissa sur la berge et le lâcha près de son frère.

« À ton tour.

— Il y en a beaucoup ?

— Des tas. »

Gueule Balafrée s'avança dans l'eau peu profonde de la rive pendant que Cœur de Chêne reniflait sa carpe.

« Cœur de Chêne ? » *Quelle que soit la vérité, je dois savoir.* Il garda un ton égal pour l'interroger : « Est-ce que tu as aperçu la patrouille du Clan du Tonnerre hier, pendant que tu pêchais ?

— J'ai remarqué que Pelage d'Écorce et Poil de Loutre l'escortaient vers le gué », répondit-il en retournant le poisson.

Pourquoi ne précise-t-il pas qu'il a discuté avec Lune Bleue ?

« Et ils sont partis sans protester ?

— Pour ce que j'en ai vu, oui », miaula Cœur de Chêne dans un haussement d'épaules.

Gueule Balafrée crut voir les poils de son frère trembler sur son échine. Il ne savait plus quoi penser.

« Pourquoi toutes ces questions ? fit son cadet en le rejoignant dans la rivière. Si tu n'as pas l'intention d'attraper quoi que ce soit, alors je m'en charge. »

Il plongea dans l'eau et disparut.

Gueule Balafrée plissa les yeux. S'inquiétait-il pour rien ? Cœur de Chêne ne pensait peut-être pas que sa conversation avec Lune Bleue était importante au point de mériter d'être mentionnée. N'importe quel guerrier loyal se serait arrêté pour questionner un intrus. *De plus, il ne me dissimulerait aucun secret, n'est-ce pas ?* Gueule Balafrée s'avança sur un rocher plat et s'y allongea pour attendre le retour de son frère. Jamais Cœur de Chêne ne trahirait le Clan de la Rivière.

CHAPITRE 35

L'EAU COULAIT PAR LA VOÛTE de la tanière. Gueule Balafrée frémit. Son nid était trempé.

Près de lui, Brise de Nénuphar roula sur le dos et s'étira.

« Ça fuit encore ? » Une grosse goutte glacée s'écrasa sur son ventre. Elle se leva d'un bond, les oreilles frémissantes. « Cette pluie ne s'arrêtera-t-elle donc jamais ? »

Des averses s'abattaient sur le camp depuis des jours.

Gueule Balafrée lui lécha la joue.

« Je demanderai à Baie de Ronce d'en parler au Clan des Étoiles, la taquina-t-il avant de se lever en bâillant.

— Très drôle ! » lança sa compagne tandis qu'il sortait dans la clairière.

L'aube était pâle, le ciel aussi gris que le pelage d'une souris. Bourgeon Poudré, Taches de Léopard et Crique Brune s'activaient autour de la pouponnière pour renforcer le toit et les parois avec des feuilles. Leurs poils trempés par la pluie s'agglutinaient en pointes, leurs oreilles étaient rabattues pour se protéger du vent.

Posté au milieu du camp, Étoile de Grêle fixait la rivière.

« Le niveau a monté ? » voulut savoir Gueule Balafrée.

L'eau léchait déjà la rive près de la roselière. Le ruisseau pouvait entrer en crue à tout instant.

« Les rives tiennent, murmura Étoile de Grêle. Mais nous devons rester vigilants. »

Cœur de Chêne passa la tête hors de sa tanière et alla les rejoindre.

« Il n'y a pas un seul endroit au sec dans tout le camp, se lamenta-t-il en regardant la rivière. Elle m'a l'air plus haute. »

Au-delà de la barrière de roseaux, l'eau brune tourbillonnait à toute allure. Pêcher était trop dangereux.

« Et si on déplaçait Plume Douce et Lac de Givre dans la tanière des anciens ? suggéra Cœur de Chêne.

— Pas tout de suite, répondit Étoile de Grêle.

Les filles de Plume Douce, Petite Aurore et Petite Mauve, pointaient le museau hors de la pouponnière et clignaient des yeux sous la pluie. À trois lunes, elles ressemblaient de plus en plus à des apprenties.

« Comment va Lac de Givre ? s'enquit Étoile de Grêle.

— Elle est toujours malade », lui apprit son lieutenant en secouant la tête.

Lac de Givre, qui attendait les petits de Reflet d'Argent, avait récemment quitté son antre pour s'installer dans la pouponnière. Même si Baie de Ronce soignait sa nausée depuis des jours, la reine avait peu d'appétit.

« Il faudra les déplacer si le niveau monte encore, conseilla Gueule Balafrée.

— J'ai une idée. » Cœur de Chêne ôta une tige de roseau de la tanière des apprentis et la planta dans la vase, là où l'eau s'arrêtait. « À présent, nous saurons à quelle vitesse elle monte. Je vérifierai régulièrement le niveau et vous avertirai en cas de danger.

— Bonne idée », répondit Gueule Balafrée, ravi que son frère soit redevenu lui-même.

Deux lunes plus tôt, il s'était demandé ce qui le rendait si distrait et inquiet, et si c'était bel et bien à cause de Lune Bleue. Mais le comportement de Cœur de Chêne était redevenu normal et il se concentrait à présent sur ses tâches de guerriers et l'entraînement des nouveaux apprentis. Gueule Balafrée n'avait plus de raison de s'en faire.

Patte de Pierre trottait vers la tanière des anciens, des feuilles dans la gueule.

Gueule Balafrée le héla :

« C'est pour Trille d'Oiseau ? »

L'apprenti guérisseur hocha la tête. L'ancienne toussait depuis plusieurs jours. Gueule Balafrée le suivit et entra dans le gîte sur la butte.

« Comment va-t-elle, Baie de Ronce ? murmura-t-il à la guérisseuse tapie près de la malade.

— *Elle* a encore des oreilles et une langue qui fonctionnent.

— Pour la langue, c'est certain, marmonna Moustache Emmêlée. Dire que, quand Cœur de Truite a rejoint le Clan des Étoiles, j'ai cru que j'aurais enfin la paix. »

Gueule Balafrée passa devant les deux nids vides près de l'entrée. Ils portaient encore une trace infime des parfums de Cœur de Nacre et de Cœur de Truite. Le lieutenant s'installa près de la vieille chatte au pelage blanc et tigré.

Baie de Ronce s'appliquait à couper des herbes sur le sol de terre mouillée.

« Ce nid est trempé, cracha-t-elle. Tout est trempé, ici. »

Trille d'Oiseau fut prise d'une violente quinte. Moustache Emmêlée rabattit ses oreilles.

« Et quand elle ne parle pas, elle me donne la migraine à force de tousser ! »

Trille d'Oiseau avala douloureusement sa salive et répliqua d'une voix éraillée :

« Je te manquerai, quand je serai partie.

— Tu ne vas nulle part, rétorqua la guérisseuse, qui poussa les herbes sous la truffe de sa patiente. Avale ça. Cela adoucira ta gorge. » Elle leva la tête vers Gueule Balafrée et poursuivit : « J'ai envoyé Ventre Affamé, Saut de Grenouille et Cœur de Ciel chercher de la mousse sèche, mais le Clan des Étoiles seul sait où ils en trouveront.

— Le Clan du Tonnerre nous en donnerait peut-être, hasarda Patte de Pierre. Il y a plein d'endroits abrités dans la forêt et ils nous sont redevables puisqu'on leur a laissé les Rochers du Soleil.

— On ne peut rien leur demander ! bougonna Moustache Emmêlée. Ils pensent déjà que nous sommes faibles. Et si cette humidité nous affecte tous, nous serons incapables d'affronter un têtard, sans même parler de ces guerriers galeux…

— Quand j'étais jeune, nous chassions dans le grand nid, près de la prairie aux Bipèdes », déclara Trille d'Oiseau en mâchant les remèdes.

Gueule Balafrée jeta un coup d'œil inquiet à l'ancienne, qui divaguait. Était-ce un signe de fièvre ?

« Avant qu'il y ait tous ces chiens… poursuivit-elle, les yeux embrumés. Il y avait un cabot noir et blanc. Tu t'en souviens, Moustache Emmêlée ? ronronna-t-elle. Le petit teigneux, qui aboyait tout le temps. Il m'avait attaquée, une fois…

— Oui, je m'en souviens, répondit l'ancien, amusé. Il a été sacrément surpris quand tu t'es retournée pour lui griffer le museau.

— La fois suivante, quand on était revenus chasser, il avait gardé ses distances ! » conclut-elle avec une lueur malicieuse dans le regard.

Moustache Emmêlée replia ses pattes sous lui et gonfla sa fourrure trempée.

« Qu'est-ce qui t'a fait penser au nid de Bipèdes ? Tu veux y retourner chasser la souris ?

— Non, cervelle de grenouille ! s'écria-t-elle en lui donnant une pichenette du bout de la queue. Les Bipèdes s'en servaient pour stocker de l'herbe sèche. Ça, ça garderait nos nids au sec. Inutile d'y rajouter de la mousse, elle ne fait qu'absorber l'humidité du sol.

— Bien vu ! la félicita son compagnon.

— Tu crois que tu pourrais aller en chercher ? demanda Baie de Ronce à Gueule Balafrée. La toux de Trille d'Oiseau ne s'améliorera pas tant qu'elle dormira dans un nid trempé.

— Bien sûr. » Trille d'Oiseau n'avait pas complètement perdu la tête. C'était une excellente idée. « Je vais en parler à Étoile de Grêle. »

Il se glissa hors de la tanière et dévala la pente vers le saule où le meneur s'était abrité.

« Tu as l'air de bonne humeur », déclara ce dernier à son lieutenant.

Gueule Balafrée lui rapporta les paroles de Trille d'Oiseau.

« La grange ! Mais oui ! Elle m'y avait emmené chasser quand je n'étais qu'un jeune apprenti. »

Une grange ?

Gueule Balafrée revit aussitôt le foyer de Flocon. Il n'avait pas repensé à son vieil ami depuis des lunes.

« Où se trouve-t-elle ? » s'enquit-il.

Son chef ne pouvait parler de celle de Flocon et Mitzi, qui était bien trop loin pour une patrouille de chasse.

« Derrière la clôture du chien. Après le champ, il y a un grand nid. Il n'y a pas de Bipèdes dedans, que de l'herbe sèche et des souris. » Étoile de Grêle leva le museau. Même sous la pluie froide, avec sa fourrure trempée, il semblait aussi fort qu'un guerrier moitié moins vieux que lui. « Bourgeon Poudré, Crique Brune, Taches de Léopard ! Vous finirez de réparer la pouponnière plus tard. Nous avons une mission spéciale.

— Laquelle ? s'enquit Cœur de Chêne en quittant un instant des yeux la tige de roseau qu'il avait plantée dans le sol.

— Nous allons chercher de la litière sèche, annonça Étoile de Grêle avant de leur expliquer le plan en détail.

— Nous pourrons aussi y attraper du gibier, suggéra Gueule Balafrée.

— Du gibier ? répéta Plume Douce, qui avait sorti la tête de la pouponnière. Est-ce que le courant n'est pas trop rapide ?

— Nous chasserons des souris, lui apprit Étoile de Grêle.

— Je veux venir ! »

Petite Aurore s'extirpa de la pouponnière et échappa aux pattes de sa mère. Son pelage roux et blanc fut aussitôt trempé.

« Petite Aurore ! la rappela la reine, furieuse.

— Comment se fait-il qu'elle ait le droit de sortir et pas moi ? s'indigna Petite Mauve, coincée entre les pattes de sa mère.

— Nous ferions mieux d'y aller avant que le Clan tout entier se joigne à nous », déclara Étoile de Grêle, qui se faufila par une trouée entre les roseaux.

Gueule Balafrée se hâta de le suivre, ainsi que Bourgeon Poudré, Taches de Léopard et Crique Brune. La pluie crépitait sur la hêtraie et éclaboussait les marais. Le lieutenant plissa les yeux pour tenter d'y voir clair et fut soulagé de reconnaître la clôture du chien droit devant.

« Attendez ! miaula-t-il avant de renifler le bas de la clôture. C'est bon, pas de trace fraîche. Il doit détester la pluie encore plus que nous. »

Il se glissa sous la barrière. L'odeur âcre de la boue et de l'herbe mouillée lui envahit les narines lorsqu'ils passèrent devant un cheval qui broutait. Gueule Balafrée se sentait vulnérable dans l'herbe rase. Il pressa le pas. À travers la pluie battante, il aperçut un grand nid au bout du champ, derrière un muret de pierre – silhouette noire et menaçante sur le ciel gris.

« C'est là ? » demanda-t-il à Étoile de Grêle, qui acquiesça.

Gueule Balafrée s'élança pour se mettre à l'abri derrière le muret. Lorsque la patrouille le rattrapa, Bourgeon Poudré huma l'air.

« Pas de trace fraîche, annonça-t-elle.

— Je ne sens rien à part la pluie, gémit Taches de Léopard en remuant la truffe.

— Attendez là. »

Étoile de Grêle sauta sur le muret et, le ventre contre la pierre, il scruta la clairière de l'autre côté.

D'un bond, Gueule Balafrée le rejoignit sur son perchoir. Un sol de pierre couleur crème s'étendait du muret jusqu'à la grange, comme chez Flocon.

« La voie est libre ? » Le chef hocha la tête et Gueule Balafrée se pencha vers Bourgeon Poudré. « Venez. »

Crique Brune fut la première à franchir le muret.

« Sois prudente », souffla son ancien mentor tandis qu'elle retombait de l'autre côté.

Il sauta près d'elle, inspectant l'endroit tandis qu'Étoile de Grêle les entraînait sur le sol de pierre bosselé. Il y avait un petit trou irrégulier au bas de l'énorme morceau de bois plein qui fermait l'entrée de la grange.

Le meneur s'y faufila en éclaireur et murmura peu après :

« La voie est libre. »

Taches de Léopard le suivit, imitée par Crique Brune et Bourgeon Poudré ; Gueule Balafrée entra en dernier. À l'intérieur, la voûte se dressait presque aussi haut que la Toison Argentée. De minces rais de lumière perçaient à travers les fissures dans les murs et de longues ombres s'étiraient sur le sol froid. Des piles de foin s'élevaient de toutes parts.

« Nous allons d'abord nous occuper de l'herbe, ordonna Étoile de Grêle. Ensuite, nous chasserons. »

Il envoya Gueule Balafrée et Crique Brune d'un côté, Bourgeon Poudré et Taches de Léopard de l'autre.

Le lieutenant entraîna son ancienne apprentie vers l'une des grosses mottes. Dressé sur ses pattes arrière, il en prit quelques brins qu'il enroula autour de ses pattes avant de les laisser tomber au sol. La jeune guerrière l'imita et ils travaillèrent en silence jusqu'à ce qu'un petit tas sentant le soleil et les végétaux secs se constitue entre eux.

D'une patte le lieutenant ôta les graines coincées dans ses oreilles et il scruta le fond obscur de la grange. L'odeur de foin et de souris remuait de vieux souvenirs. Il prit la position du chasseur et commença à ramper en chuchotant :

« Suis-moi, Crique Brune. »

Le ventre au ras du sol, ils passèrent devant leurs trois camarades, qui n'avaient pas fini leurs paquets de litière, et se glissèrent dans la pénombre. Gueule Balafrée fit signe à la jeune chatte de s'immobiliser et tendit l'oreille. Il entendit de petits grattements au pied du mur. Crique Brune s'approchait déjà des pierres, la queue au ras du sol, le ventre étiré.

Gueule Balafrée choisit un autre angle d'approche, préférant attendre sur le côté, tandis que Crique Brune approchait de sa proie. Elle bondit soudain, les pattes lancées en avant. Elle la rata de peu, et le rongeur s'enfuit droit vers le lieutenant, qui l'attrapa et l'acheva d'un coup de croc.

« Très bien », commenta Étoile de Grêle, venu les rejoindre après avoir enroulé un dernier ballot d'herbe.

Crique Brune avait repris sa position.

Étoile de Grêle dressa l'oreille.

« En voilà une grosse ! » s'écria-t-il, les yeux gourmands, avant de se poster près d'elle.

Gueule Balafrée leva la truffe.

Il se raidit. Ce n'était pas une souris. Mais un rat ! Flocon lui avait appris à se méfier de ces rongeurs. Un seul, ça allait. Une colonie, en revanche, pouvait être mortelle.

« Attention ! »

Tandis qu'il hurlait sa mise en garde, quatre énormes rats jaillirent de l'ombre. Crique Brune poussa un cri de surprise :

« Ils nous attaquent ! »

Elle eut beau sauter pour éviter le gros rongeur qui fonçait droit sur elle, celui-ci parvint à lui mordre la patte arrière et y resta accroché.

Gueule Balafrée se jeta sur le dos du rat et le tua d'un seul coup.

« Ça va ? »

La guerrière gémit de douleur tandis qu'un filet de sang épais coulait de sa blessure. Taches de Léopard se précipita à leur aide. D'un coup de griffe, elle envoya un autre rat rouler au sol en couinant.

« Il y en a d'autres ! » hoqueta Crique Brune.

Une masse noire fondait sur eux. Leurs yeux brûlaient de haine et leurs dents pointues luisaient dans la pénombre.

« Va chercher des renforts ! ordonna Gueule Balafrée à Bourgeon Poudré.

— Mais...

— Exécution ! »

Tandis que la guerrière écaille partait à toute vitesse, Gueule Balafrée inspira à fond. Gênée par sa patte blessée, Crique Brune affrontait le flot de rats en battant l'air de ses pattes avant. Étoile de Grêle se jeta dans la mêlée et fut aussitôt encerclé par l'ennemi. Taches de Léopard hurla lorsque l'un d'eux lui mordit la queue. Elle fit volte-face et le saisit à la gorge. Aussitôt, un autre lui sauta sur les épaules.

« À l'aide ! »

Gueule Balafrée fonça à son secours et délogea le rat d'un coup de patte. Taches de Léopard cria lorsque le rongeur lui arracha des touffes de fourrure.

« Étoile de Grêle ! »

Gueule Balafrée pivota en entendant le hurlement de Crique Brune.

Deux rats s'accrochaient au chef du Clan de la Rivière – l'un d'eux à son dos, l'autre à sa patte arrière. Gueule Balafrée s'empara du plus gros et le projeta à l'autre bout de la grange.

Un feulement lui parvint soudain depuis l'ombre.

« *Attends !* »

Ombre d'Érable !

« Que fais-tu ici ? miaula-t-il en reculant.

— *C'est le moment ou jamais.* » La voix de la guerrière de l'ombre résonnait dans sa tête. « *Laisse les rats se charger de lui. Aujourd'hui, tu peux devenir le chef du Clan de la Rivière, si tu en as le courage !*

— Non ! »

Gueule Balafrée fondit sur le rat restant et l'arracha du pelage du meneur.

« Je ne les laisserai pas tuer mon chef ! »

Gueule Balafrée saisit un autre rongeur et l'écrasa contre le sol.

« *Mais tel est ton destin !*

— C'est moi qui décide de mon destin, Ombre d'Érable. Pas toi ! » marmonna-t-il.

Tandis qu'Étoile de Grêle se relevait, Gueule Balafrée assommait un autre ennemi. Derrière lui, Crique Brune s'était relevée et s'appuyait contre Taches de Léopard. Elle semblait capable de se défendre seule pour le moment.

Gagner la sortie serait trop dangereux. Dès qu'ils cesseraient de se battre, les rats les submergeraient. Leur seul espoir était de les affronter ensemble.

« Guerriers ! Combattez dos à dos ! » ordonna Gueule Balafrée.

Les félins reculèrent les uns vers les autres jusqu'à ce que leurs queues se touchent. Dressés sur leurs pattes arrière, ils assénèrent une pluie de coups aux ennemis tel un cercle de griffes déchaînées. Étoile de Grêle avait beau être à bout de souffle, il frappait sans merci. Taches de Léopard poussait un cri de triomphe chaque fois qu'elle repoussait un rat. Crique Brune se laissait tomber encore et encore sur les petits corps couinants. L'odeur musquée du sang parvint bientôt à la truffe de Gueule Balafrée, qui commença à paniquer. Crique Brune chancelait sur sa patte blessée et Taches de Léopard s'affaissait peu à peu contre lui. Ils ne tiendraient plus très longtemps.

« Tentez de gagner la sortie ! »

Tandis qu'ils progressaient vers le trou, le lieutenant vit du coin de l'œil une silhouette familière.

« J'amène des renforts ! » hurla Bourgeon Poudré.

Reflet d'Argent et Pelage d'Écorce foncèrent droit vers eux. Carpe Dorée, Griffe Noire et Œil de Chouette suivaient. Ils plongèrent dans la marée de rongeurs, les agrippant avec leurs griffes avant de les projeter le plus loin possible. Pelage d'Écorce brisa la colonne vertébrale de l'un d'eux entre ses mâchoires. Reflet d'Argent saisit deux rats chacun entre les griffes d'une patte, et les écrasa contre le sol dur. La vermine se dispersa en couinant et disparut au fond de la grange, dans l'obscurité d'où elle était sortie.

Gueule Balafrée se laissa retomber sur ses quatre pattes. Taches de Léopard était accroupie près de lui, hors d'haleine. Malgré les traînées sanglantes qui zébraient son pelage, ses yeux brillaient.

« On a réussi ! haleta-t-elle.

— Oui, on a réussi », répéta Gueule Balafrée en léchant le sang coagulé sur la tête de sa camarade.

Un faible gémissement leur fit tourner la tête.

« Crique Brune ! s'écria Gueule Balafrée en se précipitant vers elle. Tu es blessée ? »

Elle poussa un grognement de douleur. Des bruits de pas résonnèrent soudain dans la grange et une silhouette blanche écarta Gueule Balafrée d'un coup d'épaule.

« Laisse-moi passer ! feula Baie de Ronce avant de se pencher sur la jeune guerrière. Allez me chercher des toiles d'araignée ! »

Reflet d'Argent et Pelage d'Écorce obéirent aussitôt. Ils sautèrent sur le tas de foin pour atteindre les toiles accrochées au mur.

« Étoile de Grêle ! »

Le miaulement horrifié d'Œil de Chouette glaça le sang de Gueule Balafrée.

Étoile de Grêle ? Le ventre du lieutenant se noua. Le chef du Clan de la Rivière gisait sur le sol de pierre. Un jet vermeil giclait de sa gorge.

« Baie de Ronce ! hurla-t-il.

— Attends ! lança-t-elle. Crique Brune perd beaucoup de sang. »

Gueule Balafrée se laissa tomber près de son chef et palpa sa blessure. Il trouva l'entaille et pressa sa patte contre elle – tentative désespérée d'arrêter l'hémorragie.

« Je suis désolé, murmura-t-il. Je n'ai pas été à la hauteur.

— Mais si, articula Étoile de Grêle d'une voix rauque. Tu t'es battu avec courage, comme je l'attendais de toi. À présent, tu dois ramener la patrouille jusqu'au camp.

— *Écarte-toi !* »

Gueule Balafrée eut le souffle coupé quand Ombre d'Érable le percuta de toutes ses forces. Le pelage de la guerrière de l'ombre était à peine visible dans la pénombre, mais ses prunelles jaunes brûlaient d'un feu féroce.

« Non ! »

Gueule Balafrée la repoussa et se précipita vers Étoile de Grêle pour appuyer de nouveau sur la blessure. Il ne sentit plus le sang battre sous ses pattes. La tête du chef du Clan de la Rivière penchait sur le côté et ses yeux étaient déjà vitreux. Le cœur de Gueule Balafrée se brisa.

« Baie de Ronce… miaula-t-il, la gorge serrée. Il est mort. »

Le lieutenant s'effondra sur la terre froide, posa la tête sur le pelage poisseux d'Étoile de Grêle et ferma les yeux.

CHAPITRE 36

« GUEULE BALAFRÉE ! » lui murmura Baie de Ronce à l'oreille.

Gueule Balafrée se força à ouvrir les yeux. Ce n'était pas un cauchemar. Il était toujours dans la grange, couvert du sang d'Étoile de Grêle, les griffes pleines de poils de rat. Tremblant sous le choc, il s'efforça de se lever.

« Comment va Crique Brune ?

— Elle s'en remettra », répondit-elle en lui posant la queue sur l'épaule.

Elle baissa la tête vers Étoile de Grêle.

« J'ai tenté d'arrêter l'hémorragie », lui expliqua-t-il.

J'y serais peut-être parvenu si Ombre d'Érable ne m'en avait pas empêché. La culpabilité lui rongeait le ventre.

Baie de Ronce examina la blessure du meneur.

« Tu ne pouvais rien faire, conclut-elle. L'entaille était trop profonde pour guérir. »

Gueule Balafrée regarda autour de lui. La grange semblait très silencieuse et vide.

« Taches de Léopard va bien ?

— Oui, ça va. »

La guerrière claudiqua jusqu'à lui et, du bout de la truffe, elle effleura le pelage de son défunt chef.

Gueule Balafrée s'approcha de Crique Brune. Celle-ci s'efforça de se lever malgré les toiles d'araignée qui l'emmaillotaient.

« Tu t'es battue comme une véritable guerrière, la complimenta-t-il en pressant sa joue contre la sienne. Tu vas pouvoir marcher jusqu'au camp ? »

Elle hocha la tête, le regard vide.

« Aide-la », ordonna-t-il à Pelage d'Écorce.

Le matou brun se colla à elle et la guida vers la sortie. Carpe Dorée se précipita pour la soutenir de l'autre côté.

« Est-ce que tu veux que je porte Étoile de Grêle jusqu'au camp ? lui demanda Reflet d'Argent.

— Non. Je m'en charge.

— Tu es blessé, lui rappela Baie de Ronce.

— À peine. »

Gueule Balafrée était trop choqué pour ressentir quoi que ce soit. Il s'aplatit contre le sol tandis que Reflet d'Argent et Œil de Chouette hissaient le corps d'Étoile de Grêle sur son dos, puis il força ses pattes à se tendre et entreprit ce qui serait le dernier voyage d'Étoile de Grêle vers le camp.

Faire sortir le corps par le trou irrégulier dans le grand pan de bois qui fermait la grange fut un vrai calvaire. Même s'il grimaça en sentant la fourrure de son chef se coincer dans le bois éclaté, il refusa de se reposer pour reprendre son souffle. Une seule pensée l'obsédait : le chagrin qui allait s'abattre sur le Clan.

« Laisse-moi le porter un peu », l'implora Reflet d'Argent lorsqu'ils traversèrent la prairie boueuse.

Gueule Balafrée ahanait sous son fardeau et ses blessures l'élançaient.

« Non. Ça va. »

Lorsqu'ils dépassèrent la hêtraie et s'approchèrent du camp, il se rendit vaguement compte que Reflet d'Argent s'était collé à lui pour l'aider. Il entra en chancelant dans la clairière, parvint à tenir debout suffisamment longtemps pour qu'Œil de Chouette fasse glisser la dépouille jusqu'au sol. Puis il s'effondra dans la boue.

« Gueule Balafrée ! hurla Brise de Nénuphar en lui léchant la joue. Tu vas bien ? »

À bout de forces, le lieutenant ferma les yeux et laissa les ténèbres l'engloutir.

Il reprit conscience dans son nid. Ses blessures le picotaient.

« Tu es réveillé ? miaula Brise de Nénuphar, penchée sur lui.

— La veillée funèbre ! s'écria-t-il en se levant à toute vitesse.

— Calme-toi, tu ne l'as pas ratée. » Le chagrin était perceptible dans sa voix. « Il est dans la clairière. »

Le matou se hâta de sortir.

« Ça va ? lui demanda Cœur de Chêne en se précipitant à sa rencontre.

— Oui. »

Gueule Balafrée regarda ses camarades abattus, privés de chef.

Trille d'Oiseau allait et venait au bord de la clairière en gémissant :

« Pourquoi ai-je suggéré d'aller à la grange ? Je l'ai envoyé à la mort !

— Tu ne pouvais pas prévoir ce qui allait arriver, la rassura Moustache Emmêlée. Tu n'as rien à te reprocher, cervelle de grenouille. »

Œil de Scarabée, tête basse, se tenait sous le saule avec Bourgeon Poudré et Poil de Ragondin. Les trois guerriers regardaient fixement le corps de leur père. La pluie avait cessé et le ciel se dégageait. Lorsqu'un rayon de soleil de fin d'après-midi illumina la clairière, les gouttes de pluie perlant sur la fourrure d'Étoile de Grêle scintillèrent.

Écho de Brume s'était tapie contre lui. Elle leva la tête à l'approche de Gueule Balafrée.

« Je n'aurais jamais dû le laisser partir.

— Il s'est battu comme un guerrier du Clan des Étoiles, jusqu'à la fin », murmura-t-il en lui effleurant la tête.

La tanière de Baie de Ronce frémit lorsque la guérisseuse en sortit.

« Comment vont Crique Brune et Taches de Léopard ? s'enquit le lieutenant.

— Elles se reposent. J'ai traité leurs blessures pour qu'elles ne s'infectent pas. » Elle examina le pelage de Gueule Balafrée avant d'ajouter : « Je devrais aussi m'occuper des tiennes.

— Plus tard, gronda-t-il. Quand j'aurai fini de veiller Étoile de Grêle.

— Non. Tu dois venir avec moi jusqu'à la Pierre de Lune », lui rappela-t-elle.

Il la regarda sans comprendre.

« Pour recevoir tes neuf vies. »

Neuf vies. Il était le chef du Clan de la Rivière ! Cette idée le frappa comme une vague d'eau glacée.

« Nous devrions partir sans délai. Patte de Pierre peut veiller sur les blessées.

— Ça va aller ? demanda-t-il à Écho de Brume.

— Mes camarades sont auprès de moi », murmura la guerrière.

Le lieutenant s'inclina pour la saluer. Sentant qu'on le regardait, il releva la tête : Pelage d'Écorce le dévisageait. Lac de Givre l'observait depuis l'entrée de la pouponnière. Saut de Grenouille et Ventre Affamé avançaient dans l'eau peu profonde qui avait débordé près de la roselière. Ils avaient les poils collés, les oreilles basses. Ils dépendaient tous de lui, à présent. Il en eut le cœur déchiré. Il ne s'était jamais senti aussi peu l'étoffe d'un chef. Il venait tout juste d'être nommé lieutenant.

Brise de Nénuphar se serra contre lui.

« Tu ferais mieux d'y aller, murmura-t-elle en jetant un coup d'œil vers Baie de Ronce, qui l'attendait à la sortie du camp. Tout ira bien. Étoile de Grêle a fait le bon choix lorsqu'il t'a nommé lieutenant. »

Non, pas du tout. Gueule Balafrée avait la nausée. *Ombre d'Érable a décidé de mon destin – une guerrière de la Forêt Sombre !* Pris de panique, il sentit son cœur s'emballer. *Qu'ai-je fait ?*

« Allons-y. »

Baie de Ronce l'avait appelé depuis l'autre bout de la clairière d'un ton doux mais pressant.

« J'arrive. »

La guérisseuse resta toujours un peu devant lui tandis qu'ils franchissaient le gué et suivaient le sentier près des Gorges. Lorsqu'ils passèrent la frontière puante du Clan du Vent, Gueule Balafrée la rattrapa. Il ne voulait pas qu'elle tombe sur une patrouille adverse. Allait-elle faire un commentaire, maintenant qu'il allait devenir chef ? Elle s'inquiétait lorsque Étoile de Grêle l'avait choisi comme lieutenant. Elle devait être horrifiée de savoir qu'il serait le meneur du Clan de la Rivière. Il s'arrêta.

Baie de Ronce se tourna vers lui, surprise. La bruyère ondulait autour d'elle, teintée de rose par le coucher de soleil sanglant.

« Tu viens ?

— Tu dois tout me dire ! s'écria-t-il, les griffes plantées dans le sol tourbeux. Je ne pourrai pas me présenter devant le Clan des Étoiles tant que je ne saurai pas la vérité. »

Le Clan des Étoiles lui avait envoyé un signe pour la mettre en garde contre lui. Si elle était au courant pour Ombre d'Érable, alors le Clan des Étoiles devait l'être aussi. Et si ses ancêtres refusaient de lui accorder ses neuf vies ?

« La vérité ? répéta-t-elle, visiblement déroutée.

— Ne fais pas comme si tu ne craignais pas qu'ils refusent de faire de moi un chef, feula-t-il. À moins que ce soit ce que tu souhaites…

— Pourquoi souhaiterais-je pareille chose ?

— À cause du signe ! Le signe qui t'a encouragée à te méfier de moi. Qu'est-ce que c'était ? Tu l'as caché pendant trop longtemps. Tu dois me dire ce que tu as vu !

— Oui, oui, j'ai bien vu quelque chose, admit-elle, les épaules tombantes. Mais ce n'est pas ce que tu crois. »

Elle s'assit et braqua vers lui son regard couleur de ciel.

« Je t'ai vu avec *elle*.

— Tu parles d'Ombre d'Érable ? demanda-t-il, les oreilles brûlantes.

— C'est son nom ? Je l'ignorais. Je savais juste qu'elle t'entraînait dans un endroit sombre et froid qui empestait la mort. » Ses poils se hérissèrent. « Je t'ai vu choisir de suivre des chats qui auraient été incapables de t'être loyaux ou d'être loyaux à ton Clan.

— Je ne connaissais pas sa vraie nature, murmura-t-il. J'étais si bête ! Je pensais qu'elle venait du Clan des Étoiles.

— Du Clan des Étoiles ? C'est vrai ? » Ses poils retombèrent en place. « Tout s'explique ! Dès qu'il s'agissait de tes camarades, tu te montrais toujours courageux et loyal – déterminé à faire de ton mieux. Je ne comprenais pas pourquoi tu t'entraînais avec ce monstre.

— Je la croyais de mon côté. » Gueule Balafrée regarda ses pattes. « Je voulais devenir le meilleur, et elle affirmait pouvoir m'aider.

— Tu aurais été un guerrier formidable de toute façon.

— Comment aurais-je pu le savoir ? protesta-t-il, la gorge nouée. Après mon accident, plus personne ne semblait vouloir de moi. Tout le monde me traitait en paria.

— Nous t'avons abandonné à ton triste sort, miaula-t-elle, les yeux brumeux.

— Non ! Le passé est révolu. Tout ce à quoi je tiens se trouve dans le Clan de la Rivière !

— Et pourtant tu as suivi les pas d'une guerrière de l'ombre.

— Je lui ai dit que je ne voulais plus de son aide. Est-ce suffisant pour que le Clan des Étoiles me fasse confiance ?

— Le Clan des Étoiles voit tout, répondit-elle en regardant ses pattes un instant. Encore plus que moi. » Elle se remit en route dans la bruyère. « À eux d'en décider. »

Le ventre de Gueule Balafrée se noua. Et si ses ancêtres refusaient de lui accorder ses neuf vies pour le punir de s'être entraîné dans la Forêt Sombre ? Il partit derrière la guérisseuse et ses blessures le firent souffrir jusqu'au plateau du Vent.

Alors qu'ils suivaient d'étroits sentiers dans les broussailles, la nuit tomba. Le vent sifflait dans leurs oreilles et Gueule Balafrée n'entendit pas la patrouille ennemie approcher.

« Que faites-vous ici ? tonna Plume de Roseau, les yeux brûlants.

— Nous nous rendons à la Pierre de Lune », lui apprit le lieutenant.

Rayon de l'Aube et Plume Filante encadraient le lieutenant du Clan du Vent. Rayon de l'Aube s'approcha pour se planter devant Baie de Ronce.

« Vous devez nous laisser passer, gronda Gueule Balafrée. Je dois recevoir mes neuf vies.

— Étoile de Grêle est mort ? » s'enquit Plume de

Roseau, les yeux réduits à deux fentes. Son miaulement ne trahissait nul chagrin, mais il fit signe à ses camarades de s'écarter. « Laissez-les passer. »

La patrouille s'écarta.

Au-delà de la lande, le Chemin du Tonnerre était silencieux. Ils le traversèrent avant d'emprunter les sentiers du territoire des Bipèdes. Sous les étoiles scintillantes, ils cheminèrent courageusement. Gueule Balafrée tentait d'ignorer sa souffrance et se forçait à avancer malgré ses pattes qui tremblaient de fatigue. Ils contournèrent de loin la grange de Flocon. Gueule Balafrée avait vu suffisamment de foin pour la journée. La lune montait toujours dans le ciel lorsqu'ils atteignirent les Hautes Pierres.

« Nous n'avons pas traîné », haleta Baie de Ronce tandis qu'ils se lançaient dans l'ascension du versant menant à la Grotte de la Vie.

Pitié, accordez-moi mes neuf vies, pria Gueule Balafrée en la suivant dans le tunnel noir comme la nuit. Il avait oublié à quel point il y faisait froid. La saveur glaciale de la roche lui imprégna la langue. Qui l'attendrait, à la Pierre de Lune ? Des membres du Clan des Étoiles ou des guerriers de la Forêt Sombre ?

« Baie de Ronce ! »

Il l'entendait marcher sur la pierre devant lui mais il éprouvait tout à coup le besoin d'entendre sa voix, de s'assurer que c'était bien elle qu'il suivait et non un quelconque envoyé d'Ombre d'Érable.

« Je suis là. »

De la lumière apparut au bout du tunnel.

« Vite ! le pressa-t-elle. La lune a déjà illuminé la pierre. »

Le cœur battant, Gueule Balafrée se précipita vers elle et plissa soudain les yeux, aveuglé par la lumière vive qui baignait l'antichambre de la Pierre de Lune. Il avait oublié à quel point la voûte était haute, à quel point la pierre était belle. Elle étincelait comme si elle abritait la lumière de toutes les étoiles que comptait la Toison Argentée.

« Vas-y, touche-la du bout de ta truffe, l'encouragea la guérisseuse en le poussant du museau.

— Qui m'attendra ? gémit-il, tétanisé par la peur.

— Je l'ignore. »

Elle recula pour le laisser seul dans la caverne.

Gueule Balafrée s'avança doucement et ferma les yeux. Il s'allongea et tendit le cou pour toucher la pierre. Il redoutait qu'un flot de lumière le transperce et l'entraîne jusqu'aux étoiles dans un rêve éblouissant. *Pitié !*

Il ouvrit les yeux en cillant. Il se tenait dans une combe immense, déserte. Des ombres mouvantes dansaient à la périphérie de sa vision. Son cœur se serra. *La Forêt Sombre ! Ils sont venus me prendre !* Son pouls s'emballa. Il recula en secouant la tête et chercha désespérément un moyen de sortir de ce rêve.

Une lumière argentée se mit à briller au sommet de la combe. Elle fondit sur lui en tournoyant de plus en plus vite, éclairant au passage des museaux et des pelages qui se mirent à scintiller jusqu'à ce que la combe soit remplie par une assemblée de félins qui regardaient tous vers lui. Gueule Balafrée pivota et vit d'autres museaux encore s'éclairer autour de lui. Il flaira des senteurs de rivière, de forêt, de bruyère et de pins – tous les Clans réunis en un seul, les yeux flamboyants, la fourrure luisante. Est-ce que tous les habitants de la Forêt Sombre étaient venus se réjouir de son malheur ? Un pelage gris remua au milieu de la masse et s'avança.

Étoile de Grêle !

« Bienvenue sur le terrain de chasse du Clan des Étoiles. » Étoile de Grêle s'inclina. Il paraissait plus jeune, plus fort : son pelage était soyeux et ses yeux brillaient. « Je suis fier de toi, Gueule Balafrée. Tu as sauvé tes camarades de la menace des rats.

— Mais je ne t'ai pas sauvé, toi.

— L'heure était venue pour moi de mourir. » L'ancien chef du Clan de la Rivière se pencha vers lui pour ajouter : « À présent, l'heure est venue pour toi de vivre. »

Gueule Balafrée baissa la tête, la bouche sèche. Il n'était pas dans la Forêt Sombre, puisque Étoile de Grêle était là. Recevrait-il la bénédiction du Clan des Étoiles ?

« Avec cette vie, je te donne le courage, murmura son ancien chef. Quand le doute te saisit, laisse ton cœur te porter vers l'avant, non vers l'arrière. »

Lorsque le museau d'Étoile de Grêle lui effleura la tête, Gueule Balafrée fut traversé par une douleur fulgurante. Il tenta de s'écarter, mais ses pattes s'étaient comme enracinées dans le sol. Les souvenirs défilèrent dans son esprit. Des batailles grondèrent autour de lui, des griffes fendaient l'air, des crocs claquaient, des ennemis criaient. Le lieutenant se retrouva en train de tomber des Rochers du Soleil et chuta dans la rivière dans une explosion d'écume.

Il poussa un hoquet lorsque Étoile de Grêle s'écarta. Les souvenirs s'évanouirent. Le lieutenant chancela, soulagé.

« Merci », articula-t-il d'une voix rauque.

Un autre félin sortit des rangs du Clan des Étoiles.

Onde de Nuit. Son nom résonna dans son esprit alors même qu'il ne l'avait jamais connue ; elle avait péri juste après sa naissance, pendant l'inondation. Pourtant, il avait l'impression de la connaître depuis qu'il était né – il avait l'impression de connaître tous ses ancêtres.

« Je suis morte pendant l'orage qui t'a vu naître, miaula-t-elle. Avec cette vie, je te donne l'amour d'une mère. »

Elle tendit le cou pour le toucher. Gueule Balafrée fut saisi lorsque l'amour le transperça avec la férocité d'un tigre et durcit son cœur jusqu'à ce qu'il ne connaisse plus la peur. L'amour d'une mère pour ses petits était-il si brutal ?

Onde de Nuit s'écarta et Gueule Balafrée se retrouva face à un matou tigré aux longs poils.

« Cœur de Truite ! le salua le lieutenant, ravi.

— Avec cette vie, je te donne le sens de la justice », déclara-t-il, le pelage ondoyant telle une rivière au clair de lune.

Le miaulement de l'ancien n'était plus éraillé. Lorsqu'il se pencha sur lui, Gueule Balafrée sentit une vague de certitude glisser sur son cœur comme un torrent sur des rochers. Il saurait toujours ce qui était juste.

Cœur de Truite s'écarta pour laisser sa place.

« Je m'appelle Feuille de Mousse. » L'ancêtre avait

les yeux éclatants d'un jeune guerrier. « Avec cette vie, je te donne la confiance. »

Lorsqu'il le toucha, Gueule Balafrée eut l'impression qu'un grand ciel bleu venait de s'ouvrir en lui pour lui apporter la paix intérieure.

Il entendit un autre nom. *Fleur de Lilas.* Il la remercia d'un hochement de tête lorsqu'elle s'avança. Ses yeux bleus étincelaient sous le ciel étoilé.

« Avec cette vie, je te donne la compassion. »

Elle l'effleura et une vague d'amour monta en lui, pour ses camarades, pour tous les blessés, les effrayés, les exilés, au point qu'il crut que son cœur allait éclater.

Elle se détourna et un jeune matou apparut devant lui.

« Je m'appelle Nuage d'Éclair. Avec cette vie, je te donne l'humilité. » Lorsque l'apprenti du Clan de la Rivière lui toucha la tête, le monde bascula autour de lui et s'étendit jusqu'à ce que le territoire de son Clan ne soit plus qu'un point minuscule perdu dans un océan de prairies, de rivières et de forêts. *Le monde est si vaste ! Ce que nous faisons nous importe à nous, mais il se passe toujours autre chose ailleurs.*

Lorsque Nuage d'Éclair recula, Gueule Balafrée se réjouit de voir sa remplaçante. *Ciel Clair !* Trois chatons minuscules la suivaient, les yeux ronds et brillants. La reine posa sur lui un regard rayonnant de bonheur.

« Avec cette vie, je te donne l'espoir, murmura-t-elle. Ne redoute jamais l'avenir, car il nous réserve parfois de merveilleuses surprises. »

Quand elle posa son museau sur sa tête, il se sentit

filer à travers les prairies, vif comme le vent, les pattes frôlant à peine le sol, l'horizon devant lui éclairé par l'aube rose.

Elle alla reprendre sa place et ses petits trottinèrent autour d'elle pour aller se fourrer contre son doux giron.

Gueule Balafrée cligna des yeux lorsqu'un autre matou le toucha.

« Avec cette vie, je te donne la patience. »

Œil de Moineau. Ce nom s'imposa à lui, à croire qu'il l'avait connu toute sa vie. Un sentiment de paix se glissa sous sa fourrure et son pouls ralentit comme s'il était figé dans le présent, comme si le temps s'était arrêté.

Au moment où Œil de Moineau se retira, l'avenir et le passé refirent leur apparition dans l'esprit de Gueule Balafrée. *Fleur de Pluie ?* Il chercha sa mère du regard dans l'assemblée. Aurait-elle une vie à lui accorder ?

« Gueule Balafrée. »

Une joie douce-amère envahit son cœur lorsqu'il entendit Cœur de Nacre l'appeler.

« Elle est ici, ajouta son père comme s'il avait lu dans ses pensées. Mais c'est à moi de te donner ta dernière vie. » Il le fixait de son regard brûlant. « Il y a longtemps, tu t'es abreuvé à une source empoisonnée. Je suis désolé de ne pas l'avoir su avant qu'il soit trop tard. Je t'aurais mieux guidé.

— Personne n'aurait pu m'épauler mieux que tu ne l'as fait, le détrompa-t-il.

— Avec cette vie, je te donne la loyauté, la loyauté

envers ton Clan et ceux qui t'aiment. Promets-moi de t'en servir avec sagesse. »

Gueule Balafrée se dandina sur place, mal à l'aise. *Il me met en garde contre Ombre d'Érable.*

« J'avance seul, à présent.

— Non, pas seul. Tes ancêtres accompagnent le moindre de tes pas. Va en paix, Étoile Balafrée. Tu seras un chef formidable. »

Étoile Balafrée ferma les yeux lorsque les membres du Clan des Étoiles levèrent le museau vers le ciel pour clamer son nom. Oui, il serait un chef formidable. Cette certitude l'imprégnait jusqu'au bout des pattes. Il avait hâte de retourner vers son Clan. Alors que les guerriers de jadis disparaissaient dans un tourbillon d'étoiles, Étoile Balafrée ouvrit les yeux. *Où est la Pierre de Lune ?*

« Nous avons réussi ! » siffla une voix trop familière dans son oreille.

Ombre d'Érable !

Elle se tenait près de lui, les yeux luisants.

« Tu as tenu ta promesse et j'ai tenu la mienne ! Tu as prouvé que rien n'est plus important que de devenir chef de ton Clan. Vas-tu me remercier pour les sacrifices que j'ai faits pour toi ? »

Étoile Balafrée la dévisagea. *Les sacrifices ?* Parlait-elle de Fleur de Pluie ? D'Étoile de Grêle ? Pensait-elle vraiment qu'elle lui avait permis de devenir meneur en le persuadant d'abandonner tous ceux qu'il aimait ?

« J'ai promis d'être loyal au Clan de la Rivière, mais pas au prix de la vie de mes camarades ! feula-t-il. Laisse-moi tranquille ! C'est la seule chose que tu puisses encore faire pour moi. Le serment que je t'ai fait ne signifie rien ! »

Lorsqu'il se tourna, elle feula en lui montrant ses crocs jaunes et aiguisés.

« Tu ne peux pas te débarrasser de moi. » Étoile Balafrée sentit ses griffes se planter dans sa fourrure, alors même qu'elle se trouvait loin de lui. « Tu n'en verras jamais la fin ! »

CHAPITRE 37

ÉTOILE BALAFRÉE s'accroupit dans la neige pour laisser Ventre Affamé et Croc de Brochet passer.

« Au moins, on sait pourquoi tu t'appelles Ventre Affamé, lança son camarade. Ton estomac gargouille depuis qu'on a quitté le camp. »

L'autre prit de la neige au creux de sa patte et la jeta au plaisantin.

« En deux jours, je n'ai mangé qu'un demi-moineau ! lui rappela-t-il. Pas étonnant que mon ventre miaule famine !

— On va bien réussir à prendre quelque chose avant de rentrer », coupa le meneur tout en passant sous les saules qui dominaient le camp.

Il avait beau parler joyeusement, la vue de son Clan dépérissant lui fendait le cœur.

« Nous sommes dehors depuis l'aube et nous n'avons encore rien attrapé », marmonna Ventre Affamé.

Le soleil déclinait déjà dans le ciel. La rivière était gelée depuis une demi-lune et la glace était trop épaisse pour être brisée. Sans poisson, ils dépendaient des maigres proies qu'ils parvenaient à attraper sur terre. Étoile Balafrée avait oublié la sensation de satiété.

« Tu dois manger et rester fort pour ton Clan », lui rappelait tous les soirs Brise de Nénuphar d'un ton implorant.

Mais Étoile Balafrée ne pouvait ôter la nourriture de la gueule de ses camarades. Il préférait encore mourir de faim.

Ventre Affamé poussa un cri de surprise en disparaissant soudain dans la neige. Il remonta laborieusement à la surface et cracha quelques jurons.

« Pourquoi est-ce que je tombe toujours dans les trous ?

— Laisse-moi passer en tête, ordonna Étoile Balafrée, qui partit d'un bond en arrosant ses camarades de neige.

— Merci ! grommela Croc de Brochet. Je n'avais pas encore assez froid. »

Les jours raccourcissaient, la patience des guerriers aussi. « À ventre creux, cœur dur », comme aimait à le rabâcher Trille d'Oiseau.

Moustache Emmêlée s'en était pris à elle peu de temps avant :

« Tu n'aurais pas quelque chose d'utile à nous dire, pour changer ? »

Une fois n'était pas coutume, l'ancienne n'avait rien trouvé à répondre. Elle avait juste fixé son compagnon d'un regard assombri par le chagrin. Comme le reste du Clan, elle pleurait toujours la mort des petits de Lac de Givre. Tous les guerriers se déplaçaient en silence, dans le camp, sans savoir comment réconforter la reine endeuillée. Ses deux chatons, Petite Bulle et Petit Matin, étaient nés souffrants et n'avaient jamais guéri. Ils étaient décédés moins d'une lune après leur naissance.

Après quoi, Lac de Givre était tombée gravement malade. Patte de Pierre et Baie de Ronce s'étaient relayés auprès d'elle et, à présent, elle était suffisamment remise pour sortir du camp de temps en temps. Elle errait au bord de la rivière en gémissant tout haut son chagrin.

« Elle les appelle, avait murmuré Larme de Nuit à Croc de Brochet. Elle sait qu'ils ne reviendront pas, mais elle doit penser qu'ils l'entendent depuis la Toison Argentée. »

Étoile Balafrée avait interrompu sa toilette et dressé l'oreille, le cœur déchiré, en distinguant l'écho lointain de son cri désespéré.

Il se secoua pour chasser ce souvenir et lança :

« On y va ! »

Il gravit une butte où s'ouvrait une clairière cernée de sorbiers et de saules. Croc de Brochet s'efforça de le suivre dans la poudreuse.

Ventre Affamé leva la truffe.

« Un écureuil ! »

Le jeune guerrier se tapit aussitôt contre le sol. Un écureuil trottait entre les saules – sa queue ondulait derrière lui. Lorsque le rongeur grimpa sur un tronc, Ventre Affamé bondit dans la neige. Il sauta dans l'arbre et poursuivit sa proie sur une branche fine, larguant au passage des amas de neige sur ses deux camarades.

« Attention ! » feula Croc de Brochet en s'ébrouant

avec humeur tandis que le chasseur bondissait d'un arbre à l'autre.

Mais l'écureuil fila jusqu'à la cime avant de sauter sur l'arbre d'à côté, laissant son poursuivant à la traîne, cramponné à une branche étroite, les pattes arrière battant dans le vide.

« Crotte de Grenouille ! » marmonna-t-il avant de se laisser tomber dans la neige.

Il s'assit et secoua la tête pour chasser les flocons de ses oreilles.

« Pas de chance », miaula Étoile Balafrée.

Si seulement Cœur de Chêne était avec eux ! Il était rapide et assez léger pour marcher sur la neige sans s'enfoncer dedans. Mais Cœur de Chêne se reposait. Un terrible combat contre Griffes d'Épine trois lunes plus tôt lui avait valu une mauvaise blessure à la patte qui le faisait toujours souffrir par temps froid.

Étoile Balafrée regrettait de ne pas avoir été là pour protéger son frère. Comme Griffes d'Épine, il s'était entraîné dans la Forêt Sombre et il aurait su comment contrer ses attaques. Étoile Balafrée frémit en repensant à cet endroit froid et puant. Des rumeurs venant de la frontière disaient que Taches Fauves se mourait. Le Clan du Tonnerre aurait bientôt besoin d'un nouveau lieutenant et, même si Croc de Vipère l'avait remplacé durant sa maladie, c'était le nom de Griffes d'Épine qui se murmurait aux Assemblées. Étoile Balafrée ferma les yeux, redoutant qu'un guerrier issu de la Forêt Sombre ne devienne chef de Clan. Une averse de neige sur son museau le ramena brutalement au présent.

« Une souris ! » cria Ventre Affamé tandis que Croc de Brochet s'élançait sur la neige, aussi vif qu'un poisson.

Il l'intercepta alors qu'elle filait vers les racines d'un sorbier et la tua d'un coup de croc.

« Rentrons », miaula le chef.

Le froid devenait mordant et tous trois grelottaient.

« Nous n'avons pris qu'une souris ! protesta Ventre Affamé.

— Il faudra nous en contenter. Nous avons passé la journée dehors. Il gèle à pierre fendre. Nous ne devons pas tomber malades. »

Il savait que les réserves de remèdes de Baie de Ronce étaient au plus bas.

Au camp, Croc de Brochet alla déposer sa souris sur le tas de gibier, près d'une grenouille déjà raidie par le froid. Brise de Nénuphar passa devant eux et fila droit vers la pouponnière, la gueule pleine de plumes.

« Qui a besoin de plumes ? » lui demanda Étoile Balafrée en la suivant.

Les yeux de la guerrière brillaient. D'un signe de tête, elle l'invita à la suivre à l'intérieur. Il obéit et le spectacle qui l'attendait le laissa gueule bée. Lac de Givre était roulée en boule dans son nid, deux chatons gigotant contre son ventre.

Des chatons ?

Brise de Nénuphar se hâta de disposer les plumes autour des petits et ronronna :

« C'est une bénédiction du Clan des Étoiles ! »

Étoile Balafrée referma ses mâchoires, frappé de mutisme.

« Je les ai trouvés, annonça d'elle-même Lac de Givre avant d'encourager les petits à s'approcher plus près de son giron.

— Un mâle et une femelle », annonça fièrement Brise de Nénuphar.

Le mâle gris clair miaulait. La femelle, gris foncé, contemplait la tanière d'un air apeuré.

Du bout de la truffe, Étoile Balafrée lui frôla l'oreille.

« Ne t'inquiète pas, ma petite. Tu es en sécurité, ici. » Il releva la tête et demanda à Lac de Givre, perplexe : « Comment ça, tu les as trouvés ? Où ça ?

— Sur la frontière. » Lac de Givre resserra sa queue autour des petites boules de poils. « Une solitaire a dû les abandonner. C'est un miracle que je les aie repérés avant qu'ils ne meurent de froid. » Elle leva la tête, une lueur rebelle dans les yeux. « Je vais les garder et les élever comme s'ils étaient les miens.

— Et si leur mère vient les rechercher ?

— Une mère qui abandonne ses petits dans la neige ne risque pas de revenir les chercher, rétorqua-t-elle, les oreilles basses.

— Le Clan des Étoiles a dû guider Lac de Givre jusqu'à eux », murmura Brise de Nénuphar en se blottissant contre lui.

Plume Fauve se glissa dans la pouponnière :

« Je peux les voir ? »

Cristal d'Eau passa la tête à l'intérieur tandis que Plume Douce tentait de voir par-dessus son épaule.

« Allons, soupira Brise de Nénuphar en repoussant ses camarades. Ces petits ont besoin de repos. » Elle entraîna Plume Fauve dehors. « Ils sont encore faibles, après leur calvaire dans la neige. »

D'un bond, Étoile Balafrée les suivit à l'extérieur après avoir jeté un dernier coup d'œil à Lac de Givre. La reine grise contemplait les chatons comme si rien d'autre qu'eux n'importait au monde. De son côté, Brise de Nénuphar affrontait les questions du Clan.

« Ils sont forts et en bonne santé, juste effrayés. »

« Je pense que vous pourrez les voir demain matin. »

« Lac de Givre est sous leur charme, et je crois qu'ils l'aiment bien aussi. »

Poil de Ragondin donna un petit coup d'épaule à Étoile Balafrée en lui murmurant :

« On dirait que Brise de Nénuphar maîtrise la situation. Elle fera une bonne mère, un jour. »

Le chef l'entendit à peine. *Et si la solitaire revenait ? Lui rendre ses petits briserait le cœur de Lac de Givre. Est-ce qu'une solitaire serait prête à se battre pour ses chatons ? Serait-il juste de la mettre dans une telle situation ?*

Qu'aurait fait Étoile de Grêle ?

Étoile Balafrée s'approcha du saule, perdu dans ses pensées.

« Tu les as vus ? lui demanda Cœur de Chêne en claudiquant dans la neige.

— Qui ça ? répondit-il, distrait, avant de remarquer que son frère boitait. Ça va ? Je croyais que tu te reposais. »

Cœur de Chêne haussa les épaules.

« Ça passera. Et les chatons ? Ils sont magnifiques, non ? C'est formidable, pour Lac de Givre. Un vrai cadeau du Clan des Étoiles.

— Tu penses donc que nous devrions les garder ? s'enquit Étoile Balafrée en scrutant les yeux de son frère.

— Pas toi ? Tu as peur que leur mère vienne les réclamer ?

— Oui. Ils ne nous appartiennent pas. Avons-nous le droit de décider de leur sort ?

— Que faire d'autre ? rétorqua Cœur de Chêne. Les ramener là où Lac de Givre les a trouvés ? Ils mourraient avant le lever du soleil. »

Étoile Balafrée leva la tête vers le ciel dégagé. Le couchant l'avait teinté de rose. Une gelée se préparait. Cœur de Chêne avait raison. Les chatons ne survivraient pas longtemps dehors.

« J'imagine que nous avons besoin de ces nouveaux chatons. »

Ils en avaient perdu tant. Ceux de Ciel Clair, d'abord, puis ceux de Lac de Givre.

« Et si j'allais monter la garde à la frontière, au cas où une solitaire se pointerait ? Dans ce cas, je l'escorterais jusqu'au camp, d'accord ? » proposa Cœur de Chêne.

Il semblait tendu, comme si l'idée que celle qui les avait abandonnés ne vienne les réclamer le mettait hors de lui.

« D'accord. J'enverrai Pelage de Cèdre te relayer à minuit, ajouta-t-il en lorgnant la patte blessée de son frère.

— Et si personne ne vient, on pourra les garder ? »

Cœur de Chêne se pencha vers l'avant. Il tremblait... de froid, sans doute ?

« Oui. » Du bout de la patte, Étoile Balafrée frotta

sa truffe gelée. « Ils ne connaîtront jamais d'autre Clan que le Clan de la Rivière et Lac de Givre mérite d'élever une portée. »

Cœur de Chêne parut soulagé. Étoile Balafrée réprima un ronron en se disant qu'il était peut-être temps que son frère se trouve une compagne.

Une lune s'écoula. Les neiges fondirent et de nouveaux bourgeons adoucirent l'aspect austère des saules dénudés. Tandis que le soleil glissait dans le ciel vers la cime de la forêt lointaine, Étoile Balafrée, repu, observait Brise de Nénuphar, qui envoyait rouler une quenouille de roseau sur le sol pour que les chatons la pourchassent. Petit Silex lui courait après, sa queue touffue bien droite. C'était un petit mâle robuste. Étoile Balafrée l'imaginait déjà en train de plonger pour pêcher. Petite Brume était fine et jolie. Elle regarda la tête de roseau s'agiter, les yeux plissés, avant de bondir et de lui atterrir en plein dessus.

« Hé ! gémit Petit Silex tandis que sa sœur s'asseyait fièrement sur sa prise. Lac de Givre ! » lança-t-il vers la reine qui les regardait avec tendresse depuis le seuil de la pouponnière. Elle recommence !

— Allons, allons, murmura-t-elle en venant pousser la petite chatte du bout du museau. Chacun son tour, laisse Petit Silex jouer. »

Brise de Nénuphar se retira du jeu et vint s'asseoir près d'Étoile Balafrée.

« Ils deviendront de grands pêcheurs, annonça-t-elle. Ils glissent déjà leurs griffes sous la quenouille comme s'ils attrapaient une truite. On croirait qu'ils sont nés dans notre Clan. »

La roselière frémit lorsque Cœur de Chêne émergea de la rivière, une carpe dodue dans la gueule. Il s'approcha des chatons.

« Regardez ce que Cœur de Chêne vous apporte ! » s'écria Lac de Givre, les yeux illuminés.

Petite Brume se dressa sur ses pattes arrière, ses pattes avant tendues pour attraper le poisson. Lorsque le guerrier le lâcha, elle le mordit avidement.

« Ça sent le poisson, gémit Petit Silex, la truffe froncée.

— Je sais, mon chéri, ronronna Lac de Givre en le léchant entre les oreilles. C'est parce que c'est du poisson. »

Petit Silex le renifla prudemment avant d'en prendre une bouchée.

« On ne pourrait pas avoir de la souris, à la place ?

— Une autre fois, mon trésor.

— Gare au renard ! hurla Crique Brune en déboulant dans la clairière, la fourrure en bataille.

— Où ça ? s'enquit Étoile Balafrée en se levant d'un bond.

— En aval, près des aubépines ! Je l'ai senti !

— Mais tu ne l'as pas vu ? demanda le meneur, dont les poils retombaient déjà en place. Il est peut-être parti.

— Est-ce que j'organise une patrouille ? » proposa Pelage d'Écorce.

À son retour des Hautes Pierres, c'était lui qu'Étoile Balafrée avait nommé lieutenant. Il aurait préféré choisir Cœur de Chêne, mais le Clan de la Rivière devait bien cela à Pelage d'Écorce, pour sa loyauté et son courage sans faille. Étoile Balafrée savait que cela ne dérangerait pas son frère d'attendre son tour.

« Je vais inspecter le coin moi-même, lui répondit-il.

— Seul ? Est-ce bien prudent ?

— Si je flaire des traces fraîches, je viendrai chercher de l'aide », promit-il.

Les renards quittaient rarement les bois ombragés du Clan du Tonnerre, surtout une fois que la rivière avait dégelé. Le vent avait sans doute porté l'odeur sentie par Crique Brune depuis la frontière.

Il sortit du camp et suivit le sentier verdoyant sur quelques longueurs de queue avant d'obliquer à travers les buissons de la rive. La rivière, dont le niveau avait baissé depuis le dégel, courait sur les galets. La végétation repoussait sur les berges. Étoile Balafrée huma le parfum familier des nouvelles pousses et de la terre humide. Des poissons faisaient des ronds à la surface de la rivière et une poule d'eau avait laissé ses empreintes pointues dans la boue.

Étoile Balafrée suivit la berge jusqu'aux buissons d'aubépine, où il grimpa sur un talus. Aucune odeur de renard, juste celle des primevères portée par la douce brise du soir. Et une autre, encore. Étoile Balafrée s'immobilisa.

Ombre d'Érable !

Il tourna la tête dans tous les sens, scrutant la rive, le poil dressé. Son ventre se noua lorsqu'un buisson d'aubépine frémit et qu'Ombre d'Érable en sortit.

Ses yeux étaient sombres, son pelage blanc et roux lustré.

« Espèce d'idiot ! cracha-t-elle. Qu'as-tu fait de ta loyauté envers ton Clan ? »

Étoile Balafrée se détourna aussitôt. Il ne voulait pas se battre contre elle. Elle bondit pour lui barrer le passage.

« Laisse-moi tranquille ! ordonna-t-il en sortant les griffes.

— Il faut bien que quelqu'un te prévienne !

— Me prévienne de quoi ?

— Tu crois tout ce qu'on te dit ! feula-t-elle. Cervelle de souris ! »

Étoile Balafrée gronda.

« Ces chatons ! poursuivit-elle en le gratifiant d'un regard mauvais.

— Eh bien quoi ? Qu'est-ce qu'ils ont ?

— Tu crois vraiment qu'une solitaire les a abandonnés dans la neige ? Que ce n'est qu'une coïncidence s'ils ressemblent à des membres de ton Clan ? S'ils bondissent comme s'ils étaient nés dans le Clan de la Rivière ?

— Que veux-tu dire ?

— Es-tu aveugle ou stupide ? Ou bien les deux ? » Sa fourrure s'était hérissée sur son échine. « Pourquoi crois-tu que ton frère passe sa journée à pêcher pour eux ? À les observer sans cesse ? Il se montre plus attentif que la plupart des pères – alors qu'il les élève sans leur vraie mère.

— Je n'écouterai pas un instant de plus tes mensonges ! s'emporta le chef. Cœur de Chêne n'a pas de petits ! Il n'a même jamais eu de compagne !

— Pas dans le Clan de la Rivière, admit-elle, les prunelles brillantes, avant de tourner la tête vers la rive opposée. Regarde de l'autre côté de la rivière, imbécile ! »

Étoile Balafrée contemplait l'orée de la forêt du Clan du Tonnerre. Il se sentit transi, tout à coup.

« Qu'est-ce que tu essaies de me faire croire ? »

Il tourna brusquement la tête vers la guerrière de la Forêt Sombre, mais elle avait disparu.

Étoile Balafrée fit demi-tour et courut jusqu'au camp. *Ne sois pas stupide ! Ce ne sont que des mensonges ! Ces chatons n'ont rien à voir avec Cœur de Chêne !* Hors d'haleine, il fonça dans la clairière et balaya le camp du regard.

« Cœur de Chêne !

— Que se passe-t-il ? » fit celui-ci en sortant aussitôt de la pouponnière.

Étoile Balafrée baissa la voix, soudain conscient qu'il effrayait les chatons.

« Viens avec moi. »

Son frère le suivit à travers les roseaux, jusqu'à la bande de sable qui bordait le camp.

« Qu'y a-t-il ? demanda le guerrier en s'installant sur un rocher lisse, sa queue touffue, brun-roux, enroulée autour des pattes. Quelque chose ne va pas ? »

Son regard ambré trahissait son inquiétude.

Derrière eux, des oiseaux pépiaient dans les arbres. Étoile Balafrée contempla un instant la rivière. Perché sur la branche d'un saule, un martin-pêcheur guettait la surface, à l'affût d'une queue de poisson. Le meneur prit une profonde inspiration.

« Est-ce que ce sont tes petits ? »

Cœur de Chêne le dévisagea. Ses moustaches ne

frémirent pas. Ni ses oreilles. Sa fourrure resta aussi lisse que les écailles d'un poisson.

« Oui.

— Et ceux de Lune Bleue ? »

Qui d'autre ?

« Oui. » Le chagrin voila le regard du guerrier. « Elle les a abandonnés pour devenir le lieutenant du Clan du Tonnerre. » Sa voix était à peine audible. « Elle ne pouvait pas laisser Griffes d'Épine prendre le pouvoir. » Il haussa les épaules avant de poursuivre : « Elle n'a pas dit pourquoi, seulement que son Clan avait besoin d'elle. Elle était tellement certaine de faire le bon choix. Étoile Balafrée! Qu'est-ce que je pouvais faire d'autre ? »

Aurais-je dû confier à Étoile du Soleil ce que je savais de Griffes d'Épine ? Étoile Balafrée griffa les galets. *Cela aurait aidé Lune Bleue. Elle aurait peut-être pu garder ses petits. Au lieu de quoi, elle a dû se débrouiller seule pour arrêter Griffes d'Épine.*

Tous ces secrets lui pesaient sur les épaules tel un terrible fardeau. S'il plongeait dans la rivière, ils le feraient couler à pic.

Cœur de Chêne se pencha vers lui.

« Que vas-tu faire ? »

Son ton rebelle était celui d'un père prêt à tout pour protéger sa progéniture.

« Rien. »

Cœur de Chêne cligna des yeux.

« Ils grandiront comme des chatons du Clan de la Rivière, poursuivit le meneur. Notre sang coule pour moitié dans leurs veines, après tout. » Il baissa les yeux pour conclure : « Mais j'aurais aimé que tu te confies à moi. Tu sais que tu peux tout me dire.

— J'imagine que nous avons tous nos secrets », soupira son frère.

Étoile Balafrée releva la tête et fixa les prunelles ambrées de son frère. *Tu ne crois pas si bien dire.*

CHAPITRE 38

ÉTOILE BALAFRÉE jeta une autre truite vers Pelage d'Écorce, qui était allongé près de la roselière. Une bonne journée de pêche avait fourni au Clan tout ce dont il aurait besoin pour le festin. Les quatre saisons passées leur avaient été favorables, ils étaient tous bien nourris et leur pelage luisait. Le soleil avait enfin commencé à décliner vers la rivière et une légère brise venait rafraîchir l'atmosphère chaude de cette soirée de la saison des feuilles vertes.

Pelage de Silex roula sur le dos.

« Je suis repu », annonça-t-il en donnant un coup de langue maladroit à son ventre rebondi.

Jeune guerrier, il était aussi large que ses aînés et avait des pattes plus longues.

Plume de Mauve lui posa la patte sur l'épaule.

« Tu l'as bien mérité, ronronna-t-elle. Je n'avais jamais vu un chat chasser un Bipède.

— J'aimerais que tu prennes moins de risques, répondit Lac de Givre. Il n'y a pas si longtemps encore, tu n'étais qu'un apprenti.

— Je n'étais pas seul, lui rappela le guerrier. Il y avait toute la patrouille.

— Tu t'inquiètes trop pour nous, ajouta doucement Patte de Brume.

— Eh bien, si je ne le fais pas, personne d'autre ne le fera !

— Il est vrai que tu es allé un peu trop loin, aujourd'hui, Pelage de Silex, insista Pelage d'Écorce.

— Il n'aurait pas dû s'approcher tant du camp, contra le guerrier gris.

— Attaquer des Bipèdes ne peut que nous attirer des ennuis, protesta Écho de Brume.

— Il ne l'a pas attaqué ! corrigea Patte de Brume. Il lui a juste craché dessus.

— Et maintenant, il est parti en avertir d'autres et d'ici peu ils envahiront le camp, tu verras, prédit la vieille guerrière.

— Les Bipèdes sont trop stupides pour organiser une attaque, bâilla Reflet d'Argent.

— Nous enverrons des patrouilles supplémentaires », promit Étoile Balafrée en s'étirant avant de lorgner le tas de gibier.

Il se demanda s'il devait aller chercher une autre carpe pour Brise de Nénuphar. Elle avait toujours faim, ces derniers temps.

Plume Fauve se leva et déclara :

« J'ai sommeil. Trille d'Oiseau, tu viens te coucher aussi ? »

Plume Fauve avait rejoint les anciens au cours de la mauvaise saison passée, après la mort de Moustache Emmêlée. Elle se sentait vieillir depuis des lunes et tenir compagnie à Trille d'Oiseau lui avait donné une bonne excuse pour laisser sa tanière à Plume de Mauve et Ciel d'Aurore.

« Non, répondit l'ancienne de sa voix rauque. J'ai fait une longue sieste cet après-midi. Je vais rester un peu pour écouter les guerriers se vanter de leurs prouesses.

— On ne se vante pas ! s'indigna Ciel d'Aurore tandis que Plume Fauve gravissait la montée vers sa tanière.

— Ah bon ? ronronna Ventre Affamé. Nous raconter que tu as pris trois poissons en trois plongeons, ça n'est pas se vanter ?

— Mais c'était la vérité !

— J'imagine que, toi, tu ne te vantes jamais, Ventre Affamé, le taquina Étoile Balafrée en se léchant une patte pour se nettoyer le museau.

— Il coupe un roseau pour chaque guerrier vaincu et le tisse à son nid ! se moqua Saut de Grenouille.

— Il faut bien que je tienne des comptes, se défendit le guerrier. Nous avons remporté tant de victoires au cours des lunes passées que je ne me souviens pas de toutes ! »

Le meneur se nettoyait les oreilles. Il adorait écouter son Clan pendant le Partage. Il était fier de ses guerriers forts et loyaux. Nul Clan n'avait osé menacer leurs frontières depuis la saison des feuilles nouvelles. Et ils avaient repris les Rochers du Soleil. Après la visite d'Étoile du Soleil, le Clan du Tonnerre n'avait gardé que quelques lunes cette portion de territoire.

« Étoile Balafrée ? l'appela doucement Brise de Nénuphar en l'invitant à la suivre à l'écart.

— Que se passe-t-il ?

— Je me disais que tu aurais peut-être envie d'une promenade », répondit-elle. Ses yeux ambrés luisaient dans la pénombre. « J'ai quelque chose à te dire, loin des oreilles indiscrètes. »

Étoile Balafrée pencha la tête de côté. Le comportement de sa compagne était vraiment étrange.

« Tu vas bien ?

— Mais oui. » Du bout de la queue, elle lui donna une pichenette sur l'oreille et fila hors du camp.

Il la suivit le long de la rive, où les pierres diffusaient encore la chaleur du soleil.

« Alors ? Quel est ce secret qui ne peut être révélé dans le camp ?

— Je vais avoir des chatons. »

Étoile Balafrée s'immobilisa, le cœur en fête.

« C'est vrai ?

— Oui, c'est vrai, ronronna-t-elle.

— Quand ?

— Dans trois lunes, environ.

— Combien ?

— Comment veux-tu que je le sache ! s'esclaffa-t-elle.

— Tu devrais t'installer tout de suite dans la pouponnière. »

Elle ne devait prendre aucun risque. Étoile Balafrée avait vu trop de reines du Clan de la Rivière perdre leurs petits.

« Ne dis pas n'importe quoi ! Je peux continuer les patrouilles pendant longtemps encore.

— Dans ce cas, pour la pêche, cantonne-toi aux petits poissons… rien de lourd. »

Elle le dévisagea en agitant le bout de sa queue avec impatience.

« D'accord ! » s'écria-t-il en comprenant qu'il s'en faisait pour des détails.

Brise de Nénuphar portait ses chatons ! Il se pressa contre elle, si heureux qu'il frissonna de bonheur.

« Il faut que je l'annonce à Cœur de Chêne ! déclara-t-il. Et à tout le monde. » Il s'élança vers le camp avant de s'arrêter sur le sentier. « Ça ne te dérange pas, n'est-ce pas ? »

La reine secoua la tête.

« Brise de Nénuphar attend nos petits ! clama-t-il en déboulant dans la clairière.

— Félicitations ! miaula Œil de Chouette.

— Enfin ! lança Cœur de Chêne, qui interrompit sa toilette pour venir se frotter contre son frère.

— Ce n'est pas trop tôt, renchérit Plume Douce.

— Quelqu'un a parlé de chatons ? s'enquit Plume Fauve en sortant la tête de la tanière des anciens, les oreilles dressées.

— Oui, Brise de Nénuphar va avoir des petits ! confirma Trille d'Oiseau.

— Je veux qu'elle soit dispensée de patrouilles frontalières, déclara Étoile Balafrée.

— C'est hors de question ! » lança la guerrière en arrivant à son tour dans la clairière. Elle s'adressa alors à Baie de Ronce : « Je ne suis pas obligée de passer ma journée à dormir comme un nouveau-né. Pas vrai ?

— Bien sûr que non, la rassura la guérisseuse avant de porter son regard vers Étoile Balafrée. Mais laisse-le te chouchouter un peu. Ce n'est pas tous les jours qu'un guerrier apprend qu'il va être père.

— Je ne la chouchoute pas ! » se défendit le meneur. Voyant que le ciel s'assombrissait, il ajouta : « Mais tu devrais peut-être te reposer, Brise de Nénuphar. Je t'accompagne à ton nid. »

Brise de Nénuphar ronronna lorsqu'il la poussa du bout du museau vers leur gîte entre les racines du saule.

« Tu ne viens pas dormir ? s'étonna-t-elle en le voyant repartir.

— Plus tard. Je suis trop excité pour ça. »

Dans la clairière, ses camarades se préparaient à rejoindre leur tanière. Pelage de Cèdre le félicita lorsqu'il passa devant lui. La lune s'était levée et les étoiles apparaissaient peu à peu dans le ciel. Le camp lui sembla soudain trop petit, étouffant. Il fonça dans les roseaux et suivit la piste jusqu'aux saules. La voûte céleste était d'un noir d'encre lorsqu'il pénétra entre les troncs minces. Le parfum des fleurs sauvages imprégnait l'air. La rosée lui mouillait les pattes.

Merci, Clan des Étoiles. Pitié, protégez-la.

Il avait beau lutter contre elles, des images ressurgirent dans son esprit. Il vit Fleur de Pluie, gisant sur la rive, les yeux vitreux. Il sentit le poids du corps d'Étoile de Grêle sur son dos.

« Brise de Nénuphar est à moi, Ombre d'Érable ! hurla-t-il entre les arbres. Tu m'entends ? Elle ne fait pas partie de mon serment, quoi que tu en penses ! Ne t'avise pas de toucher à un seul de ses poils ! »

Il balaya l'endroit du regard, à l'affût du moindre bruit de pas, la truffe levée pour guetter l'odeur âcre trop familière. Mais seul lui répondit le frémissement des saules.

Étoile Balafrée huma l'air. Les fragrances fleuries de la saison des feuilles vertes tournaient à l'aigre. La saison des feuilles mortes n'allait pas tarder. Pelage d'Écorce et Pelage de Silex le dépassèrent à toute allure pour entrer dans le camp. Ils revenaient des Rochers du Soleil, où ils avaient renouvelé le marquage frontalier. Étoile Balafrée traversa les roseaux et s'arrêta dans la clairière. Il vérifia la taille de la réserve. Le tas de poissons était impressionnant.

« Brise de Nénuphar ! hoqueta-t-il en la voyant, avec son gros ventre, en train de tirer un fagot de roseaux depuis la berge. Au nom du Clan des Étoiles, qu'est-ce que tu fabriques ? »

La mise bas était bien trop proche pour qu'elle se charge de ce genre de tâche. Étoile Balafrée se précipita pour lui arracher son fardeau.

« C'est quoi, le problème ? se hérissa-t-elle.

— Tu ne peux pas demander à quelqu'un de t'aider ?

— Je peux me fabriquer mon nid toute seule, merci ! » rétorqua-t-elle en le foudroyant du regard.

Étoile Balafrée ravala sa frustration et supplia :

« Laisse-moi au moins t'aider. »

Il prit le fagot sans lui laisser le temps de protester et le porta jusqu'à la pouponnière où il le déposa près du nid de sa compagne.

Dans le nid d'à côté, Carpe Dorée leva la tête. Elle attendait les petits d'Œil de Scarabée, qui devaient naître peu après ceux de sa camarade.

« Je lui ai dit qu'elle devrait se faire aider.

— Je n'ai pas besoin d'aide, rétorqua la reine, qui se faufila, hors d'haleine, dans la pouponnière.

— Qui a besoin d'aide ? s'enquit Baie de Ronce en se glissant à l'intérieur à son tour.

— Brise de Nénuphar ne trouve rien de mieux à faire que de traîner des roseaux à travers le camp ! s'emporta Étoile Balafrée.

— Et alors ? Il est bien normal qu'elle veuille arranger son nid avant de mettre bas. » Elle avisa le fagot et poursuivit : « Je dirai à Larme de Nuit de t'aider à les tisser aux autres.

— Merci », marmonna Brise de Nénuphar, qui fixait toujours durement son compagnon.

Étoile Balafrée soutint son regard et lança :

« Je pense que tu devrais... »

Il se tut lorsqu'elle se mit à tousser. Un frisson glacé lui parcourut l'échine.

« Depuis quand tousses-tu ? » s'inquiéta Baie de Ronce.

Elle s'approcha de la reine et colla son oreille à son flanc.

« Ce matin, avoua Brise de Nénuphar. Ce n'est rien. J'ai dû avaler une plume dans mon sommeil.

— Sans doute... Je vais quand même te chercher de l'herbe-aux-chats et des feuilles de souci. »

Étoile Balafrée observa la guérisseuse. Il savait à quel point elle était douée pour dissimuler ses véritables sentiments. Il lui rendrait visite plus tard pour s'assurer que Brise de Nénuphar ne courait aucun risque. Juste au cas où.

« Aïe ! » hoqueta la reine, qui s'accroupit soudain.

Étoile Balafrée s'immobilisa. La douleur déformait le museau de sa compagne. Baie de Ronce posa la patte sur le ventre de la chatte. Elle eut l'air surprise.

« Tiens donc ! Les petits arrivent.

— Maintenant ? s'étrangla Étoile Balafrée.

— Oui. Va chercher Patte de Pierre et Plume Fauve. Carpe Dorée, ton tour viendra bientôt, tu veux regarder ?

— Oui, merci, répondit cette dernière, nerveuse.

— Étoile Balafrée, dépêche-toi ! » lança Baie de Ronce.

Le chef du Clan de la Rivière se glissa hors de la pouponnière et traversa la clairière comme un éclair.

« Brise de Nénuphar est en train de mettre bas ! » lança-t-il à Patte de Pierre en glissant la tête dans sa tanière.

L'apprenti guérisseur triait des remèdes. Il releva la tête, les oreilles dressées.

« Je viens tout de suite. »

Étoile Balafrée fila ensuite vers le gîte des anciens.

« Plume Fauve ?

— Le travail a commencé ?

— Comment as-tu deviné ?

— Tu as l'air aussi effrayé qu'un chaton lâché dans la rivière pour la première fois. »

Plume Fauve se mit péniblement sur ses pattes et se dirigea vers la sortie. Étoile Balafrée la suivit dans la descente et la vit disparaître dans la pouponnière. Patte de Pierre y entra ensuite avec un paquet de feuilles dans la gueule. Étoile Balafrée poussa un soupir de frustration. Il faisait les cent pas dans la clairière, revivant malgré lui la mise bas de Ciel Clair.

Cœur de Chêne rentra au camp, un poisson entre les mâchoires. En apercevant son frère, il lâcha sa prise et accourut vers lui.

« C'est Brise de Nénuphar ?

— Oui, elle est en train de mettre bas, répondit Étoile Balafrée sans cesser ses allées et venues. Baie de Ronce est auprès d'elle.

— Tout va bien se passer, déclara Cœur de Chêne, qui lui emboîta le pas et ralentit l'allure. C'est une guerrière robuste. Je l'ai vue vaincre un adversaire du Clan du Tonnerre d'un seul coup de patte. Un chaton ou deux, ça passera tout seul. »

Le cœur d'Étoile Balafrée battait à tout rompre.

« Et quelle pêcheuse ! Elle peut retenir sa respiration sous l'eau encore plus longtemps que Reflet d'Argent, poursuivit Cœur de Chêne. Et tout le monde sait que Reflet d'Argent est moitié chat, moitié poisson.

— Que se passe-t-il ? » s'enquit Poil de Loutre en sortant de son repaire. La vieille guerrière regarda vers le fond de la clairière. Pelage d'Écorce essayait de la persuader de rejoindre la tanière des anciens depuis des lunes, mais elle soutenait mordicus qu'elle pourrait continuer ses tâches de guerrière aussi longtemps que lui. Ils étaient compagnons depuis une éternité et tout le Clan savait qu'elle se sentirait trop seule loin du lieutenant vieillissant du Clan.

Cœur de Chêne la guida jusqu'au bord de la clairière.

« Les chatons de Brise de Nénuphar arrivent, lui annonça-t-il.

— Il me semblait bien avoir flairé une odeur de peur. La tienne, Étoile Balafrée, pas la sienne. Ne t'inquiète pas. Tout ira bien. »

Pelage d'Écorce vint s'asseoir près d'elle.

Il était midi lorsque Patte de Pierre sortit de la pouponnière.

« Trois chatons ! annonça-t-il d'un ton triomphant.

— Comment va Brise de Nénuphar ? s'inquiéta Étoile Balafrée.

— Bien, le rassura l'apprenti guérisseur en l'invitant à entrer. Viens voir tes filles ! Tes trois chatons sont des femelles ! »

Étoile Balafrée se glissa à l'intérieur, fou de joie. Brise de Nénuphar était allongée dans son nid. Son regard était sombre. Plume Fauve était tapie près d'elle. De sa litière, Carpe Dorée tendait le cou pour voir les nouveau-nés.

Du bout du museau, Baie de Ronce poussa Étoile Balafrée.

« Elle est très fatiguée », le prévint-elle.

Une quinte de toux secoua la reine.

« Elle se sentira mieux après une bonne nuit de sommeil, murmura Plume Fauve. Et si tu souhaitais la bienvenue à tes petites, Étoile Balafrée ? »

Le meneur arracha son regard de sa compagne et le posa sur les trois petites boules humides lovées près du ventre de la reine. Elles lui parurent parfaites. Il se pencha pour les renifler l'une après l'autre. La plus grande était gris sombre, la moyenne semblait presque noire, et le pelage de la plus petite était tigré et argenté, en tout point semblable à celui de sa mère.

L'amour qu'il éprouva pour elles lui déchira presque le cœur. Il posa son museau sur la joue de Brise de Nénuphar. Elle avait chaud.

« Elles sont magnifiques, murmura-t-il.

— Je sais », souffla-t-elle.

Un élan de fierté monta en lui et il eut l'impression que son cœur s'ouvrait comme une fleur.

Baie de Ronce lui glissa à l'oreille.

« Tu devrais la laisser se reposer. »

Elle le poussa doucement vers la sortie. Étoile Balafrée éprouva une bouffée de gratitude pour la guérisseuse. Elle avait aidé à naître les chatons les plus merveilleux de tous les Clans. *Et merci, Clan des Étoiles, de m'avoir pardonné.* Rien ne pouvait être plus important que Brise de Nénuphar et leurs filles.

Étoile Balafrée se réveilla de bonne heure. Le soleil venait juste d'apparaître à l'horizon lorsqu'il sortit dans la clairière en bâillant. Aussi silencieux qu'un poisson, il se glissa dans la pouponnière et jeta un coup d'œil dans le nid de Brise de Nénuphar. Elle dormait avec ses trois filles blotties paisiblement contre elle. Il se dit qu'elle aurait faim à son réveil. Il regagna la clairière et sortit du camp. Il reviendrait avec une grosse carpe alors que le Clan commencerait à peine à remuer.

« C'est pour Brise de Nénuphar ? » lança Cœur de Chêne, sur le seuil de son repaire, lorsque Étoile Balafrée traversa les roseaux, sa prise dans la gueule.

Le jeune chef hocha la tête et ralentit en voyant Patte de Pierre devant la pouponnière.

« Tout va bien ? s'enquit-il, alerté par l'expression du matou.

— Tu ne peux pas entrer, lui répondit doucement son camarade.

— Comment ça, je ne peux pas entrer ? s'offusqua le chef, qui entendit Brise de Nénuphar tousser à l'intérieur et les petites miauler. Elles ont faim ! Et Brise de Nénuphar sans doute aussi. Je vais lui apporter ce poisson. »

Patte de Pierre lui bloqua le passage.

Étoile Balafrée le foudroya du regard, la peur au ventre.

« Laisse-moi entrer !

— Baie de Ronce a dit qu'elle ne devait pas être dérangée, insista l'apprenti guérisseur en soutenant son regard. Par qui que ce soit.

— Elle est à l'intérieur ? s'affola Étoile Balafrée. Qu'est-ce qui se passe ? Pourquoi est-ce que je ne peux pas voir Brise de Nénuphar ?

— Elle est un peu souffrante. En revanche, les chatonnes vont bien et je veille sur elles.

— Laisse-moi entrer ! » gronda-t-il.

Il essaya de bousculer son camarade, mais ce dernier le repoussa.

Il n'avait rien perdu de sa force de guerrier.

Baie de Ronce se glissa hors de la tanière.

« Il me semblait bien avoir reconnu ta voix, miaula-t-elle d'un ton joyeux. Tu n'as pas à t'inquiéter. Brise de Nénuphar a une mauvaise toux, et je ne voudrais pas que l'infection se répande. Tu devras rester dehors jusqu'à nouvel ordre. »

Étoile Balafrée n'en croyait pas ses oreilles. Il était

le chef de ces félins, pour l'amour du Clan des Étoiles !

« Et comment se fait-il que toi, tu aies le droit d'entrer ? Et Patte de Pierre ! Ce n'est pas juste ! » Il protestait comme un chaton épouvanté. « Même Carpe Dorée est là-dedans.

— Non, elle a rejoint la tanière des anciens. Quant à nous autres guérisseurs, soit nous sommes déjà contaminés, soit nous y échapperons de toute façon.

— J'y étais hier et je n'ai rien attrapé ! insista-t-il.

— Tu n'y es resté qu'un instant. Il vaut vraiment mieux que tu restes dehors. Tu es notre chef. Nous ne pouvons pas risquer que tu tombes malade, toi aussi. »

Étoile Balafrée ouvrit la gueule. Mais il ne pouvait rien répondre à cela. Le Clan avait besoin de lui. Pourtant, Brise de Nénuphar avait besoin de lui, elle aussi !

« Remets-toi vite ! lança-t-il à travers la paroi de la pouponnière. Je t'aime ! Je vous aime toutes les quatre, toi et nos filles ! »

CHAPITRE 39

ÉTOILE BALAFRÉE se leva d'un bond lorsque Baie de Ronce sortit de la pouponnière.

« Est-ce que je vais chercher encore du miel ?

— Non. »

Baie de Ronce avait l'air abattu et le bout de sa queue traînait sur le sol.

Une bruine légère détrempait le camp. Pendant les jours qui avaient suivi sa mise bas, la toux de Brise de Nénuphar n'avait fait qu'empirer. Deux des petites s'étaient mises à tousser. Baie de Ronce refusait toujours qu'Étoile Balafrée entre dans la pouponnière ; il restait tout près, à faire les cent pas dans la clairière, priant le Clan des Étoiles et le maudissant tour à tour. Tout l'espoir, le courage, la confiance que lui avaient accordés ses ancêtres ne lui étaient plus rien, à présent. Où était passée leur loyauté envers lui ? Comment pouvaient-ils le laisser souffrir à ce point ? *Faites qu'elles se rétablissent ! Pitié, faites qu'elles guérissent !*

Le miaulement de Baie de Ronce le tira de ses pensées :

« Étoile Balafrée… Elle souffre du mal vert.

— Alors je vais aller chercher de l'herbe-à-chat ! lança-t-il en se tournant vers les roseaux.

— Je lui en ai déjà administré, lui rappela-t-elle. Sans effet. »

La pouponnière frémit lorsque Brise de Nénuphar fut prise d'une nouvelle quinte. De petits toussotements accompagnaient ceux de la reine.

« Que puis-je faire ? s'enquit le meneur, les oreilles basses.

— Tu peux entrer la voir. Elle veut baptiser les petites. »

Pourquoi maintenant ? Étoile Balafrée fixa l'entrée sombre de la tanière, les pattes clouées au sol.

« Vas-y », le pressa la guérisseuse.

Il inspira profondément avant de se glisser à l'intérieur. Il y faisait sombre et l'air y était âcre et étouffant. Il cligna des yeux pour s'habituer à la pénombre.

« Brise de Nénuphar ? »

Elle était lovée dans son nid, leurs trois filles blotties contre son ventre. Elle leva la tête en l'entendant.

« Tu es venu. »

Il se tapit près de sa litière et, du bout du museau, il lui frôla la joue.

« Baie de Ronce refusait de me laisser entrer jusqu'à présent. Mais je suis resté devant la pouponnière depuis le début.

— Cela fait longtemps ? »

Les yeux de la reine coulaient. Son museau était trempé. Une quinte douloureuse la secoua.

« Non, pas très longtemps, murmura-t-il.

— Je suis désolée, souffla-t-elle en le regardant dans les yeux.

— Désolée ? répéta-t-il. Et de quoi ?

— Je vais te laisser seul pour élever nos filles.

— Tu ne vas nulle part ! » Il pressa fort sa joue contre la sienne. « Je ne te laisserai pas me quitter.

— Tu seras un père formidable. » Elle ronronna, ce qui la fit tousser de plus belle. Cette fois-ci, elle lutta pour reprendre son souffle. « Je suis si heureuse qu'Étoile de Grêle m'ait ramenée du Clan du Vent. C'était un bonheur de partager ta vie, dans le Clan de la Rivière.

— Ne dis pas des choses pareilles ! » Il s'efforçait de ne pas laisser transparaître sa panique. Les chatonnes levaient la tête et se tournaient vers lui en tentant d'ouvrir les yeux. « Tu ne peux pas laisser les petites. Elles ont besoin de toi. »

Moi, j'ai besoin de toi.

« Oh, mon cher amour... murmura-t-elle en caressant sa mâchoire tordue du bout de la truffe. Sois fort pour moi, s'il te plaît.

— Tu vas t'en tirer !

— Aide-moi à baptiser nos filles. »

Des fourmillements lui engourdirent les membres, le cœur et l'esprit. Brise de Nénuphar avait raison. Leurs filles devaient recevoir leurs noms. Il posa la patte sur la plus foncée des deux grises.

« Petit Reflet », murmura-t-il sans hésiter. Il avait déjà choisi leurs noms, des jours plus tôt, en arpentant la clairière.

« Petit Reflet..., répéta Brise de Nénuphar, la respiration sifflante.

— Et Petit Nénuphar, poursuivit-il en caressant la boule de poils noirs. Je veux qu'elle s'appelle comme toi. »

Petit Nénuphar miaula en lui attrapant la patte et en lui donnant de petits coups sur les coussinets. Il ronronna et se libéra doucement avant de toucher la plus claire des trois.

« Et voici Petite Rivière.

— Petite Rivière. » Brise de Nénuphar se détendit contre lui, la tête sur son épaule. « Quels noms merveilleux... » Sa respiration se calma. Elle s'enroula autour de ses petites, la truffe posée sur les pattes, et ferma les yeux.

Étoile Balafrée enfouit son museau dans la fourrure de sa compagne.

« Repose-toi, maintenant, ma chérie. » Il se glissa dans le nid, tout contre elle. « Je vais te tenir chaud. »

Il ferma les yeux et huma le doux parfum de la reine.

« Étoile Balafrée ? » La tanière frémit lorsque Baie de Ronce pénétra à l'intérieur. Elle se pencha vers lui et lui posa la patte sur le dos. « J'ai entendu les noms que tu as choisis. Ils sont très beaux. »

Il releva la tête. *Combien de temps suis-je resté là ?*

Quand Baie de Ronce reprit la parole, son miaulement fut à peine audible :

« Je suis navrée. Brise de Nénuphar nous a quittés.

— Non ! » Il se redressa brusquement, soudain conscient que le pelage de Brise de Nénuphar était froid. « Non ! » Il s'extirpa du nid et se rua hors de la tanière. « Non ! » Son feulement résonna dans tout le camp. « Je ne t'ai jamais promis ça ! »

Ses camarades tournèrent vers lui leurs regards choqués. Il se précipita hors du camp.

« Ombre d'Érable ! rugit-il. Où es-tu ? Est-ce là un autre de tes *sacrifices* ? Nécessaire pour que je devienne le plus grand guerrier de tous les temps ? Je ne veux pas être le plus grand des guerriers ! Je retire ce que j'ai dit ! Je renie mon serment ! Si c'est cela que je dois endurer, je n'en veux pas ! »

Le miaulement de Cœur de Chêne retentit dans les arbres :

« Étoile Balafrée ! »

Le chef s'affala, hors d'haleine.

« Qu'est-ce que tu racontes ? s'inquiéta son frère en se collant à lui. De quel serment parles-tu ?

— Je ne peux pas te le dire ! rétorqua-t-il en repoussant le guerrier brun-roux. Je n'ai pas le droit !

— Reviens au camp, Étoile Balafrée, souffla Cœur de Chêne en lui caressant le dos. Nos camarades s'inquiètent. »

Étoile Balafrée se força à se lever. Il suivit son frère à l'aveuglette jusqu'au camp. Carpe Dorée sortit à cet instant de la pouponnière, Petite Rivière pendouillant dans sa gueule.

Étoile Balafrée accourut vers elle.

« Où l'emmènes-tu ? »

La reine recula, les yeux écarquillés. Baie de Ronce vint se glisser entre eux.

« Elle la porte jusqu'à la tanière des guerriers, où elle ne risquera pas d'être contaminée. Elle va l'allaiter.

— Et Petit Nénuphar et Petit Reflet ?

— Elles dorment dans la pouponnière.

— Et... et Brise de Nénuphar ? » Le nom de sa compagne resta coincé un instant dans sa gorge. La guérisseuse leva les yeux pour regarder par-dessus l'épaule de son chef. Étoile Balafrée se tourna et vit le corps de Brise de Nénuphar déjà étendu au centre de la clairière, sous la pluie battante. Il poussa un gémissement à fendre l'âme et fonça dans la pouponnière. « Je vais rester avec mes filles », gronda-t-il.

Il se roula en boule dans le nid près de Petit Reflet et Petit Nénuphar et sentit que la fièvre les faisait trembler et qu'elles toussaient encore.

« Calmez-vous, mes petites. Je prendrai soin de vous. »

Des miaulements angoissés retentirent au-dehors.

« Ne vous inquiétez pas, déclara Baie de Ronce pour rassurer ses camarades. Il est fou de chagrin, c'est tout. »

Étoile Balafrée rabattit les oreilles et se concentra sur ses filles. Elles gigotaient contre lui en toussant. Des bruits de pas suivis de murmures résonnèrent dans la clairière tandis que ses camarades s'installaient pour veiller Brise de Nénuphar. Le meneur lécha doucement la fourrure de ses filles jusqu'à ce qu'elles se calment. Soulagé, il ferma les yeux.

« Étoile Balafrée. »

Il s'éveilla et cligna des yeux, ébloui par la lumière de l'aube qui filtrait par la voûte. Il reconnut le pelage sombre de Patte de Pierre, près du nid. Étoile Balafrée s'assit. Petit Reflet et Petit Nénuphar roulèrent sur le côté. Il tendit une patte pour les ramener au creux du nid.

Du bout du museau, Patte de Pierre lui effleura l'épaule.

« Elles sont mortes, Étoile Balafrée, lui apprit-il, les yeux baissés vers les petits corps. Elles sont avec Brise de Nénuphar, maintenant. »

Étoile Balafrée l'entendit à peine. Il quitta la pouponnière et traversa le camp d'un pas chancelant, ignorant les miaulements étranglés de ses camarades en deuil, ne voyant rien qu'une masse de fourrures.

« Je suis vraiment désolée pour toi ! lança Plume Fauve.

— Non, pas les chatonnes aussi ! »

Le meneur ignora le cri désespéré de Lac de Givre en s'engouffrant dans son gîte. Il s'écroula sur son nid, la truffe enfouie dans la mousse. Il y trouva une trace du parfum de Brise de Nénuphar. Ravalant une plainte, il ferma les yeux. Quoi qu'il fasse, il ne pourrait échapper à son serment ! Il ne pouvait revenir sur sa promesse. *Mon destin est de perdre tous ceux qui me sont chers !* Des souvenirs tourbillonnèrent dans son esprit, tragédie après tragédie : Brise de Nénuphar, ses filles, Fleur de Pluie, Étoile de Grêle, la trahison de Cœur de Chêne, le sacrifice d'Étoile Bleue. *Patte de Brume et Pelage de Silex ne savent même pas qui est leur vraie mère !* Sa promesse était telle une pierre jetée dans la rivière, provoquant des remous dans sa propre vie, mais aussi dans celles de ses camarades, de tous les chats de la forêt ! Tout ça à cause d'Ombre d'Érable !

Ombre d'Érable ! Un grondement monta dans sa gorge. *Je viens te régler ton compte, Ombre d'Érable.* Il appela le sommeil de toutes ses forces et s'y plongea avec détermination pour se réveiller dans la Forêt Sombre.

Ombre d'Érable l'observait.

« Étoile Balafrée », miaula-t-elle d'un ton satisfait.

La rage lui brûlait le ventre. Il se jeta sur elle. La morsure fatale de Faucon d'Argent était gravée en lui. D'un coup puissant, il fit basculer la vieille guerrière et la prit à la gorge.

Elle esquiva son attaque en rugissant. Une lueur mauvaise s'alluma dans ses yeux.

« Tu te crois plus fort que moi ? »

Elle se dressa et abattit ses pattes avant sur la joue du meneur.

Il tituba, déséquilibré par la violence de l'attaque, et s'effondra sur le sol. Il se retourna juste à temps pour parer un nouveau coup. Les griffes sorties, il agrippa la fourrure de son ennemie et la projeta en arrière. Elle se releva en un instant et fondit de nouveau sur lui, les pattes tendues, les griffes aussi brillantes que les dents d'un brochet. Étoile Balafrée l'évita et se glissa sous elle pour lui faire un croche-patte, puis il bondit, se tourna dans l'air et frappa avec ses pattes arrière tout en donnant des coups de griffes avec ses pattes avant. Il retomba sur le dos de la chatte qui peinait à se relever. Ombre d'Érable eut beau grogner, il tint bon et referma ses mâchoires sur sa nuque.

Elle se releva avec une force phénoménale qui sidéra Étoile Balafrée et lui fit lâcher prise. Il voulut se tourner dans sa chute mais percuta le sol plus tôt qu'il ne s'y attendait. Aussitôt, elle fut sur son dos, lui coupant le souffle. Ses griffes transpercèrent sa fourrure tandis qu'elle le clouait par terre.

« Vas-y, tue-moi ! cracha-t-il. Je n'ai plus aucune raison de vivre !

— Oh, non, ronronna-t-elle d'une voix mielleuse. Te laisser la vie sauve est une vengeance bien plus délectable.

— Une vengeance ? Qu'est-ce que je t'ai fait ? »

Ombre d'Érable lui tira la tête en arrière pour le regarder droit dans les yeux. Ses prunelles brûlaient de haine.

« Ton destin a toujours été de devenir le chef du Clan de la Rivière. Cela n'a jamais dépendu de moi. Ta voie a été tracée par le Clan des Étoiles bien des lunes plus tôt. » Elle colla presque son museau au sien. « Mais qui se soucie des destinées à part les imbéciles ? Moi, j'aurais dû devenir le chef du Clan du Tonnerre, sauf que le Clan du Tonnerre m'a bannie quand j'ai choisi un compagnon du Clan de la Rivière. Cette histoire te rappelle quelque chose, hein ? Cœur de Chêne n'est pas le seul traître de la forêt, tu sais. » Elle le secoua brutalement, les griffes plantées un peu plus profondément dans sa chair. « Nos petits étaient parfaits ! » Ses yeux s'embrasèrent. « Mais ils se sont *noyés* ! Quand le Clan du Tonnerre m'a bannie, j'ai essayé de traverser la rivière pour les emmener dans le Clan de leur père. Mais l'eau me les a arrachés pour toujours. »

Étoile Balafrée tenta désespérément de se libérer.

« Oh, non ! feula-t-elle en le forçant à la regarder. Tu dois écouter mon histoire jusqu'au bout. » Son souffle putride envahit la truffe du chef du Clan de la Rivière. « Leur père a prétendu que c'était *ma* faute ! Et le Clan de la Rivière m'a bannie, lui aussi. Peux-tu imaginer ce que l'on ressent lorsqu'on est rejeté deux fois de suite ? Lorsqu'on devient une solitaire alors que tout ce qu'on voulait, c'était aimer ? Cela dit, je le leur ai fait payer. J'ai cherché à me venger dès que possible ! À ton avis, qu'est-ce que je fais ici ? » Elle balaya la clairière sombre du regard. « J'ai *mérité* ma place dans la Forêt Sombre. Et, le pire, c'est que le père de mes chatons noyés a pris une compagne du Clan de la Rivière ! Il m'avait fait le serment de n'aimer que moi ! Ils ont eu une fille, qui a eu un fils, et sais-tu qui était ce fils ? »

Étoile Balafrée secoua la tête en essayant de ne pas perdre le fil.

« Cœur de Nacre, feula-t-elle. Ton père. » Ses pattes tremblaient. « Tu comprends, maintenant ?

— Qu'y a-t-il à comprendre ?

— Espèce de cervelle de souris ! Ce sont *mes* enfants qui auraient dû être à la tête du Clan, pas les siens ! Si le Clan du Tonnerre ne m'avait pas forcée à traverser la rivière, mes petits n'auraient pas péri. Si le Clan de la Rivière ne m'avait pas rejetée, je serais toujours la compagne de celui qui m'a reniée, à la place d'une reine du Clan de la Rivière au cœur de poisson ! » Elle était à bout de souffle. « On m'a trahie si souvent ! Tant de nos semblables m'ont fait souffrir au-delà de l'imaginable. Et puis toi, tu es arrivé, avec une destinée si glorieuse, alors que tu n'aurais jamais dû naître ! » Elle le repoussa loin d'elle. « Je voulais éprouver ta loyauté, cracha-t-elle. Je voulais voir si tu étais aussi faible et déloyal que tes ancêtres. Je voulais voir si tu me trahirais, tout comme *ils* m'ont trahie. » Elle lui tournait autour, les crocs en avant. « Te rappelles-tu ce que j'ai dit ? Mes paroles exactes ? “*Je peux te donner tout ce dont tu as toujours rêvé, le pouvoir de commander tous tes camarades, si tu promets d'être loyal à ton Clan avant tout le reste. Peux-tu me faire ce serment ?*” Et, oui, tu as juré ! Tu as choisi de sacrifier tous ceux que tu as jamais aimés. Ta mère, ton frère, ta compagne et maintenant tes propres filles. Grâce à ce simple serment, j'ai pu tous te les prendre !

— Tu es folle à lier !

— Et je suis morte également. » Une lueur de démence brillait dans son regard. « Ce qui signifie que tu ne peux rien contre moi ! »

D'un coup d'épaule, elle l'écarta de son chemin. Et Étoile Balafrée se réveilla dans son nid, le pelage ensanglanté.

CHAPITRE 40

DU BOUT DU MUSEAU, Étoile Balafrée écarta la mousse qui dissimulait l'entrée de son repaire. L'aurore baignait le ciel. Pelage d'Écorce était déjà près de la roselière pour organiser les patrouilles. Saut de Grenouille, Écho de Brume, Œil de Chouette et Cristal d'Eau étaient rassemblés autour de lui. Plume de Bambou et Cœur de Ciel se hâtèrent de quitter leur tanière, aussitôt suivis par Griffe Noire et Ventre Affamé. Étoile Balafrée les observait tandis qu'ils écoutaient les ordres du lieutenant. Tous les guerriers du Clan de la Rivière, loyaux à leur Clan, prêts à accomplir leur devoir et n'attendant rien de moins que la même chose de leur chef.

« Écho de Brume, emmène Cœur de Ciel et Plume de Bambou à la pêche. Allez vers l'amont. Nous allons trop souvent près du gué. Œil de Chouette, prends... »

Il laissa sa phrase en suspens en voyant arriver Étoile Balafrée. La mine sombre, il étudia l'expression de son chef. Étoile Balafrée tenta de ne pas grimacer lorsque, les uns après les autres, ses guerriers lui jetèrent un regard gêné avant de se détourner. Étoile Balafrée eut l'impression d'être redevenu chaton, lorsqu'il était sorti de la tanière de la guérisseuse pour la première fois après son accident. Sauf que, cette fois-ci, c'était encore pire.

Le miaulement de Baie de Ronce le ramena au présent :

« Ils ne savent pas quoi dire pour te réconforter. »

Elle s'était arrêtée près de lui, enveloppée dans un parfum de remèdes et de rosée. Elle déposa un paquet de feuilles fraîches sur le sol.

« Ils ne peuvent rien faire », articula-t-il tant bien que mal. C'était sa première journée sans Brise de Nénuphar. Il avait même du mal à croire que le soleil se soit levé. « Comment va Petite Rivière ?

— Bien. Je lui dirai que tu as pris de ses nouvelles. » Elle baissa les yeux sur ses pattes tachées de vert. « J'ai été récolter des feuilles de souci pour elle, au cas où. Elle n'a aucun symptôme, mais on n'est jamais trop prudent.

— Il faut que je te parle, la coupa-t-il. Seul à seule. »

Il l'entraîna hors du camp jusqu'à la rive et s'arrêta sur un grand rocher plat qui surplombait le cours d'eau. Les saules prenaient déjà des teintes orangées. Étoile Balafrée regarda une feuille voleter jusqu'à la surface. Le courant la fit tourner et l'emporta doucement au loin.

« Je t'écoute, l'encouragea la guérisseuse.

— Je ne t'ai pas tout dit », avoua-t-il en scrutant les prunelles de sa camarade, effrayé par ce qu'il allait y découvrir.

Il risquait de perdre sa confiance à tout jamais.

« Continue.

— Non seulement j'ai été formé par une guerrière de la Forêt Sombre, mais je lui ai aussi fait un serment. Elle m'a dit qu'elle me donnerait tout ce dont j'avais toujours rêvé. Que je deviendrais chef, à condition que je promette de faire passer ma loyauté pour mon Clan avant tout le reste. » Il attendit qu'elle réagisse, mais elle se contenta de l'observer en silence. « Cela semblait une promesse si facile ! Évidemment que je comptais être loyal à mon Clan ! Jusqu'à la fin de mes jours. Sauf qu'elle voulait bel et bien que cette loyauté prime *tout le reste.* »

Ces mots lui laissèrent un goût amer sur la langue.

« Que voulait-elle dire par là ?

— Je ne l'ai pas interrogée alors. Je pensais que ce serait simple. » Ses épaules s'affaissèrent lorsqu'il reprit : « Je n'avais pas compris que je devrais sacrifier tous ceux qui m'étaient chers.

— Tu parles de Brise de Nénuphar ?

— Et de Fleur de Pluie. Et d'Étoile de Grêle.

— Tu ne les as pas sacrifiés, répondit-elle, déroutée. Leur heure était venue. Cela n'avait rien à voir avec toi.

— Mais si ! Ils seraient encore en vie si je n'avais pas fait cette promesse ! Et Cœur de Chêne n'aurait jamais… » Il s'interrompit. Baie de Ronce n'avait pas besoin de savoir que Cœur de Chêne avait trahi son Clan avec une chatte du Clan du Tonnerre. Il secoua la tête, au désespoir. « Les choses auraient été différentes si je n'avais été si déterminé à devenir chef. Ombre d'Érable aurait laissé notre Clan tranquille. »

Je vais devoir renoncer à être meneur. À présent que Baie de Ronce savait que les malheurs du Clan de la

Rivière étaient sa faute, elle demanderait au Clan des Étoiles qu'il lui reprenne ses neuf vies. Tête basse, Étoile Balafrée fixa la roche grise sous ses pattes. Il le méritait.

« Pourquoi es-tu si certain que les choses auraient été différentes ? demanda la guérisseuse. Est-ce que cette chatte de la Forêt Sombre détient bel et bien le pouvoir de changer la destinée d'un Clan ? Et toi ? Es-tu réellement si important que tu puisses détenir les vies de tant de nos camarades entre tes pattes ? Alors même que le Clan des Étoiles ne le peut ? »

Étoile Balafrée releva la tête, perplexe.

« Oh, Étoile Balafrée, reprit-elle, les yeux brillants. Tu as dû suivre dans la solitude un chemin sombre et terrible. » Elle grimpa près de lui sur le rocher et se colla contre son flanc. « Aucune de ces morts n'est ta faute. Et je doute qu'elles soient la faute d'Ombre d'Érable. Parfois, des malheurs arrivent sans raison, ou pour des raisons qui nous échappent. » Elle s'écarta pour le regarder droit dans les yeux. « Je t'en prie, tu ne dois pas croire que tu es condamné à souffrir seul. Je serai toujours à ton côté. Je suis la guérisseuse de ton Clan. Tu peux te confier à moi sans crainte.

— Vraiment ? fit-il en ravalant la boule qui lui nouait la gorge.

— Vraiment. » Elle lui lécha la joue. « Avec un peu de chance, maintenant qu'Ombre d'Érable a eu sa vengeance, elle te laissera en paix. »

Pour la première fois depuis qu'il était chaton, Étoile Balafrée se sentit libre. Il avait partagé son secret. Il se sentait léger, soulagé au-delà des mots.

« Rentrons au camp, dit-il en sautant du rocher.

Pelage d'Écorce a peut-être besoin d'aide pour organiser les patrouilles. »

Il avait affronté son Clan après s'être cassé la mâchoire. Il pourrait l'affronter de nouveau. Ces chats étaient ses camarades, et lui leur chef. Ils avaient besoin de lui autant que lui avait besoin d'eux.

« Et pour Petite Rivière ? »

La question de Baie de Ronce le prit de court.

« Carpe Dorée s'occupe d'elle, non ?

— Je suis certaine qu'elle aimerait voir son père.

— Plus tard, miaula-t-il en grimpant sur le talus. Il faut que je m'occupe des patrouilles. »

Œil de Scarabée traversa la roselière à la nage et sauta sur la rive, le pelage ruisselant, un petit poisson entre les mâchoires.

« C'est pour Carpe Dorée ? s'enquit Larme de Nuit. Tu veux que je le lui apporte ? »

Le guerrier fit non de la tête et se dirigea vers la pouponnière. Étoile Balafrée l'observait, à l'ombre du saule. Il devinait qu'Œil de Scarabée avait envie de voir Petite Renarde et Petite Herbe. Depuis la naissance de ses petits, le mâle noir passait son temps à aller et venir fièrement dans la clairière, et se rendait à la pouponnière sous le moindre prétexte.

Larme de Nuit s'approcha d'Étoile Balafrée.

« Et si tu allais voir Petite Rivière ?

— Non, ça fera trop de monde en même temps », répliqua le meneur en regardant le guerrier entrer dans la pouponnière.

Un quart de lune était passé depuis la mort de Brise de Nénuphar. Les autres se montraient toujours pleins de tact avec lui, par égard pour son chagrin. Mais il était déterminé à prouver qu'Étoile de Grêle avait pris la bonne décision en le choisissant, et qu'il pourrait diriger le Clan quoi qu'il arrive. Il était heureux que Carpe Dorée ait mis bas car sa propre fille, orpheline de mère, aurait ainsi des camarades de tanière – presque des frères et sœurs. Petite Rivière avait une vraie famille, à présent. Elle n'avait pas besoin de lui. Et, avec la mauvaise saison qui approchait, il y avait trop à faire dans le camp. Il était trop occupé pour se rendre à la pouponnière. D'un mouvement de la queue, il fit signe à Bourgeon Poudré et à Saut de Grenouille, qui renforçaient la tanière des anciens avec des roseaux en prévision des lunes froides à venir.

« Qu'y a-t-il ? lança Saut de Grenouille en dévalant la pente pendant que Bourgeon Poudré finissait de glisser un roseau dans la tanière.

— Le tas de poissons me paraît un peu bas. Emmène Plume de Bambou, Taches de Léopard et Griffe Noire à la pêche. » Il se tourna vers Bourgeon Poudré, qui les avait rejoints. « J'aimerais que tu prennes Pelage de Cèdre, Plume Douce et Reflet d'Argent pour aller inspecter la frontière sur les Rochers du Soleil.

— Pelage d'Écorce y est déjà allé ce matin, lui apprit Bourgeon Poudré, mal à l'aise.

— Eh bien, retournez-y ! »

Larme de Nuit se leva et se dirigea vers la tanière des anciens.

« Je ferais mieux d'aller finir de tisser ce roseau », déclara-t-elle d'un ton où pointait le reproche.

Étoile Balafrée l'ignora. Les guerriers ne devaient pas remettre ses ordres en question.

Il traversa la clairière en donnant des coups de patte dans les feuilles qui jonchaient le sol. Il ralentit en passant devant la pouponnière.

Œil de Scarabée en sortit.

« Petite Rivière a du caractère, mais elle est trop mignonne ! » ronronna-t-il avant de plonger entre les roseaux.

Étoile Balafrée dressa les oreilles et se pencha vers la pouponnière. Il entendait des petites griffes grattant le nid.

« Je suis la plus grande ! J'ai le droit de passer en premier ! »

Ce devait être Petite Rivière. Comme elle avait dû grandir ! Est-ce que ses rayures ressemblaient à celles de Brise de Nénuphar ?

« Carpe Dorée ! Elle ne veut pas me laisser grimper dans le nid.

— Calme-toi, Petite Renarde. Elle te laissera faire si tu le demandes gentiment.

— Je cherche seulement à vous faire grandir plus vite, pépia Petite Rivière. Dépêchez-vous de grandir ! Je veux sortir explorer le camp ! »

Étoile Balafrée se tourna soudain en entendant quelqu'un arriver derrière lui. C'était Cœur de Chêne.

« Pourquoi n'entres-tu pas pour la voir ?

— J'ai d'autres préoccupations.

— Vraiment ? fit le guerrier, les oreilles frémissantes. Tu ne pourras pas l'éviter toute ta vie, tu sais ? Elle passera bientôt son temps à cavaler dans la clairière pour jouer à saute-grenouille. » Les yeux plissés, il ajouta : « Tu ne veux pas qu'elle sache qui est son père ou quoi ?

— Pardon ? Comme si tes petits savaient qui est leur père !

— C'était différent, se défendit Cœur de Chêne. J'ai toujours été là pour eux, à chasser pour eux, à jouer avec eux. Petite Rivière sait à peine que tu existes.

— Laisse-moi tranquille, le coupa Étoile Balafrée en tournant les talons. Cela ne te regarde pas. »

Cœur de Chêne se glissa devant lui pour lui barrer la route.

« En fait, si, ça me regarde. » Il s'approcha tant que leurs deux museaux se frôlaient. « Tu es mon frère ! Petite Rivière est ma nièce ! Tu te comportes comme une cervelle de poisson et tout le monde s'en rend compte. Sauf que je suis le seul assez courageux pour te le dire en face.

— Courageux ? Toi ? renifla Étoile Balafrée. Tu n'as même pas été fichu de me dire que Lune Bleue attendait tes petits. Si elle ne te les avait pas collés dans les pattes, le secret serait toujours entier.

— Tu le penses sincèrement ?

— Oui ! rugit Étoile Balafrée en sortant les griffes. Ne prétends pas comprendre ce que je ressens, parce que tu n'en sais rien !

— C'est exact, je n'en sais rien ! répliqua son frère, le pelage hérissé. Mais ce que je sais, c'est qu'il y a une chatonne là-dedans dont le père ne veut pas entendre parler. Comment peux-tu diriger un Clan alors que tu refuses de prendre tes responsabilités de père ?

— Comme tu l'as fait ?

— Oui, comme je l'ai fait ! Comment peux-tu la regarder grandir en lui laissant croire que tu ne l'aimes pas ? » Il se détourna en secouant la tête. « Toi, entre tous, tu es bien placé pour savoir quel calvaire cela représente. Et pourtant, tu l'infliges à ta propre fille !

— Comment oses-tu m'accuser d'une chose pareille ? » feula Étoile Balafrée avant de se jeter sur son frère pour le clouer au sol.

Cœur de Chêne poussa un cri de rage et lui donna un coup de patte.

Étoile Balafrée hoqueta en sentant les griffes du guerrier brun-roux lacérer sa joue.

« Vil cœur de renard ! »

Le meneur se redressa puis se laissa retomber sur le poitrail de son frère. Cœur de Chêne poussa un grognement avant de rouler sur le côté et de se remettre sur ses pattes. Il se ramassa sur lui-même face à Étoile Balafrée, la queue battant l'air, les yeux comme des fentes.

« Arrêtez-les ! » lança Larme de Nuit en accourant.

Pelage d'Écorce surgit de la tanière des guerriers et leur tourna autour, le poil en bataille.

« Laissez-les se battre ! ordonna l'apprenti guérisseur. Parfois, c'est la seule solution. »

Étoile Balafrée foudroya son frère du regard.

« Je ne suis pas comme Fleur de Pluie, pas du tout ! J'agis pour le bien de Petite Rivière !

— Je parie que Fleur de Pluie pensait agir au mieux, elle aussi ! Je parie qu'elle se trouvait des excuses, tout comme toi !

— C'est faux ! »

Étoile Balafrée bondit, rua de ses pattes arrière, frappa de ses pattes avant en un enchaînement qu'il avait tant de fois répété, dans une forêt où les arbres étaient gris et poisseux, où la lumière des étoiles ne parvenait jamais à filtrer entre les feuilles. Puis il mordit son frère à la jugulaire.

Qu'est-ce que je suis en train de faire ?

Il se rendit compte avec horreur qu'il s'apprêtait à lui infliger la morsure fatale de Griffes d'Épine. Il recula d'un bond, dérapa et se retrouva au sol.

Cœur de Chêne s'approcha et le toisa durement.

« Ça y est, t'as fini ? »

Étoile Balafrée leva les yeux vers lui, la gorge nouée.

« Comment pourrais-je l'aimer alors que tous ceux que j'aime meurent les uns après les autres ?

— Je suis toujours là, moi, rétorqua le guerrier, le regard brumeux.

— Pour l'instant, répondit Étoile Balafrée en se relevant.

— C'est un risque auquel personne n'échappe. Tu préférerais ne plus avoir de sentiments ? Ne jamais avoir aimé Brise de Nénuphar ? demanda-t-il d'un miaulement tremblant. Où est passé ton courage, Étoile Balafrée ?

— Carpe Dorée ! Carpe Dorée ! » gémit une petite voix venue de la pouponnière. C'était Petite Rivière, qui les observait depuis l'entrée ; les yeux ronds. « Les grands guerriers se battent !

— Vas-y », murmura Cœur de Chêne en poussant son frère du bout du museau.

Après avoir inspiré à fond, Étoile Balafrée se força à marcher vers la pouponnière. *Quand le doute te saisit, laisse ton cœur te porter vers l'avant, non vers l'arrière.* Les paroles d'Étoile de Grêle lui revinrent à l'esprit.

Le Clan des Étoiles lui avait fait suffisamment confiance pour lui accorder ses neuf vies. Étoile Balafrée devait prouver qu'il en était digne. Il se pencha et, de la truffe, il effleura l'oreille de Petite Rivière.

« Tout va bien, personne n'a été blessé. »

La petite chatte eut un mouvement de recul. Elle tremblait de peur.

« Ne crains rien, l'apaisa-t-il. Nous ne nous battons pas pour de vrai. » *Son parfum est celui de Brise de Nénuphar !* Son pelage était tout aussi doux et les rayures au sommet de sa tête étaient identiques à celles de sa mère. « Nous nous entraînons, c'est tout. Tout va bien. »

Petite Rivière s'approcha d'un pas et pencha la tête pour voir Cœur de Chêne à l'autre bout de la clairière, qui les observait. Puis elle leva vers Étoile Balafrée ses grands yeux bleus. Elle ressemblait tant à sa mère ! Et un peu à lui, par la forme de ses oreilles et la longueur de sa queue. Étoile Balafrée la contempla en sentant renaître en lui un fol espoir. Pour la première fois ce jour-là, il sentit la chaleur du soleil sur son dos. *Veille sur nous, Brise de Nénuphar. Nous avons encore besoin de toi.*

« Vous ne faisiez vraiment que vous entraîner ? miaula Petite Rivière. C'est promis ?

— C'est promis. » Étoile Balafrée était si heureux qu'il crut que son cœur allait éclater. « Je suis ton père, Petite Rivière, et cela signifie que je tiendrai toujours mes promesses. »

Ouvrage composé par
PCA - 44400 Rezé

Cet ouvrage a été imprimé
en France par

La Flèche (Sarthe), le 06-02-2014

N° d'impression : 3003974

Dépôt légal : février 2014

Pocket Jeunesse, une marque d'Univers Poche,
est un éditeur qui s'engage pour
la préservation de son environnement
et qui utilise du papier fabriqué à partir
de bois provenant de forêts gérées
de manière responsable.

12, avenue d'Italie – 75627 PARIS Cedex 13